INSTANT
ENGLISH

© 2015 Martins Editora Livraria Ltda., São Paulo, para a presente edição.
© 2010 Gribaudo - IF - Idee editoriali Feltrinelli srl
Socio Unico Giangiacomo Feltrinelli Editore
Esta obra foi originalmente publicada em italiano sob o título
Instant English di John Peter Sloan por Gribaudo.

Título original: Instant English di John Peter Sloan
Texto: John Peter Sloan
Ilustrações: Sara Pedroni
Revisão de texto: Starleen K. Meyer
Projeto gráfico e layout: ORBIT – San Martino Buon Albergo (VR)

Publisher *Evandro Mendonça Martins Fontes*
Coordenação editorial *Vanessa Faleck*
Produção editorial *Susana Leal*
Preparação *Maria do Carmo Zanini*
Revisão *Renata Sangeon*
Danielle Costa

**Dados Internacionais de Catalogação na Publicação (CIP)
(Câmara Brasileira do Livro, SP, Brasil)**

Sloan, John Peter
Instant English: aprenda inglês de forma rápida e fácil/
John Peter Sloan; tradução Paula Passarelli. – São Paulo:
Martins Fontes - selo Martins, 2015.

Título original: Instant English di John Peter Sloan
ISBN: 978-85-8063-242-2

1. Inglês - Estudo e ensino 2. Inglês -
Gramática 3. Inglês - Vocabulário e manuais de
conversação I. Título.

15-06242   CDD-420.7

Índices para catálogo sistemático:
1. Inglês : Estudo e ensino 420.7

Todos os direitos desta edição reservados à
Martins Editora Livraria Ltda.
Av. Dr. Arnaldo, 2076
01255-000 São Paulo SP Brasil
Tel.: (11) 3116 0000
info@emartinsfontes.com.br
www.emartinsfontes.com.br

INSTANT ENGLISH

JOHN PETER SLOAN

Tradução
PAULA PASSARELLI

martins fontes
selo martins

Summary

Instructions	6
Introduction	7

Grammar
Step 1	10
Step 2	56
Step 3	120
Step 4	162
Step 5	186

English in Use
At work	210
Going abroad	234

Situations and Words
Real life	256
Idioms	276

Final Part
Solutions and Translations	340
Vocabulary	377
Regular Verbs	387
Irregular Verbs	394
Índice	397

Instructions

A organização deste livro reflete a importância dos conceitos da língua inglesa, destacando as questões mais relevantes, de modo a permitir que qualquer pessoa fale bem o idioma o mais rápido possível! Nem todas as frases foram traduzidas. Alguns exemplos estão em inglês e em português, outros, apenas em inglês: você terá de confiar na experiência que eu adquiri com meus alunos. Eu "espremi o cérebro" neste livro, inserindo tudo o que acredito ser útil para alguém se comunicar bem em inglês.

Como a pronúncia é importantíssima, fiz o possível para ajudar você a **improve your English**, apresentando a pronúncia britânica de algumas palavras entre parênteses, escrevendo-as exatamente como são faladas. Para não complicar sua vida e não confundir você, abri mão de símbolos fonéticos e colchetes. Os símbolos que você encontrará neste livro são:

- Se uma letra aparece sublinhada, significa que ela é escrita mas não pronunciada, como em could (cud).
- Se uma letra aparece duplicada, significa que seu som é prolongado, como em to sleep (sliip).
- **th*** serve para indicar um som característico do inglês, aquele de thank (th*ank), que é um "s" pronunciado com a ponta da língua entre os dentes.
- **th-** serve para indicar um som muito semelhante a um "d" pronunciado com a ponta da língua entre os dentes, como em then (th-en).
- **h*** serve para indicar o "h" aspirado, aquelo do bchind (bih*aind). É semelhante ao "rr" de "carro", mas sem "arranhar" o fundo da garganta.

Introduction

Dedicado a todos que pensavam que o problema eram eles mesmos!

Quando fui professor de uma importante escola de inglês como língua estrangeira na Itália, percebi que o método que vinha sendo aplicado era ineficaz e difícil para os estudantes. De acordo com esse método, vários conceitos inexistentes no idioma materno dos alunos eram malcompreendidos quando explicados em inglês. Passei, então, a explicá-los na língua dos estudantes, sem que a direção da escola soubesse, e isso representou um **grande avanço** para os alunos.

Eu lhes dava uma palavra e um verbo, de modo que pudessem formular rapidamente algumas frases em inglês, graças ao método *building blocks*, e procurava sempre escolher **exemplos engraçados**, por uma razão muito simples: quem se diverte aprende com mais prazer. Todos os meus alunos ainda se lembram, passados tantos anos, das histórias malucas que eu escrevia para ensinar-lhes as regras... E, por causa das histórias, eles também se lembram da **gramática**!

Meu método, baseado fundamentalmente na **simplicidade**, na **lógica** e no bom senso, tornou-se tão popular que decidi colocar tudo em um livro, porque aprender inglês pode ser realmente divertido quando se encara cada exercício como um jogo ou enigma! Assim, aprender as regras fundamentais será ainda mais interessante no momento em que você começar a aplicá-las na prática, em suas **viagens** e no **trabalho**, e a utilizá-las para descobrir todos os segredinhos dos falantes do inglês, como as frases mais típicas e conhecidas: as **expressões idiomáticas**. Em pouco tempo, esse método deixará você muito satisfeito, além de oferecer uma grande vantagem, porque, como todos bem sabemos, o inglês é o futuro!

INSTANTENGLISH

Grammar

Step **1**

Step **2**

Step **3**

Step **4**

Step **5**

Step 1

1.1.1 **Verbo ser/estar (*to be*)**
forma afirmativa
forma negativa
forma interrogativa

1.1.2 **Artigo**

1.1.3 **O plural**

1.1.4 **Pronomes oblíquos**

1.1.5 **Verbo ter (*to have*)**
forma afirmativa
forma interrogativa
forma negativa

1.1.6 **Vocabulário básico**
as cores
a família e a casa
os números

1.1.7 **Pronomes possessivos adjetivos e substantivos**

1.1.8 *Double object*

1.1.9 **Caso genitivo**

1.1.10 **Preposições**

1.1.11 **Pronomes demonstrativos adjetivos e substantivos**

1.1.12 **Quem, como, o que, quando e onde?**

1.1.13 *There is/there are*

1.1.14 **Os dias da semana e as partes do dia**

1.1.15 **Os meses e as estações**

1.1.16 **As horas**

Verbo **ser/estar** 1.1.1
(to be)

Vamos ver (let's see) primeiro os pronomes pessoais.

I (ai)   eu
you (iú)   você, tu
he (h*i)   ele
she (xi)   ela
it (it)   isso, ele/ela (referindo-se a um objeto)
we (uí)   nós
you (iú)   vocês, vós (você, vocês, tu e vós: em inglês, é sempre *you*)
they (th-ei)   eles/elas

Para começar bem, é preciso aprender a fonética da letra "H" em inglês. Isso é muito importante, porque se essa letra não for bem pronunciada, corre-se o risco de se dizer outra palavra em vez daquela que se pretendia falar.

I hate my teacher. Eu odeio meu professor.
I ate my teacher. Eu comi meu professor.

Se você estivesse no meio de alguma tribo africana, a segunda frase até poderia fazer algum sentido, mas na Grã-Bretanha já não faria tanto!

Como saber se está pronunciando corretamente o "H"? Sabe aquele som que a gente faz ao bafejar um copo sujo para poder limpá-lo? Pronto, aí está o som do "H" em inglês!

1. Forma afirmativa

Vejamos a conjugação do verbo ser/estar *to be* no presente do indicativo.

Verbo **ser/estar** (*to be*)

	Forma extensa	Forma abreviada
eu sou/estou	I am	I'm
tu és/estás	you are	you're
você é/está	you are	you're
ele/ela é/está	he/she/it is	he's/she's/it's
nós somos/estamos	we are	we're
vós sois/estais	you are	you're
vocês são/estão	you are	you're
eles/elas são/estão	they are	they're

A estrutura da *forma afirmativa* fica assim:

sujeito + verbo + complemento

I am John/I'm John. Eu sou John.
You are Julie/You're Julie. Você é Julie.
He is nice/He's nice (nais). Ele é legal.
She is drunk/She's drunk. Ela está bêbada.
It is beautiful/It's beautiful (biutiful). É bonito(a).
We are young/We're young (iang). Nós somos jovens.
You are old/You're old. Vocês são velhos(as).
They are sad/They're sad. Eles/Elas são/estão tristes.

Agora, para você tentar montar uma frase, apresentarei alguns termos que certamente serão úteis... Lembre-se de que, quando uma letra aparece sublinhada, quer dizer que ela é escrita, mas não pronunciada!

tired (táied)	cansado(a)
ugly (agli)	feio(a)
generous (djenerus)	generoso(a)
drunk (drank)	bêbado(a)
old (ould)	velho(a)
sad (sad)	triste
happy (h*épi)	feliz
slow (slou)	lento(a)
fast (faast)	rápido(a)

Verbo **ser/estar** (to be)

fat (fat) — gordo(a)
thin (th*in) — magro(a)
big (big) — grande
small (smool) — pequeno(a)
serious (sirius) — sério(a)
elegant (élegant) — elegante
beautiful (biútiful) — bonito(a)
young (iang) — jovem
honest (onest) — honesto(a)

Nice

É um adjetivo muito usado em inglês, por ser um elogio que serve para *tudo*! Veja estes exemplos:
He is nice. Ele é legal.
The chicken is nice. O frango está gostoso.
The weather is nice. O tempo está bom.
His car is nice. O carro dele é bacana.
John is nice. John é simpático.

É importante saber que os adjetivos em inglês não variam em gênero (masculino ou feminino) e número (singular ou plural) em relação ao substantivo que acompanham (um problema a menos para se preocupar!).

Outra questão muito importante é a posição dos adjetivos na frase.
O adjetivo vem **antes** do substantivo ao qual se refere. Em português, geralmente acontece o contrário.

He is a nice man. Ele é um homem simpático.
(a tradução literal seria: "ele é um simpático homem").

Verbo **ser/estar** (to be)

Agora vamos trabalhar nos primeiros exemplos. Usando o conteúdo visto até aqui, traduza as frases a seguir. As respostas do exercício estão no final do livro, mas resista! Não vá olhar antes, hein?

Quando terminar o exercício (mas só quando terminá-lo), verifique quantas frases você acertou.
Não se preocupe se errar: é errando que se aprende. O importante é entender por que você errou.

Outra dica útil: leia os exemplos sempre em voz alta. A memória não se localiza apenas em uma parte do cérebro! Todas as suas regiões contribuem para a memória geral, e há muitos caminhos que levam a informação à memória: ao lermos, a informação nos chega através dos olhos, mas ao falarmos uma frase, repetindo-a em voz alta, a informação nos chega também através dos ouvidos. Trata-se de outro caminho e de uma maneira mais fácil de lembrar. Isso explica por que as pessoas dizem que aprendem muito melhor uma língua estrangeira falando-a: exatamente porque escutam o que falam!
Sabe quando você está com um problema e quebra a cabeça pensando nele, mas não encontra a solução? E é só conversar com um amigo que tudo parece ficar mais claro à medida que você fala? Isso acontece, mais uma vez, porque você está se escutando.

EXERCÍCIO n. 1

1. Eu sou magro. ....
2. Nós estamos velhos e cansados. ....
3. Eles estão bêbados. ....
4. Você é generoso. ....
5. Ela é gorda. ....
6. Nós estamos felizes. ....
7. O carro é veloz. ....
8. Ele é generoso. ....
9. Eu sou gordo. ....
10. Nós estamos tristes. ....

Verbo **ser/estar** (to be)

2. Forma negativa

Vejamos a conjugação do verbo ser/estar no presente do indicativo, mas agora na forma negativa. Para montá-la, é necessário introduzir uma palavrinha importante que muda completamente o sentido da oração: *not*. Ela deixa o verbo negativo e, por isso, aparece logo depois dele na frase.

	Forma extensa	Forma abreviada
eu não sou/estou	I am not	I'm not
tu não és/estás	you are not	you aren't
você não é/está	you are not	you aren't
ele/ela não é/está	he/she/it is not	he/she/it isn't
nós não somos/estamos	we are not	we aren't
vós não sois/estais	you are not	you aren't
vocês não são/estão	you are not	you aren't
eles/elas não são/estão	they are not	they aren't

A estrutura da *forma negativa* fica assim:

sujeito + verbo + *not* + complemento

I am not John/I'm not John. Eu não sou John.
You are not Julie/You're not Julie. Você não é Julie.
He is not nice/He's not nice (nais). Ele não é legal.
She is not drunk/She's not drunk. Ela não está bêbada.
It is not beautiful/It's not beautiful (biutiful). Não é bonito.
We are not young/We're not young (iang). Nós não somos jovens.
You are not old/You're not old. Vocês não são velhos.
They are not sad/They're not sad. Eles não são/estão tristes.

3. Forma interrogativa

Falta apenas a forma interrogativa para terminarmos o quadro da estrutura das frases em inglês. Neste caso, vamos vê-la com o verbo ser/estar (*to be*), mas ela pode ser aplicada a qualquer verbo.

Verbo **ser/estar** (*to be*)

Em português, distinguimos uma frase afirmativa de uma interrogativa pela entonação, na fala, e pelo ponto de interrogação, na escrita. Já em inglês, essa diferença se dá na organização da frase: na afirmativa, colocamos primeiro o sujeito e depois o verbo, enquanto na interrogativa fazemos o contrário: primeiro o verbo e depois o sujeito. Simples, não?

Afirmativa	Interrrogativa
I am	am I?
you are	are you?
he/she/it is	is he/she/it?
we are	are we?
you are	are you?
they are	are they?

A estrutura da *frase interrogativa afirmativa* fica assim:

verbo + sujeito + complemento

AFIRMATIVA	INTERROGATIVA
She is beautiful.	Is she beautiful?
They are tired.	Are they tired?
I am drunk.	Am I drunk?
He is old.	Is he old?
We are young.	Are we young?
You are English.	Are you English?
You and Mary are happy.	Are you and Mary happy?
The man is fat.	Is the man fat?

Verbo **ser/estar** (*to be*)

Short answer

A resposta a perguntas como aquelas feitas anteriormente se chama *short answer* (resposta curta) e permite evitar a repetição do complemento. As estruturas são as seguintes:

Afirmativa: **yes, sujeito + verbo** (Yes, she is/Yes, I am)
Negativa: **no, sujeito + verbo + *not*** (No, they are not)

Lisa: John, are you drunk? John, você está bêbado?
John: No, I am not, my little wife! Não, eu não estou bêbado, minha querida esposa!
Lisa: I am not your wife, I am your mother! Eu não sou sua esposa, sou sua mãe!
John: Oh, sorry. Ok, yes! I am. Ah, me desculpe. Ok, sim! Estou bêbado.
(Na verdade, quando estou bêbado não consigo elaborar uma frase dessas... Geralmente caio de cara no chão e fico por lá mesmo!)

Menciono brevemente a forma interrogativa negativa, que, na maioria das vezes, é usada para pedir a confirmação de algo sobre o qual já se tem uma ideia.

A estrutura da *forma interrogativa* negativa fica assim:

verbo + *not* + sujeito + complemento

Isn't she beautiful?   Ela não é bonita?
Aren't you tired?   Você não está cansado?
Isn't he stupid?   Ele não é burro?
Aren't they drunk?   Eles não estão bêbados?

Artigo 1.1.2

Em inglês existe apenas um **artigo definido** que não varia nunca! Nem em gênero, nem em número!

Essa maravilha é o *the*, que equivale a "o", "os", "a" e "as". Não acredita? Então veja:

o gato	the cat
os gatos	the cats
a mão	the hand
as mãos	the hands

O artigo indefinido também é fácil!
"Um" e "uma" são traduzidos como *a* ou *an*.
O *a* é usado antes de substantivos que começam com consoante, ao passo que *an* é usado antes dos substantivos que começam com vogal. Ainda está espantado com essa simplicidade toda? É ver para crer:

um cachorro	a dog
um gato	a cat
uma bicicleta	a bike
uma maçã	an apple
uma laranja	an orange

○ **plural** 1.1.3

Como você já deve ter reparado, em todos os exemplos fornecidos até aqui acrescentou-se um "-S" aos substantivos para passá-los do singular para o plural. E essa é a regra de formação do plural em inglês.

No entanto, quando os substantivos no singular terminam em **-S, -SS, -SH, -CH** ou **-Z** deve-se acrescentar **-ES** para se formar o plural.

	Singular	Plural
ônibus	bus (bas)	buses
aula	class (class)	classes
cílios	lash (lach)	lashes
igreja	church (tchãrtch)	churches

Já quando os substantivos terminam em **-Y,** o **-S** deve ser acrescentado se o **-Y** for precedido de uma vogal; porém, deve-se acrescentar **-ES** se o **-Y** for precedido de uma consoante. Lembre-se de que, nesse caso, troca-se o **-Y** por **I**.

	Singular	Plural
menino	boy (bói)	boys
brinquedo	toy (tói)	toys
senhora	lady (leidi)	ladies
estudo	study (stadi)	studies

Mas é claro que no inglês também há exceções, certo? Aí vão duas delas:

	Singular	Plural
rato	mouse (maus)	mice (mais)
ganso	goose (guus)	geese (ghiis)

○ plural

because, but, and

Apresento agora alguns **elementos fundamentais:** dois advérbios preciosos e a mais importante das conjunções, para que você possa exprimir uma opinião, formular frases com mais conteúdo e, sobretudo, entender o sentido de meus exemplos.

because (bicós) significa "porque"
(não se usa em frases interrogativas; para dizer "por que?" usamos *why*)

but (bat) significa "mas"

and (and) significa "e"

EXERCÍCIO n. 2

1. Ela é generosa porque está bêbada. ....
2. Ele está cansado porque é velho. ....
3. Eles são rápidos porque são jovens. ....
4. Nós somos lentos porque estamos gordos e bêbados. ....
5. Eu sou legal, mas ele é jovem e bonito. ....
6. Ela é bonita, mas não é elegante. ....
7. Nós somos gordos, mas somos rápidos. ....
8. Você é magro e jovem, mas é lento. ....
9. Eles são honestos e generosos. ....
10. Nós somos bonitos e legais, mas não somos elegantes. ....

Pronomes **oblíquos**   1.1.4

Os pronomes pessoais do caso oblíquo certamente serão muito úteis, porque com eles você vai poder, de agora em diante, referir-se às pessoas não mais apenas como sujeito da frase, mas também como complemento dos verbos (por exemplo). Ou ainda com as preposições que, aos poucos, você vai aprender.

Sujeito	Pronome oblíquo
I	me (mi)
you	you (iú)
he	him (h*im)
she	her (h*er, com o "e" bem fechado)
it	it (it)
we	us (as)
you	you (iú)
they	them (th-em)

With(out)

Para os próximos exercícios, apresentarei duas preposições:
With (uith*) que significa "com".
Without (uith*aut) que significa "sem".

Não é possível que você não conheça a canção With or Without you do U2! O título quer dizer "Com ou sem você".
Bono canta "Eu não posso viver, com ou sem você". Minha esposa sempre cantava essa música para mim no caraoquê antes de nos casarmos; agora, ela canta I will survive, ou seja, "sobreviverei"!

Vou dar alguns exemplos nos quais utilizo os pronomes oblíquos e também as preposições que acabei de apresentar e que, graças ao U2, você não vai esquecer tão facilmente.

Pronomes **oblíquos**

Afirmativa	Negativa	Interrogativa
Ela está com ele. She is with **him**.	Ela não está com ele. She is not (isn't) with **him**.	Ela está com ele? Is she with **him**?
Ele está com ela. He is with **her**.	Ele não está com ela. He is not (isn't) with **her**.	Ele está com ela? Is he with **her**?
Eles estão comigo. They are with **me**.	Eles não estão comigo. They are not (aren't) with **me**.	Eles estão comigo? Are they with **me**?

Preciso realmente dizer que temos um novo exercício e as respostas só devem ser verificadas quando você o terminar? Não?! Tudo bem, eu não estava mesmo a fim...

EXERCÍCIO n. 3

1. Nós estamos com você. ....
2. Você está com ele? ....
3. Ele e ela estão comigo. ....
4. Ele e ela estão comigo? ....
5. Vocês estão com eles. ....
6. Vocês não estão com ela. ....
7. Não estou com eles. ....
8. Você está comigo? ....
9. Você não está com ele? ....
10. Nós não estamos com você. ....

Verbo **ter** (*to have*)   1.1.5

Nós já vimos o principal verbo, ou seja, o verbo *to be* (*ser/estar*). O segundo verbo mais importante certamente é o ter, *to have* (h*av).

1. Forma afirmativa

Vejamos a conjugação do verbo ter (*to have*) no presente do indicativo.

	Forma extensa	Forma abreviada
eu tenho	I have	I've
tu tens	you have	you've
você tem	you have	you've
ele/ela tem	he/she/it has	he's/she's/it's
vós tendes	we have	we've
vocês têm	you have	you've
eles/elas têm	they have	they've

A estrutura da *forma afirmativa* fica assim:

sujeito + verbo + complemento

Como se pode ver, a conjugação do verbo *to have* será *have* para quase todas as pessoas; a única exceção é no caso da terceira pessoa do singular (*he/she/it*), que passa a ser *has*.

You have a nice house. Você tem uma casa bacana.
They have a big house. Eles têm uma casa grande.
I have an ugly friend. Eu tenho um amigo feio.
She has a small nose. Ela tem um nariz pequeno.
We have an old dog. Nós temos um cachorro velho.
You have my bike. Você está com a minha bicicleta (literalmente: "você tem minha bicicleta").

garden	jardim
dog	cachorro
brother	irmão

Verbo **ter** (*to have*)

mother	mãe
wife	esposa
sister	irmã
pool	piscina
car	carro
boyfriend	namorado

Usando tudo o que vimos até aqui e as palavras que acabei de apresentar, traduza as frases do exercício 4. Não esqueça: o adjetivo vem sempre antes do substantivo!

EXERCÍCIO n. 4

1. Nós temos um jardim pequeno. ....
2. Eu tenho um cachorro gordo. ....
3. Ela tem um irmão feio. ....
4. Eles têm uma mãe magra. ....
5. Ele tem uma esposa bonita. ....
6. Ele tem uma irmã bonita, mas triste. ....
7. Você tem um namorado? ....
8. Eu sou jovem, mas tenho um carro grande. ....
9. Eu não sou bonita, mas tenho um namorado bonito. ....
10. Ela tem dois irmãos e uma irmã. ....

2. Forma interrogativa

Geralmente, para construir uma frase interrogativa com o verbo ter (*to have*), usa-se o verbo auxiliar *to do*. Contudo, também é possível utilizar o pretérito perfeito do verbo *to get* (*have got*) para exprimir mais enfaticamente a ideia de posse. Assim como acontece com o verbo ser/estar, para formarmos a frase interrogativa, invertemos o verbo e o sujeito e acrescentamos *got*.

Verbo **ter** (*to have*)

Afirmativa
I have
you have
he/she/it has
we have
you have
they have

Interrogativa
have I (got)?
have you (got)?
has he/she/it (got)?
have we (got)?
have you (got)?
have they (got)?

A estrutura da *forma interrogativa* fica assim:

verbo + sujeito + *got* + complemento

AFIRMATIVA
You have a car
They have time
She has a big house

INTERROGATIVA
Have you got a car?
Have they got time?
Has she got a big house?

3. Forma negativa

Vejamos o verbo ter (*to have*) como auxiliar de *to get* na frase negativa. Para conjugá-lo, mais uma vez você deverá usar a palavrinha mágica *not*, posicionando-a depois do verbo na frase.

	Forma extensa	Forma abreviada
I have	I have not	I haven't
you have	you have not	you haven't
he/she/it has	he/she/it has not	he/she/it hasn't
we have	we have not	we haven't
you have	you have not	you haven't
they have	they have not	they haven't

Verbo **ter** (to have)

A estrutura da *frase negativa* fica assim:

sujeito + verbo + *not* + *got* + complemento

You have not got a car. Você não tem um carro.
They have not got time. Eles não têm tempo.
She has not got a big house. Ela não tem uma casa grande.
I have not got an ugly brother. Eu não tenho um irmão feio.
He has not got an old bike. Ele não tem uma bicicleta velha.

Short answer

Como vimos, também no caso do verbo *ter* a estrutura da frase não muda. Use as *short answers* para responder às perguntas.

Afirmativa: **yes,** **sujeito + verbo** (Yes, I have/Yes, she has)
Negativa: **no,** **sujeito + verbo + *not*** (No, they have not)

Tom: Have you got a dog?
Sally: Yes, I have/No, I haven't.

Wife: Have you got time for me?
John: No, I haven't.
Wife: Have you got time for *The Simpsons*?
John: Yes, I have.
Wife: Have you got time for the pub?
John: Always!

Vocabulário **básico**   1.1.6

Antes de avançarmos, seria muito útil acrescentar algumas palavras a seu vocabulário para que você possa elaborar frases mais completas. Para isso, com o objetivo de ajudar você a se lembrar mais facilmente dessas novas palavras, decidi reuni-las em grupos semânticos (de significado), porque, uma vez inseridas em um contexto, poderão ser mais bem compreendidas e utilizadas.

1. As cores

Let's start with colours! As cores são alegres e divertidas. Pode ser que tragam boa sorte e ajudem você a memorizá-las.

red (red)	vermelho
green (griin)	verde
yellow (iélou)	amarelo
blue (bluu)	azul
pink (pink)	rosa
black (blak)	preto
white (uáit)	branco
grey (grei)	cinza
brown (braun)	marrom; castanho

car	carro
house	casa
dog	cachorro
eye	olho
hat	chapéu
bike	bicicleta
television	televisão
pen	caneta
money	dinheiro

Usando o novo vocabulário, traduza as frases a seguir. Preste atenção ao adjetivo e faça o possível para só consultar as respostas depois de concluir o exercício!

Vocabulário **básico**

EXERCÍCIO n. 5

1. Ele tem um carro vermelho veloz. ....
2. Eu tenho uma grande casa branca. ....
3. Eles têm um cachorro preto lento. ....
4. Ele tem um olho preto. ....
5. Ela tem um chapéu laranja. ....
6. Nós temos uma bicicleta marrom. ....
7. Vocês têm uma televisão preto e branco? ....
8. Você tem um gato cinza? ....
9. Você tem uma caneta preta? ....
10. Tenho uma maçã verde. ....
11. Não tenho tempo. ....
12. Ela não tem dinheiro para mim. ....
13. Não temos uma casa bonita. ....
14. Não temos um carro bonito. ....
15. Vocês não têm tempo para mim! ....

2. A família e a casa

Vamos partir dos substantivos mais importantes que se referem à família e à casa.

mother/mom	mãe/mamãe
father/dad	pai/papai
brother	irmão
sister	irmã
son	filho
daughter	filha
grandmother	avó
grandfather	avô
uncle	tio
aunt	tia

Vocabulário **básico**

grandchild	neto(a)
nephew	sobrinho
niece	sobrinha
parents	pais
relatives	parentes
cousin	primo(a)
friend	amigo(a)
room	cômodo
living room	sala de estar
bedroom	quarto
bathroom	banheiro
kitchen	cozinha
cellar	porão
garage	garagem
attic	sótão
garden	jardim
roof	telhado
under	sob; debaixo de
book	livro
cool	fresco; frio
near	perto

house ou home

A diferença entre *house* e *home*

House é a casa física, a construção propriamente dita. Já *home* é "uma questão" sentimental. Se você mora em uma casa onde não se sente bem, talvez não a chame de *home*, mas de *my house*. *Home* também se aplica à pátria: Italy is now my home.

Vocabulário **básico**

Agora, concentre-se na sua família e na sua casa. Tente se lembrar de todas as palavras que acabou de aprender e faça os exercícios a seguir. No primeiro, traduza as frases; no segundo, complete os espaços com os verbos adequados.

EXERCÍCIO n. 6

1. Meu pai está debaixo do carro na garagem. ....
2. Minha avó está no quarto com o livro dela. ....
3. O gato preto está no porão porque ele (o porão) está fresco. ....
4. O quarto está perto do banheiro. ....
5. Meu irmão está na sala de estar com seu amigo, mas sem o cachorro. ... .
6. Minha irmã está no jardim. ....
7. Minha mãe está na cozinha. ....
8. Meu avô está na cama e o gato está debaixo da cama. ....
9. Meu primo está no carro na garagem. ....
10. Meus pais estão no porão. ....

EXERCÍCIO n. 7

1. My mother ____ in the garden.
2. ____ my mother in the garden?
3. ____ the boys playing in the cellar?
4. ____ Tommy got a big garage?
5. He ____ got a fat, black cat.
6. She ____ from Germany.
7. ____ he from England?
8. ____ you got my yellow ball?
9. Joe ____ not in the house.
10. We ____ not got a car. I ____ sorry!
11. The apple ____ green.
12. The apples ____ green.
13. I ____ a brown bike.
14. David ____ a red bike.

Vocabulário **básico**

15. We ____ in the garage with Michael.
16. Michael ____ in the garage with us.
17. They ____ with me and Tommy and the boys ____ with their mother.
18. The black and white cat ____ green eyes.
19. The dogs ____ eating the cats.
20. You ____ not with me because you ____ not got a car!

3. Os números

Vamos ampliar agora o vocabulário acrescentando outros exemplos com os números. Vamos começar com a ajuda dos exemplos desta tabela:

Números cardinais		Números ordinais	
1	one (uán)	primeiro	first
2	two (tuu)	segundo	second
3	three (th*rii)	terceiro	third
4	four (foo)	quarto	fourth
5	five (faiv)	quinto	fifth
6	six (six)	sexto	sixth
7	seven (seven)	sétimo	seventh
8	eight (eit)	oitavo	eighth
9	nine (nain)	nono	ninth
10	ten (ten)	décimo	tenth
11	eleven (ileven)	décimo primeiro	eleventh
12	twelve (tuélv)	décimo segundo	twelfth
13	thirteen (th*ertiin)	décimo terceiro	thirteenth
14	fourteen (fortiin)	décimo quarto	fourteenth
15	fifteen (fiftiin)	décimo quinto	fifteenth
16	sixteen (sixtiin)	décimo sexto	sixteenth
17	seventeen (seventiin)	décimo sétimo	seventeenth
18	eighteen (eitiin)	décimo oitavo	eighteenth
19	nineteen (naintiin)	décimo nono	nineteenth
20	twenty (tuénti)	vigésimo	twentieth
21	twenty one (tuentiuan)	vigésimo primeiro	twenty first

... e assim por diante, acrescentando-se os outros números.

Vocabulário **básico**

Daremos alguns exemplos usando os números ordinais, pois talvez sejam um pouco mais difíceis de usar do que os cardinais:

Neil Armstrong was the first person to walk on the Moon. Neil Armstrong foi a primeira pessoa a andar na Lua.

I am drinking my second glass of wine. Estou bebendo minha segunda taça de vinho.

Schumacher arrived third today. Schumacher chegou em terceiro hoje.

Italy won the World Cup for the fourth time. A Itália ganhou a Copa do Mundo pela quarta vez.

This is my fifth day at University! Este é meu quinto dia na universidade!

E, já que foi tão divertido contar até 21, vamos continuar contando até cem!

30	thirty	(th*erti)
40	forty	(forti)
50	fifty	(fifti)
60	sixty	(sixti)
70	seventy	(seventi)
80	eighty	(eiti)
90	ninety	(nainti)
100	hundred	(h*andred)

Agora sim temos quase todo o material necessário para o novo exercício. Precisamos apenas de mais algumas palavras:

work	trabalho
chicken	frango
good	bom
rabbit	coelho
children	crianças; filhos(as)
leg	perna

Pronto, não falta mais nada para você conseguir traduzir as frases do próximo exercício!

Vocabulário **básico**

EXERCÍCIO n. 8

1. Ela tem dois cachorros grandes e feios. ....
2. Ele não tem uma bicicleta preta. ....
3. Você tem quatro euros? Não tenho dinheiro. ....
4. Não, não tenho quatro euros porque eu não tenho emprego. ....
5. Ele tem dois olhos grandes e vermelhos porque está cansado. ....
6. Nós temos quarenta frangos em nosso jardim. ....
7. Vocês têm um frango grande e branco? ....
8. Eles não têm um frango grande e branco, mas têm um bom coelho cinzento. ....
9. Eles têm sete filhos pequenos porque não têm uma TV. ....
10. Você não tem duas pernas velozes porque está velha e bêbada. ....

Chegou a hora de encorajar você a criar suas próprias frases usando todos os elementos que apresentei até aqui (verbos, palavras, preposições e regras).
Às vezes meus alunos me dizem: "Mas eu não tenho criatividade!". Isso é inaceitável! Quer dizer que, se você estiver em Londres conversando com alguém, terá de tirar do bolso um livro de inglês para conseguir dizer alguma coisa? Não! É óbvio que não! É normal a pessoa formular algumas frases para dar início a uma conversa e levá-la adiante. Então você já sabe o que tem de fazer: encare a atividade como um jogo e divirta-se elaborando frases com aquilo que sabe.

Vale a mesma coisa no *trabalho!*
Não tenha medo de cometer erros. O importante é se comunicar e tentar se fazer entender da melhor maneira possível. Nenhum falante nativo de inglês vai tirar sarro se perceber que você está se esforçando.

Pronomes possessivos adjetivos e substantivos 1.1.7

Com o próximo passo, que inclui os pronomes possessivos adjetivos e substantivos, você vai se ver formulando frases mais longas e detalhadas com mais agilidade.

Pronome pessoal reto	Pronome pessoal oblíquo	Pronome possessivo adjetivo	Pronome possessivo substantivo
I	me	my	mine
you	you	your	yours
he	him	his	his
she	her	her	hers
it	it	its	its
we	us	our	ours
you	you	your	yours
they	them	their	theirs

Lembre-se sempre de que:
- Nunca se coloca o artigo (the) antes do pronome possessivo adjetivo nem do pronome possessivo substantivo;
- O pronome possessivo substantivo *nunca* é seguido pelo *substantivo*, justamente porque o substitui.

Sendo assim, vamos continuar criando!

I am with Paul and his brother. Estou com Paul e o irmão dele.
They are with Sara and her brother. Eles estão com Sarah e o irmão dela.
My mother and her dog are in the garden. Minha mãe e o cachorro dela estão no jardim.

Pronomes possessivos **adjetivos e substantivos**

E agora, antes de começar a traduzir, devo lembrar você – já que faz tempo que não o faço – de que as respostas ao final do livro devem ser verificadas apenas quando você terminar o exercício!

EXERCÍCIO n. 9

1. Vou para a minha casa em meu carro amarelo. ....
   ....
2. Minha esposa e a mãe dela fazem compras com o meu dinheiro! ....
   ....
3. Estou no jardim com meu cachorro e meu gato, e eles estão velhos e cansados. ....
4. Sarah está com meu carro vermelho porque sua bicicleta verde está quebrada. ....
   ....
5. Eles estão no carro deles com meu irmão e o amigo dele. ....
   ....
6. Meu livro está em cima da mesa; o seu está no quarto. ....
   ....
7. O pai dele é velho e magro; o meu é gordo. ....
   ....
8. Nossos pais são velhos, e os deles são jovens. ....
   ....
9. A bolsa dela é grande e nova, mas a delas é velha e suja. ....
   ....
10. A mãe dela é inglesa; a mãe delas é americana. ....
    ....

Double **object** 1.1.8

Chegou a hora de apresentar a você a regra do "objeto duplo". Em inglês, quando um verbo é seguido por dois objetos, um direto (aquele que vem logo depois do verbo, sem a necessidade de uma preposição) e um indireto (aquele que vem depois do verbo e de uma preposição), usa-se a construção do *double object*: o objeto indireto vem logo depois do verbo (sem o *to*), sem a preposição, e é seguido pelo objeto direto.

Não se preocupe: é mais fácil elaborar uma frase do que explicá-la! Veja o exemplo:

Não se diz *give a pen to me*, e sim *give me a pen*.

address	endereço
job	emprego
present	presente
joke	piada
letter	carta
story	história

Há, em particular, alguns verbos que sempre utilizam essa regra:

to give	dar	Give me your money.
to send	enviar	Send them your address.
to offer	oferecer	John, please offer your friends jobs!
to buy	comprar	Buy Lucy a present!
to sell	vender	Sell Tom your car.
to show	mostrar	He shows Julie his dog.
to tell	contar	Tell them a joke.
to find	achar, encontrar; procurar	Find me an umbrella.
to write	escrever	Write Kevin a letter.
to read	ler	Please, read me a story.

Contudo, se tanto o objeto direto quanto o indireto forem pronomes, a ordem irá se inverter:

Give it to me.
Send it to them.
John, please, offer them to them.

Caso **genitivo** 1.1.9

Em inglês, o possessivo – quando não é expresso com o pronome possessivo adjetivo ou com o pronome possessivo substantivo, obviamente – é indicado pelo acréscimo de um **apóstrofo** e de um **s** à pessoa ou à coisa que possui algo.

Se quem possui é *uma pessoa:*

a tradução de "o cachorro de Bob" **não** é the dog of Bob, **mas** Bob's dog;

a tradução de "a casa de Carlo" **não** é the house of Carlo, **mas** Carlo's house;

a tradução de "o computador da minha irmã" **não** é the computer of my sister, **mas** my sister's computer.

Se quem possui é *um animal*:

a tradução de "o osso do cachorro" **não** é the bone of the dog, **mas** the dog's bone;

a tradução de "o rabo do rato" **não** é the tail of the mouse, **mas** the mouse's tail.

Utiliza-se o genitivo também na função de *tempo*:

a tradução de "o jornal de hoje" **não** é the newspaper of today, **mas** today's newspaper.

a tradução de "a festa de amanhã" **não** é the party of tomorrow, **mas** tomorrow's party.

a tradução de "o almoço de segunda-feira" **não** é the lunch of Monday, **mas** Monday's lunch.

Utiliza-se o genitivo também com *países e cidades* (*countries and cities*):

a tradução de "os museus de Londres" **não** é the museums of London, **mas** London's museums;

a tradução de "os rios da Inglaterra" **não** é the rivers of England, **mas** England's rivers;

a tradução de "o Coliseu de Roma" **não** é the Colosseum of Rome, **mas** Rome's Colosseum.

Caso genitivo

Com o *plural*:

se o substantivo ao qual se refere o genitivo estiver no plural e, sendo assim, já terminar em -s, acrescenta-se ao substantivo apenas o apóstrofo:

a tradução de "a comida dos gatos" **não** é the food of the cats, **mas** the cats' food. Desse modo, é possível entender exatamente se a frase fala de um gato ou de mais de um gato. Compare as duas situações:

the cat's food (a comida do gato)
the cats' food (a comida dos gatos)

Quando se usa o possessivo de it, não se coloca o apóstrofo porque essa seria a forma abreviada de it is. Sendo assim, acrescenta-se o "s" sem apóstrofo:
Its food is in its bowl (sua comida está na sua tigela)

son	filho
husband	marido
cook	cozinheiro
mountain	montanha
canteen	refeitório; cantina
worker	funcionário; empregado
guide	guia
reader	leitor(a)
open	aberto(a)
on	em; sobre; em cima de

Traduza as frases a seguir usando o genitivo e as palavras que acabei de apresentar.

EXERCÍCIO n. 10

1. Eu sou filho da minha mãe. ....
2. Ele é o marido da Jennifer. ....
3. O chapéu do cozinheiro é branco. ....
4. As montanhas do Peru são bonitas. ....
5. O jornal do meu avô está em cima da mesa. ....
6. O jornal de amanhã. ....
7. Eu estou com o rádio do meu irmão. ....
8. Ele está com o carro do meu pai. ....
9. O refeitório dos funcionários está aberto. ....
10. Sou o guia dos meus leitores. ....

Preposições   1.1.10

Agora acrescentaremos outras preposições. As preposições são a "cola" da frase. Graças a elas, podemos elaborar frases mais completas e com mais conteúdo. Muito bem. Cheguei à página 39 do meu livro e ainda não dei o exemplo mais usado e banal do mundo:

The book is *on* the table.

O livro está em cima de + a mesa (em português, é em cima *da*, mas assim fica claro que em inglês devemos colocar o artigo depois da preposição).

As *preposições de lugar* mais importantes e mais usadas são:

on (on)	em cima de; sobre (com contato)	the pen is on the table
above (abov)	sobre (sem contato)	the sun is above the hill
under (ander)	debaixo de; sob	the cat is under the table
in (in)	em; dentro de	the dog is in John's garden
out of (aut of)	fora de	the car is out of the garage
behind (bih*aind)	atrás de	the cat is behind the sofa
in front of	em frente a; diante de	the house is in front of the school
between (bituin)	entre (duas coisas)	I am between Paul's two cars
among (among)	entre (mais de duas coisas)	the grandfather is among the children
inside (insaid)	dentro de; do lado de dentro	the car key is inside my bag
outside (autsaid)	fora de; do lado de fora	the umbrella is outside the door
beside (bisaid)	ao lado de	I am beside you
near (nia)	perto de	the pen is near the book
far	longe de	Australia is far from here
from	de (procedência)	I come from London

mouse	rato
tree	árvore

Agora sim podemos elaborar frases muito loooongas! É só traduzir!

Preposições

EXERCÍCIO n. 11

1. Meu pai está debaixo do carro amarelo na garagem com minha irmã. ......
   ....
2. Estou diante de uma pessoa bêbada e estúpida no espelho. ....
   ....
3. Ao lado da cama há um livro preto sobre a mesa. ....
   ....
4. Em frente à minha casa há uma casa com uma piscina e um carro grande. ..
   ....
5. Estou atrás de você: não vá rápido porque estou de bicicleta. ....
   ....
6. Dentro da minha casa, na cozinha, debaixo da mesa, há um rato. ....
   ....
7. Vovó está fora da casa; ela está no jardim lendo debaixo de uma árvore.
   ....
8. Eu durmo entre meu irmão e minha irmã em uma cama pequena e, debaixo da cama, dorme o meu avô. ....
   ....
9. Eles estão perto de São Paulo, mas longe da minha casa. ....
10. Aqui perto há um cinema e do lado de dentro há um amigo meu entre cem pessoas; ele foi lá para ver um filme. ....
    ....

As preposições de causa ou de finalidade

To ou *for*
Ambas podem ser traduzidas como *para*, mas vamos aprender a distinguir os usos de cada uma delas.

To

To + verbo = finalidade

Preposições

(vou ao parque com a **finalidade** de caminhar)
Ele vai ao parque **para** caminhar. He goes to the park **to** walk.

Vou ao bar **para** beber. I go to the pub **to** drink.

Vou ao parque **para** pensar. I go to the park **to** think.

Vou ao centro **para** trabalhar. I go to the centre **to** work.

Vou à escola **para** aprender. I go to school **to** learn.

For

For + substantivo = finalidade

(vou ao bar com a **finalidade** de encontrar tranquilidade)
Vou ao bar **para** (procurar) tranquilidade. I go to the pub **for** tranquility.

Vou ao parque **para** (tratar do) almoço. I go to the park **for** lunch.

Vou à loja **para** (comprar) comida. I go to the shop **for** food.

Vou a Londres **para** (passar) as férias. I go to London **for** a holiday.

church	igreja
peace	paz
clothes	roupas
holiday	férias
clean	limpo
bank	banco
jungle	selva

Verbos
to paint	pintar
to relax	relaxar
to wash	lavar
to learn	aprender
to explore	explorar

Preposições

Agora complete as frases a seguir com *for* ou *to*.

EXERCÍCIO n. 12

1. He goes to the church ____ peace.
2. She goes to the cinema ____ watch films.
3. He goes to art school ____ paint.
4. They go shopping ____ clothes.
5. I go to the mountains ____ relax.
6. I go to the mountains ____ my holiday.
7. She washes ____ be clean.
8. We need the bank ____ money.
9. I go to school ____ learn.
10. We went to the jungle ____ explore.

Pronomes demonstrativos
adjetivos e substantivos
1.1.11

Em inglês, os pronomes demonstrativos são:

Singular

Plural

This (th-is) este/esta/isto; esse/essa/isso;
That (th-at) aquele/aquela/aquilo

These (th-is) estes/estas; esses/essas
Those (th-ous) aqueles/aquelas

Os **pronomes demonstrativos adjetivos** em inglês precedem o sujeito e tornam-se parte integrante da frase, por isso a estrutura que explicamos anteriormente não muda.

A estrutura da *forma afirmativa* fica assim:

pronome demonstrativo adjetivo + sujeito + verbo + complemento

This cat is black. Este gato é preto.

A estrutura da *forma interrogativa* fica assim:

verbo + pronome demonstrativo adjetivo + sujeito + complemento

Is this cat black? Esse/Este gato é preto?

A estrutura da *forma negativa* fica assim:

pronome demonstrativo adjetivo + sujeito + verbo + *not* + complemento

This cat is not black. Esse/Este gato não é preto.

Os **pronomes demonstrativos substantivos** substituem o sujeito. Com eles você também é capaz de construir algumas frases: a estrutura é sempre a mesma! A estrutura da *forma afirmativa* fica assim:

Pronomes demonstrativos **adjetivos e substantivos**

sujeito (pronome demonstrativo substantivo) + verbo + complemento

This is my cat. Esse/Este é meu gato.

A estrutura da *frase interrogativa* fica assim:

verbo + sujeito (pronome demonstrativo substantivo) + complemento

Is this my cat? É esse/este o meu gato?

A estrutura da *forma negativa* fica assim:

sujeito (pronome demonstrativo substantivo) + verbo + *not* + complemento

This is not my cat. Esse/Este não é o meu gato.

sweet	doce
cup	xícara
jacket	jaqueta; paletó

Adivinhe o que você deve fazer agora, utilizando essas novas palavras e os pronomes demonstrativos adjetivos e substantivos? Isso mesmo! Comece a traduzir.

EXERCÍCIO n. 13

1. Aqueles doces são seus.
2. Essas xícaras são grandes.
3. Aquele homem é legal.
4. Este bar é feio.
5. Aquele bar é bonito.
6. Aqueles homens são honestos.
7. Essas crianças são rápidas.
8. Este café é meu.
9. Esses carros são lentos.
10. Aquela moça está com aquele homem com a jaqueta verde; aquele com olhos azuis está com esta moça aqui.

Quem, como, o que, 1.1.12
Quando e onde?

Quantas perguntas! Será que me bateu um acesso de curiosidade? Não se preocupe e, aliás, prepare-se para uma lição que será realmente muito útil!

Who (h*u) quem

Who are you? Quem é você?
Who are they? Quem são eles?
Who is this boy? Quem é esse menino?
Who are these men? Quem são esses homens?
Who is that man? Quem é aquele homem?

Sendo who uma palavra que introduz uma interrogação, para usá-la é preciso seguir a estrutura da frase interrogativa.

A estrutura da frase com who fica assim:

who + verbo + ...

skirt	saia
road	estrada
mad	louco(a)
tall	alto(a)
thing	coisa
bag	bolsa; sacola
that	que (conjunção)
money	dinheiro
shop	loja

Verbs

to give (the orders)	dar (ordens)
to know	saber; conhecer
to ask	porguntar; pedir
to eat	comer
to live	viver
to play	jogar; brincar; tocar
to go	ir
to cook	cozinhar

Quem, como, o que, **quando e onde?**

Tente agora traduzir estas frases utilizando who.

EXERCÍCIO n. 14

1. Quem é a mulher com saia vermelha e olhos verdes? ....
2. Quem é aquele homem louco na rua? ....
3. Quem é você para me perguntar quem sou eu? ....
4. Quem são aquelas crianças no bar? ....
5. Quem dá ordens nesta casa? ....
6. Quem são esses homens de preto? ....
7. Quem é a moça alta? ....
8. Quem é gordo e estúpido? ....
9. Quem sabe quem são aqueles homens velhos em minha garagem? ....
10. Quem são vocês para me perguntar quem sou eu? ....

What (uót) o que/qual

É utilizado para perguntar o nome de uma pessoa ou para pedir informações sobre o que ela faz.

A estrutura da frase com what fica assim:

what + verbo + ...

What is* your name? Qual é o seu nome?/Como você se chama?
What are they? O que eles são?
What do you do?** O que você faz?/Com que você trabalha?

* what's é a forma contraída.
** Quando perguntamos what do you do?, fica implícito que estamos interessados em saber algo a respeito do trabalho da pessoa.

Quem, como, o que, **quando e onde?**

Tente agora traduzir estas frases utilizando what.

EXERCÍCIO n. 15

1. O que é um "pitboy"? ....
2. O que são estas coisas verdes no meu prato? ....
3. O que você come em Londres? ....
4. O quê? ....
5. O que nós somos? ....
6. O que você é? ....
7. O que é aquilo? ....
8. O que você tem? ....
9. O que eu tenho na bolsa? ....
10. O que ele tem que eu não tenho? ....

Where (uéar) onde/aonde

Where, assim como *who*, introduz uma frase interrogativa.

A estrutura da frase com where fica assim:

where + verbo + ...

Where is/where are
São usados para pedir informações sobre a presença de pessoas ou coisas.

Where is Bob? Onde está Bob?
Where are the cats? Onde estão os gatos?

Where + from
É usado para pedir informações sobre a procedência de algo ou alguém.

Where are you from? De onde você é?
Where is this boy from? De onde é esse menino?

Quem, como, o que, **quando e onde?**

Tente agora traduzir estas frases utilizando where.

EXERCÍCIO n. 16

1. Onde é o cinema? ....
2. Onde estão meus lindos sapatos pretos? ....
3. Onde fica a estação de trem? ....
4. Onde está meu dinheiro? ....
5. Onde ele joga? ....
6. Onde você está? ....
7. Onde estou? ....
8. Onde está? ....
9. Onde é a loja? ....
10. Aonde vou? ....

How (h*au) como

How é usado para introduzir uma frase interrogativa e perguntar sobre o estado de saúde de alguém. Mais adiante veremos que ele também tem muitas outras utilidades.

A estrutura da frase com how fica assim:

how + verbo + ...

How are you? Como você está?
How is she? Como ela está?
How are they? Como eles estão?
How is your father? Como está seu pai?

Quem, como, o que, **quando e onde?**

How old
É utilizado para perguntar a idade. Em inglês não se diz, como no português, "quantos anos você tem?", mas, literalmente, "quão velho você é?". Veja:

How old are you? Quantos anos você tem?
How old is she? Quantos anos ela tem?

Como o verbo usado na pergunta é o "ser", deve-se necessariamente usar o mesmo verbo na resposta, e não o verbo "ter", como em português. Por isso, lembre-se:

I am thirty-five. Tenho 35 anos.
She is twenty. Ela tem 20 anos.

Tente agora traduzir estas frases utilizando how.

EXERCÍCIO n. 17

1. Como estão as crianças? ....
2. Como posso *(How can I)* cozinhar sem uma cozinha? ....
3. Como você consegue *(How can you)* resistir com ele? ....
4. Como estou com este chapéu vermelho? ....
5. Como você sabe *(know)* o meu nome? ....
6. Como você gosta *(do you like)* da sua massa? ....
7. Como posso saber? ....
8. Como são as crianças onde você trabalha? ....
9. Como vocês estão? ....
10. Como estou? Bonita ou feia? ....

There is /there are 1.1.13

São usados para informar a presença/existência de pessoas ou coisas.

There is (th-er is) há; existe; tem (informal)
There are (th-er ar) há; existem; tem (informal)

There is a cat on the roof. Há um gato no telhado.
There is a car in the garage. Há um carro na garagem.

There are two dogs in the garden. Há dois cães no jardim.
There are three boys in the sitting room. Há três meninos na sala de estar.

Na frase interrogativa, o verbo vem antes de *there*.

Is there a cat on the roof? Há um gato no telhado?
Yes, there is/No, there is not (isn't). Sim, há/Não, não há.

Are there two dogs in the garden? Há dois cães no jardim?
Yes, there are/No, there are not (aren't). Sim, há/Não, não há.

Na frase negativa, basta acrescentar *not* depois do verbo.

There is not a cat on the roof. Não há um gato no telhado.
There is not a car in the garage. Não há um carro na garagem.

There are not two dogs in the garden. Não há dois cães no jardim.
There are not three boys in the sitting room. Não há três meninos na sala de estar.

holiday	férias
hope	esperança
team	time
horse	cavalo
stable	estábulo
men	homens

THERE IS / THERE ARE

Já expliquei a regra e apresentei novas palavras. Agora tente traduzir as frases a seguir usando there is e there are.

EXERCÍCIO n. 18

1. Há duas moças gordas no bar? ....
2. Não há homens no bar hoje porque tem um jogo de futebol. ....
3. Aquela moça não está lá esta noite. ....
4. Há aqueles doces na cozinha. ....
5. Não há dinheiro para as férias. ....
6. Não há esperança com aquele time. ....
7. Há dois cavalos no estábulo. ....
8. Há dois meninos indianos na minha classe. ....
9. Tem tempo! ....
10. Tem dois gatos vermelhos no telhado da minha casa. ....

Os dias da semana e as partes do dia 1.1.14

Em inglês, diferentemente do português, os dias da semana são escritos sempre com a primeira letra maiúscula, porque são considerados nomes próprios:

Monday	segunda-feira
Tuesday	terça-feira
Wednesday	quarta-feira
Thursday	quinta-feira
Friday	sexta-feira
Saturday	sábado
Sunday	domingo

... e sempre pedem a preposição *on*:

On Saturday, I will be with my wife. [No] sábado estarei com minha esposa.
On Monday, I go to the cinema. [Na] segunda-feira vou ao cinema.

Como em português, quando se fala de uma ação habitual (que se repete, por exemplo, todos os domingos), é necessário acrescentar um **-s** ao dia da semana:

On Sundays, I wash my dog. Aos domingos eu dou banho em meu cachorro (uau!).

Agora, vejamos as várias partes do dia. Entre parênteses está a preposição (e o artigo) que deve ser usada com cada uma delas.

dawn	*(at)*	amanhecer
morning	*(in the)*	manhã
afternoon	*(in the)*	tarde
midday	*(at)*	meio-dia
evening	*(in the)*	noite (fim do dia/começo da noite)
night	*(at)*	noite (noite alta)
midnight	*(at)*	meia-noite

Os meses e as estações

1.1.15

Em inglês, diferentemente do português, os meses também são escritos sempre com a primeira letra maiúscula:

January	janeiro
February	fevereiro
March	março
April	abril
May	maio
June	junho
July	julho
August	agosto
September	setembro
October	outubro
November	novembro
December	dezembro

... e pedem sempre a preposição *in*. Porém, quando o mês vem acompanhado do dia, usa-se a preposição *on*:

I will start school **in** September. Começarei a escola em setembro.
I will start school **on** September 14th. Começarei a escola em 14 de setembro.

Assim como o mês, com o ano usa-se a preposição *in*, quando ele vem acompanhado do dia, usa-se *on*:

The war started **in** October 1939. A guerra começou em outubro de 1939.
The war started **on** October 14th, 1939. A guerra começou em 14 de outubro de 1939.

Por fim, vejamos as estações, que se contentam com a inicial minúscula e também pedem a preposição *in*:

summer	verão
spring	primavera
autumn	outono
winter	inverno

As **horas** 1.1.16

Vamos começar pelo A, B, C... Apesar de que, em se tratando das horas, seria mais oportuno dizer que devemos começar pelo 1, 2, 3... Vamos ver as principais expressões:

quarter	um quarto de hora
a quarter to + *hora*	quinze para a(s)... *hora*
a quarter past + *hora*	são... *hora* e quinze
half	meia hora
half past + *hora*	são... *hora* e meia
o'clock	em ponto (usado apenas com a hora exata!)

Pode-se perguntar as horas de duas maneiras:
What time is it/What's the time?

Assim, em princípio, tudo o que estiver à direita do relógio é *past*, e tudo o que estiver à esquerda é *to*. Um quarto de hora pode ser tanto past quanto *to*, mas a meia hora só pode ser *past*!
Isso significa que, antes de o ponteiro do relógio chegar aos 30 minutos, em inglês usa-se *past*. Depois que o ponteiro passa dos 30 minutos, usa-se *to*.

Além disso, em inglês não se usa a contagem de 24 horas, apenas a de 12 horas. Assim, para indicar as horas depois do meio-dia, deve-se usar **P.M. (Post Meridiem)** e, para as horas anteriores, **A.M. (Ante Meridiem)**.
Mas essa forma só é usada na escrita: para dizer *A.M.* ou *P.M.*, podemos falar simplesmente *in the morning*, no primeiro caso, e *in the afternoon* ou *in the evening*, no segundo.

Escrita		Fala
10:00	(10:00 A.M.)	*It is* **ten o'clock** *in the morning.*
18:15	(6:15 P.M.)	They will arrive at **a quarter past six** in the afternoon.
22:30	(10:30 P.M.)	It's **half past ten** in the evening.
12:35	(12:35 P.M.)	It's **twenty five to one** in the afternoon.

As horas

5:05 (5:05 A.M.)   I arrived at **five past five** in the morning.

8:10   (8:10 A.M.)   It's **ten past eight** in the morning.

Já ia me esquecendo... Quando não estiver usando a quarter *past/to*, *half past* nem múltiplos de cinco, sempre acrescente *minutes*.

20:28 (8:28 P.M.)   They will arrive at **twenty eight minutes past eight** in the evening.

E se realmente tiver entendido, deve ser capaz de compreender as seguintes frases:

I will be at school at a quarter past three (P.M. or in the afternoon). (15h15)
Did you call me at twenty five to two (A.M. or in the morning)? (1h35)
Dinner will be ready at half past one. (13h30)
Can I call you at seven o'clock (P.M. or in the evening)? (19h)
It's five to five (P.M. or in the afternoon); we must run! (16h55)
The game started at three o'clock and finished at a quarter past four (P.M. or in the afternoon). (15h-16h15)
I wake up at six o'clock every morning. (6h)
I will be at the office at nine in the morning. (9h)
I will be at the bar at nine in the evening. (21h)
I was born at twenty two minutes to three in the afternoon. (14h38)

Step 2

1.2.1	**Countables and uncountables**
1.2.2	**How much/How many**
1.2.3	**Much, many, a lot of**
1.2.4	**Very and really**
1.2.5	**Too much, too many, too**
1.2.6	**Question words**
1.2.7	**Simple present/Present simple** Forma afirmativa Forma interrogativa Forma negativa *Using it!*
1.2.8	**Advérbios de frequência**
1.2.9	**Present continuous** Forma afirmativa Forma interrogativa Forma negativa *Uses*
1.2.10	**Going to**
1.2.11	**Simple future**
1.2.12	**Simple past** Forma afirmativa Forma interrogativa Forma negativa *Examples*
1.2.13	**Past continuous**
1.2.14	**Prepositions, adjectives and verbs + -ing**

Countables and Uncountables   1.2.1

Vamos começar a distribuir os números imediatamente, "levando em conta" os substantivos contáveis e incontáveis. Na verdade, essas são as duas categorias nas quais se dividem os substantivos em inglês!

Contables

São os substantivos enumeráveis, ou seja, aqueles que podem ser contados, e antes dos quais se pode colocar um número.

Pen (caneta) é *countable*. De fato, as canetas podem ser contadas. Posso dizer que em cima da minha mesa há uma caneta, que da sua mesa eu peguei duas canetas...

Litre (litro) é *countable*. Os litros podem ser contados: um litro, dois litros, três litros e assim por diante...

Antes dos substantivos *countables,* é possível colocar o artigo indefinido singular *a/an*.

a pen	uma caneta
a litre of milk	um litro de leite

Uncountables

São os substantivos impossíveis de enumerar, ou seja, aqueles que não podem ser contados, e antes dos quais não se pode colocar um número...
Entre esses substantivos estão as várias substâncias sólidas ou líquidas, como *wood*, *sugar*, *butter*, *milk*, *water* etc.

Milk (leite) é *uncountable*, pois não pode ser contado. Podemos contar os litros de leite, os copos de leite, mas antes da palavra *milk* não é possível colocar um número.
Money (dinheiro) é *uncountable*. Podemos contar as moedas, as notas, as libras esterlinas, mas antes da palavra *money* não é possível colocar um número.
Antes dos substantivos *uncountables* não é possível colocar o artigo indefinido singular *a/an*. Para quantificar os substantivos incontáveis, são usadas expressões como:

a drop* of milk	um pingo de leite
a glass* of milk	um copo de leite
some milk	um pouco de leite

* *drop* e *glass* são substantivos *countables*.

Countables **and Uncontables**

advice*	conselho
air	ar
collaboration	colaboração
equipment	equipamento
finance	finança
food	comida
furniture	mobília
health	saúde
information	informação
intelligence	inteligência
justice	justiça
nature	natureza
news	notícias
pollution	poluição
power	poder
progress	progresso
rain	chuva
time	tempo
traffic	tráfego
transport	transporte
water	água
work	trabalho

* por exemplo, como para todos os *uncountables*:
I need some advice. *E não* I need an advice.

How much /How many

1.2.2

Significam, respectivamente, "quanto?" e "quantos(as)?". Por introduzirem uma interrogação, seguem a construção da forma interrogativa.

How much? Usado com substantivos no singular e com os *uncountables*.
How many? Usado com substantivos no plural e com os *countables*.

Quantidade

How much sugar do you want? Quanto açúcar você quer?
How many books do you usually sell? Quantos livros geralmente você vende?

Preço

How much is this watch? Quanto custa esse relógio?
How much are these flowers? Quanto custam essas flores?

Veja os exemplos a seguir, prestando atenção a como se pergunta "quanto" com substantivos contáveis e incontáveis:

Granny: Would you like a cup of tea?
Grandson: Yes, please.
Granny: How much sugar would you like?
Grandson: A little.
Granny: How much milk?
Grandson: How much have you got?
Granny: I haven't got much. How many biscuits would you like with your tea?
Grandson: How many biscuits are there?
Granny: Not many.
Grandson: Two, please.

Much, Many, A lot of

1.2.3

Much significa *muito(a)*. Já *many* quer dizer *muitos(as)*. E *a lot of* pode ser usado no lugar tanto de *much* quanto de *many*. Não é difícil aprender as particularidades de cada termo para poder utilizá-los da maneira correta.

Much = muito(a)

Geralmente é usado nas frases negativas e interrogativas com os **substantivos** uncountables (incontáveis).

Is there much hope? Há muita esperança?
No, there isn't much hope. Não, não há muita esperança.
Is there much information? Há muita informação?
No, there isn't much information. Não, não há muita informação?

Many = muitos(as)

É usado nas frases negativas e interrogativas com os **substantivos** countables (contáveis).

Have you got many problems? Vocês têm muitos problemas?
No, we haven't got many problems. Não, nós não temos muitos problemas.
Are there many people at the party? Há muitas pessoas na festa?
No, she hasn't got many friends. Não, ela não tem muitos amigos.

A lot of = muito(a); muitos(as)

Geralmente é usado nas frases afirmativas, tanto com os substantivos *countables* quanto com os *uncountables*.
Lots of é menos usado e é quase a mesma coisa, só um pouco mais formal, por isso... prossigamos com *a lot of*.

I have got a lot of money. Eu tenho muito dinheiro.
David gives me a lot of information (uncountable). David me dá muitas informações.
David has a lot of cars. David tem muitos carros.

Much, Many, **A lot of**

Vamos voltar aos exercícios. Chegou a hora de você completar as frases a seguir com *much/many/a lot of*.

EXERCÍCIO n. 19

1. How_____ information is there? (information is uncountable)
2. How_____ children go to that school? (children are countables)
3. He has _____ time to think.
4. There are _____ people, today.
5. There isn't _____ time.
6. There aren't _____ opportunities in that company.
7. There isn't _____ hope for Juventus this year (prrrr!).
8. We have _____ money to spend.
9. There isn't _____ air in the desert.
10. There aren't _____ trees in the desert.

Very
and Really

1.2.4

Agora apresento a você outras duas palavrinhas mágicas que podem intensificar os adjetivos e oferecer uma vantagem a mais às suas frases...

Very quer dizer *muito* e é seguido por um adjetivo.
Really, colocado antes de um adjetivo, o intensifica ainda mais e, em alguns casos, pode ser traduzido pelo superlativo absoluto sintético (-íssimo/a).

I am tired. Estou cansado.
I am very tired. Estou muito cansado.
I am really tired! Estou realmente cansado!/Estou cansadíssimo!

You are beautiful. Você é/está linda.
You are very beautiful. Você é/está muito linda.
You are really beautiful! Você é/está lindíssima!

It is cold. Está frio.
It is very cold. Está muito frio.
It is really cold! Está realmente muito frio!

The road is long. A estrada é longa.
The road is very long. A estrada é muito longa.
The road is really long! A estrada é longuíssima!

I am nervous. Estou nervoso.
I am very nervous. Estou muito nervoso.
I am really nervous. Estou nervosíssimo.

The house is big. A casa é grande.
The house is very big. A casa é muito grande.
The house is really big. A casa é realmente grande.

London is nice. Londres é legal.
London is very nice. Londres é muito legal.
London is really nice. Londres é realmente muito legal.

They are stupid. Eles são estúpidos.
They are very stupid. Eles são muito estúpidos.
They are really stupid. Eles são realmente estúpidos.

Too much, Too many, Too

1.2.5

Too much quer dizer *muito* (em excesso), *demais*, e é usado **antes de substantivos no singular.**

There is too much false information on tv. Há muitas informações falsas na TV.
There is too much traffic on the roads. Há muito trânsito nas estradas.
Don't use too much sugar! Não use açúcar demais!
She puts too much furniture in the house. Ela coloca móveis demais na casa.
Don't put too much milk in my coffee! Não coloque muito leite no meu café!

Too many quer dizer *muito* (em excesso), *demais*, e é usado **antes de substantivos no plural.**

She has too many ideas. Ela tem ideias demais.
We have too many children. Nós temos filhos demais.
There are too many cars in São Paulo. Há carros demais em São Paulo.
He has too many problems. Ele tem problemas demais.
She has too many cats in the house. Ela tem gatos demais em casa.

Too quer dizer *muito* (em excesso), *demais*, e é usado **antes de um adjetivo,** e tem apenas **conotação negativa.**

I am too tired to work. Estou muito cansado para trabalhar.
I am too fat! Estou gordo(a) demais!
They are too late to come with us. Eles estão muito atrasados para virem conosco.
She is too good with her husband. Ela é boa demais com o marido.
My boss is too stupid to know I am stressed. Meu chefe é estúpido demais para saber que estou estressado(a).

Too much, Too many, Too

Too

Muito/demais: *too* or *so*?
Quando se quer dizer que a bebida está quente demais, pode-se usar a expressão *too hot*, desde que o sentido seja negativo. Ou seja, seria melhor se não estivesse tão quente.
Contudo, quando se quer dizer "bonito demais", que é um conceito positivo, deve-se dizer *so beautiful*.

Posso complicar um pouco a sua vida? Só um pouco, vai!
Too: também e *muito/demais*
Em inglês, *too* tem dois significados: "muito/demais" e "também". Tudo depende de sua posição na frase.
Too + adjetivo = *muito/demais*
… + *too* (no fim da frase) = também

John: **I love coffee.** Eu amo café.
Hans: **I love coffee, too.** Eu também amo café.

John: **My coffee is too hot.** Meu café está quente demais.
Hans: **My coffee is too hot, too.** Meu café também está quente demais.

Not enough

É o contrário de "muito/demais" (*too much, too many, too*) e significa **"não suficiente"**!

Too much, Too many, Too

É realmente muito simples, por isso: *"Don't worry!"* (Não se preocupe!).

There are too many cars. Há carros demais.
There are not enough cars. Não há carros suficientes.

There is too much sugar. Tem muito açúcar.
There isn't enough sugar. Não tem açúcar suficiente.

Viu? É realmente simples! *Are* para o plural, *is* para o singular.

There is too much snow on the ground. I can't drive today. Há muita neve no chão. Não posso dirigir hoje.
There is not enough snow to build a snowman! Não há neve suficiente para se fazer um boneco de neve!
There are too many policemen; I will run nude in the street, tomorrow. Há muitos policiais; vou correr pelado na rua amanhã.
There aren't enough policemen in this town! Não há policiais suficientes nesta cidade!
There is always too much food at an Italian wedding. Há sempre muita comida em um casamento italiano.
There is never enough food at an English wedding. Nunca há comida suficiente em um casamento inglês.

Agora é com você! Para cada exemplo a seguir, construa frases com o sentido oposto!

EXERCÍCIO n. 20

1. There is too much work to do. ....
2. There are too many people on the bus. ....
3. There is too much panic about the crisis! ....
4. We have too many rabbits in the garden. ....
5. There is too much interest in my sister! ....

Question **words** 1.2.6

Chamamos de *question words* todas as palavras ou expressões usadas para introduzir uma pergunta. Agora vamos estudá-las mais detalhadamente... Algumas já foram vistas aqui, mas vale a pena repassá-las rapidamente:

Who significa *quem*?
Pode ter a função de sujeito (Who are you?) e de objeto (Who do you see in the picture?).

What significa *o que/qual*?
(What are you drinking? What is your name? What do you do?)

Where significa *onde/aonde*?
(Where are you going? Where is the car?)

When significa *quando*?
(When do you start school? When do you visit your grandmother?)

How significa *como*?
(How is your dog? How is the weather?)

Which significa *qual*?
Indica uma escolha dentre uma quantidade limitada de coisas. (Which one is your car? Which road do you take?)

Why significa *por que*? (em uma pergunta)
(Why are we here? Why doesn't he arrive?)

Simple Present
/Present Simple

1.2.7

O presente do indicativo é usado para expressar ações habituais ou para falar de coisas permanentes, ou seja, que são assim e pronto! Vejamos detalhadamente os dois usos desse tempo verbal.

USO 1

O *simple present* é usado para expressar ações frequentes, habituais ou que acontecem sempre do mesmo jeito.

I **play** tennis. Eu jogo tênis.
(Essa afirmação dá a entender que se joga tênis com bastante regularidade.)
She **works** in a bar. Ela trabalha em um bar.
(Ela trabalha em um bar, portanto essa é uma atividade habitual.)
I **eat** pasta. Eu como massa.
The train **leaves** at 8 o'clock. O trem parte às 8 em ponto.
The shop **closes** at 6 o'clock. A loja fecha às 6 em ponto.

USO 2

Geralmente, o *simple present* é usado para expressar coisas que "são assim e pronto!", ou seja, absolutas.

I **am** a man. Eu sou um homem.
Cats **like** milk. Gatos gostam de leite.
The planet **is** round. O planeta é redondo.
Men from Birmingham **are** incredibly handsome. Os homens de Birmingham são incrivelmente bonitos.
She **loves** you. (yeah, yeah, yeah) Ela ama você.

A conjugação do verbo é a mesma para quase todas as pessoas. A exceção está na terceira pessoa do singular (*he/she/it*), à qual é necessário acrescentar um -s.

Veja o exemplo com o verbo to work (trabalhar):
I work   eu trabalho
you work   tu trabalhas/você trabalha
he/she/it works   ele/ela trabalha
we work   nós trabalhamos
you work   vós trabalhais/vocês trabalham
they work   eles/elas trabalham

Simple Present/**Present Simple**

O acréscimo do -s na terceira pessoa do singular segue a mesma regra do acréscimo do -s para o plural: **atenção**, portanto, aos verbos que terminam em -s, -ss, -sh, -ch, -z e também -o. E não se esqueça daqueles que terminam em -y (se vier depois de consoante, o y irá se transformar em i, ao qual se acrescentará -es; se vier depois de uma vogal, o y irá se manter e apenas se acrescentará o -s). Veja um pequeno exemplo como revisão:

Verbo	Significado	Terceira pessoa do singular
to pass	passar	passes
to wash	lavar	washes
to go	ir	goes
to play	jogar; brincar; tocar	plays
to study	estudar	studies

1. Frase afirmativa

Agora que vimos os seus principais usos, começaremos a analisar mais detalhadamente como se constrói uma frase com o *simple present*, partindo da afirmativa.

A estrutura da *forma afirmativa* fica assim:

sujeito + verbo + complemento

I work in a shop. Eu trabalho em uma loja.
you work...
she/he/it works...
we work...
you work...
they work...

2. Frase interrogativa

Para elaborar uma interrogação, o *simple present* usa o verbo auxiliar *to do* (*does* para a terceira pessoa do singular), que é o termo que aparece em primeiro lugar na formação da frase interrogativa, antes do sujeito, desde que não se use o verbo ser/estar ou o pretérito perfeito de *to get, have got* (nesses casos, como já foi explicado anteriormente, invertemos a posição do sujeito e do verbo).

Simple Present/**Present Simple**

A estrutura da *frase interrogativa* fica assim:

do/does + sujeito + verbo + complemento

Do you work in a shop? Você trabalha em uma loja?
Does he/she/it work*?
Do you work?
Do they work?

* nunca acrescente o -s ao verbo, que aqui está no infinitivo, porque na verdade é o auxiliar *to do* que será conjugado na terceira pessoa: por isso temos o *does*!

Short answers

Como já vimos com os verbos "ser/estar" e "ter", as *short answers* são as "respostas curtas". Elas são muito utilizadas também com o *simple present* e, neste caso, não são formadas com o verbo principal da frase interrogativa, e sim com *to do*.

Do you work in a sweet shop?
Em inglês não se diz: yes, I work
mas
yes, I do   no, I do not/I don't
yes, you do   no, you do not/you don't
yes, he/she/it does   no, he/she/it does not (doesn't)
yes, we do   no, we do not/don't
yes, you do   no, you do not/you don't
yes, they do   no, they do not/they don't

Simple Present/**Present Simple**

3. Frase negativa

Na forma negativa, usa-se sempre o auxiliar *to do*, exceto quando o verbo da frase é *to be* ou *to have* (*got*), como já explicado e relembrado anteriormente.

A estrutura da *forma negativa* fica assim:

sujeito + *do/does* + *not* + verbo + complemento

I don't work in a shop. Eu não trabalho em uma loja.
you don't work...
he/she/it doesn't work...
we don't work...
you don't work...
they don't work...

4. Using it!

Sabe qual é a melhor maneira de verificar se você entendeu uma regra ou qualquer outra coisa? É fazendo exercícios, colocando a regra em prática. Por isso decidi fazer um teste com alguns exemplos e exercícios!

John: What do you do?* O que você faz?
Carol: I work in an office. Trabalho em um escritório.
John: Do you like it? Você gosta?
Carol: No, I don't; do you like your job? Não. Você gosta do seu trabalho?
John: Yes, I do. Sim, eu gosto.

* A pergunta *What do you do?*, sem outra especificação, é usada apenas e exclusivamente para pedir informações sobre trabalho/profissão... Nós já vimos isso, você se lembra?

E agora, para confundir você um pouquinho, acrescento algumas *question words*. Já falamos sobre elas 'algumas páginas atrás'. Lembre-se pelo menos do básico!

Simple Present/**Present Simple**

How? Como?

Carol: Do you like pasta? Você gosta de massa?
John: Yes, I do. Sim.
Carol: How do you like pasta? Como você gosta da massa?
John: Hot. Quente.

Why? Por que?

Carol: Why do you live in Italy? Por que você mora na Itália?
John: Because* I like Italy. Porque eu gosto da Itália.
Carol: Don't you like England? Você não gosta da Inglaterra?
John: Yes, I do, but I like Italy, too. Sim, mas eu também gosto da Itália.
* Lembre-se de que, como se nota nesse exemplo, nas respostas não se usa why (que é para perguntas), e sim, quase sempre, because ("porque").

Carol: Do you like her? Você gosta dela?
John: No, I don't. Não.
Carol: Why don't you like her? Por que você não gosta dela?
John: I don't know why** I don't like her. Não sei por que não gosto dela.

** Assim como em português, quando se explica a razão por trás de alguma coisa, usa-se why ("por que") também na resposta.

When? Quando?

Carol: Do you like beer? Você gosta de cerveja?
John: Yes, I do; I love it. Sim, eu amo cerveja.
Carol: When do you drink beer? Quando você toma cerveja?
John: I drink beer every Saturday evening. Tomo cerveja aos sábados à noite.
Carol: When does the shop open? Quando a loja abre?
John: I don't know. Não sei.
Carol: Do you go to that shop? Você vai àquela loja?
John: No, I don't. Não.

What? O quê?

Carol: What do you do? O que você faz?
John: I teach English. Eu ensino inglês.
Carol: What does your wife do? O que a sua esposa faz?
John: She does nothing. Ela não faz nada.

Simple Present/**Present Simple**

Carol: What do you think of me? O que você acha de mim?
John: I think you are nice. Acho você legal.
Carol: Do you really think so? Você realmente acha?
John: Yes, I do. Sim.

Who? Quem?

Carol: Who do you work with? Com quem você trabalha?
John: I work with Omar. Eu trabalho com Omar.
Carol: Who does Omar work with? Com quem Omar trabalha?
John: With me! Comigo!

Where? Onde?

Carol: Where do you work? Onde você trabalha?
John: In Milan. Em Milão.
Carol: Where does Omar work? Onde Omar trabalha?
John: Stop talking, please! Pare de falar, por favor!

Preposições

Nas frases interrogativas em português, as preposições podem ficar tanto no começo quanto no interior da frase. Em inglês, elas são colocadas no final, ficando no início da pergunta aquelas *question words* que acabamos de ver:

Para quem você trabalha? (Você trabalha **para** quem?) Who do you work **for**?
Com quem você come? (Você come **com** quem?) Who do you eat **with**?
De onde você vem? (Você vem **de** onde?) Where do you come **from**?
Com o que está trabalhando? (Está trabalhando **com** o quê?) What are you working **with**?

Simple Present/**Present Simple**

Agora complete as frases usando *to be* ou *to do* e preste muita atenção, porque há uma pegadinha entre elas: em uma das frases você deve usar *to have*. Sabe qual é?

EXERCÍCIO n. 21

1. _____ you love me?
2. _____ she with you?
3. _____ you smoke?
4. No, I _____ not smoke.
5. How _____ you? Well?
6. How _____ you know me?
7. How _____ your mother?
8. Why _____ your brother smoke?
9. Why _____ you come here?
10. Why _____ she here?
11. When _____ you got time?
12. When _____ you work?
13. When _____ your birthday?
14. What _____ you want?
15. What _____ the problem?
16. What _____ I?
17. Who _____ you?
18. Who _____ you think you are?!
19. Who _____ you want? Me or him?
20. Who _____ the washing in this house?
21. Where _____ everybody?*
22. Where _____ you go at the weekend?
23. Where _____ your money come from?
24. Where _____ I?
25. Where _____ you want to go? _____ you sure?

* Lembre-se de que o verbo deve ficar no singular com *everybody* e *everything*!

Advérbios
de frequência

1.2.8

Como o próprio nome diz, esses advérbios indicam a frequência com que uma ação ocorre ou é realizada.

usually	geralmente
sometimes	às vezes
always	sempre
never	nunca
often	frequentemente; com frequência
rarely	raramente

O advérbio de frequência deve ficar entre o sujeito e o verbo, exceto nas frases com o verbo *to be* (nesse caso, o advérbio é posicionado depois do verbo).

She sometimes plays tennis. Às vezes ela joga tênis.
He never eats pasta. Ele nunca come massa.
I always help you. Eu sempre ajudo você.
Tom often comes with me to school. Tom frequentemente vem comigo à escola.
I never go to school. Eu nunca vou à escola.
She always forgets my birthday. Ela sempre esquece meu aniversário.
Porém:
She is usually late. Ela geralmente está atrasada.
He is often drunk. Ele está bêbado com frequência.

Agora apresento algumas palavras e alguns verbos para você usar e reconhecer nos exercícios e exemplos seguintes.

boss (bóss)	chefe
telephone (télefoun)	telefone
order (ôrder)	pedido
client (claient)	cliente
problem (próblem)	problema
customer service (câstomer sérvis)	atendimento ao cliente
reception (ricépchan)	recepção
on the telephone (on th-e télefoun)	ao telefone

Verbs

to swim (suím)	nadar
to sleep (sliip)	dormir

Advérbios **de frequência**

to walk (uók) — caminhar
to eat (iit) — comer
to drink (drink) — beber
to write (rait) — escrever
to answer (ansa) — responder
to talk (tok) — conversar
to send (send) — enviar
to call (col) — chamar; ligar
to work (uerk) — trabalhar
to understand (anderstand) — entender

Participar

Costumo escutar as pessoas usando *to participate* com o significado de "participar". *To participate* existe como verbo e de fato significa "participar", mas caiu em desuso.
Ainda se usa, porém, o substantivo *participant* para indicar as pessoas que participam de algum evento.
Há duas maneiras diferentes de se dizer "participar":

to attend (atend)
to take part (teik part)

To attend
Significa estar em uma reunião ou em um curso sem uma participação ativa, ou seja, estar ali para escutar ou aprender.

To take part
Significa atuar em uma reunião, em um curso ou em uma *presentation*, ou seja, estar ali para contribuir, expor ideias e opiniões, conversar, discutir...

Advérbios de frequência

Vamos passar algumas frases para o inglês, usando também alguns advérbios de frequência. Você vai descobrir que o presente do indicativo (*present simple*) é realmente simples!

EXERCÍCIO n. 22

1. Eu geralmente nado com meu irmão. ......
2. Ela nunca dorme. ......
3. Eu caminho com frequência. ......
4. Eu nunca como massa. ......
5. Eles geralmente tomam vinho branco. ......
6. Vamos sempre ao cinema aos domingos. ......
7. Minha mãe sempre faz compras às segundas-feiras. ......
8. Jorge raramente vai ao médico. ......
9. Não vou lhe responder porque você é estúpido. ......
10. Joana trabalha em um restaurante. ......
11. Eu escrevo e-mails com frequência. ......
12. Sempre converso com meu chefe. ......
13. Eu geralmente atendo o telefone. ......
14. Toda semana mando os pedidos aos clientes. ......
15. Ligo para os clientes quando há problemas. ......
16. Trabalho no atendimento ao cliente. ......
17. Trabalho na recepção. ......
18. Eu não telefono para os clientes. ......
19. Não entendo quando meu chefe fala comigo ao telefone. ......
20. Às vezes eu participo de reuniões. ......

Present Continuous 1.2.9

O presente contínuo é um pouco mais complicado que o *present simple* e há três maneiras de usá-lo, todas muito importantes.
Um exemplo de uso do presente contínuo pode ajudar:

Eu estou cozinh**ando**. I am cook**ing**.

Quando os verbos em português terminam em -ando, -endo ou -indo, ou seja, quando estão no *gerúndio*, o equivalente em inglês é exatamente o presente contínuo. Essa -ing word funciona como um verbo *participle* e indica uma ação que está se desenvolvendo no momento em que se fala. O presente contínuo pede, aliás, exige o verbo *estar* e ao verbo que exprime a ação se acrescenta -ing.

Contudo, é preciso prestar muita atenção, pois a grafia de muitos verbos muda com o -ing!

A. Duplicação da consoante

Os verbos monossilábicos que terminam em consoante precedida de vogal e alguns dissílabos duplicam a consoante.

to st**o**p (parar)   sto**pp**ing
to s**i**t (sentar)   si**tt**ing
to p**u**t (pôr)   pu**tt**ing

to pref**er** (preferir)   prefe**rr**ing
to perm**it** (permitir)   permi**tt**ing

B. Queda do "e" antes de -ing

Os verbos que terminam em -e perdem esta última letra para que seja acrescentado o -ing.

to hav**e** (ter)   having
to com**e** (vir)   coming

Exceções:

to b**e** (ser/estar)   b**e**ing
to se**e** (ver)   se**e**ing

Present continuous

C. "ie" muda para "y"
O final -ie de alguns verbos muda para "y" antes da adição do -ing.

to d**ie** (morrer)   d**y**ing
to l**ie** (mentir)   l**y**ing

D. "l" muda para "ll"
Os verbos que terminam em -l precedido de apenas uma vogal têm o l duplicado.

to trav**el** (viajar)   trave**ll**ing
to canc**el** (cancelar)   cance**ll**ing

E. Permanência do -y
Aos verbos que terminam em -y simplesmente se acrescenta o -ing.

to pla**y** (jogar; brincar; tocar)   pla**y**ing
to stud**y** (estudar)   stud**y**ing
to cr**y** (chorar)   cr**y**ing
to bu**y** (comprar)   bu**y**ing

1. Frase afirmativa

Veja a seguir como se constrói uma frase com o *present continuous*, a começar pela afirmativa.

A estrutura da *forma afirmativa* fica assim:

sujeito + *to be* + verbo *-ing*

You are playing tennis. Você está jogando tênis.
She is walking on the grass. Ela está caminhando na grama.

2. Frase interrogativa

Vejamos como fica a frase interrogativa com o *present continuous*. Na interrogação, sabemos que a posição do sujeito e a do verbo auxiliar *to be* se invertem.

Present **continuous**

A estrutura da *frase interrogativa* fica assim:

to be + sujeito + verbo *-ing*

Are you playing tennis? Você está jogando tênis?
Yes, I am*. Sim, estou jogando.
Is she walking on the grass? Ela está caminhando na grama?
No, she isn't*. Não, ela não está caminhando (na grama).

* Nas *short answers*, não é necessário repetir o verbo com -ing.

3. Frase negativa

Na frase negativa utiliza-se sempre o auxiliar *to be*, que "volta a seu lugar" entre o sujeito e o verbo. Atenção à posição do *not*, que deve vir antes do verbo em -ing.

A estrutura da *frase negativa* fica assim:

sujeito + *to be* + *not* + verbo *-ing*

You are not playing tennis. Você não está jogando tênis.
She is not walking on the grass. Ela não está caminhando na grama.

4. Uses

Agora vamos explicar os três principais usos do presente contínuo.

1_Instant

Chamo o primeiro uso do presente contínuo de *instant*, porque indica uma ação que está se desenvolvendo no instante em que se fala ou se escreve. Em 90% dos casos, ele é usado ao telefone. Por quê? Porque, se você estivesse sentado na minha frente em uma pizzaria e me dissesse *"Hey, John! I am eating a pizza"*, eu diria que você enlouqueceu! Porque, obviamente, se estou na sua frente, estou vendo que está comendo uma pizza, ao passo que, se eu ligo e pergunto *"What are you doing?"* (O que está fazendo?), aí sim você poderia me responder: *"I am eating a pizza"*.
Como em toda regra, também neste caso há **exceções**, que explicarei com alguns exemplos:

Present **continuous**

Se uma pessoa estiver em outro cômodo; por exemplo, se minha esposa estiver no banheiro e estivermos atrasados para uma festa:

John (gritando na porta do banheiro): What are you doing? Come on! O que você está fazendo? Vamos!
Concettina: I am coming! Five minutes! Estou indo! Cinco minutos!

(É quase certeza que ela está mentindo... e que vai demorar pelo menos quinze minutos!)

Se você visse alguém colocando *ketchup* num prato de massa (como eu faço!), por ter ficado surpreso você poderia gritar *"What are you doing?!"*, ainda que eu considere excelente essa mistura!

To make/
To do

Estes dois verbos são traduzidos como "fazer", mas vejamos outras nuances de significado:

to make significa essencialmente "fazer, criar". Portanto, é obter com nossas ações um resultado, criar alguma coisa a partir do zero.

to make a cake (fazer um bolo)
to make a presentation (fazer uma apresentação no sentido de escrevê-la, criá-la)
to make a pact (fazer um pacto)

to do, por sua vez, refere-se à ação de fazer, mas sem criar nada.

to do* homework (fazer a lição de casa)
to do a presentation (fazer uma apresentação de algo que já estava escrito)
to do exercises (fazer exercícios)

* ATENÇÃO: The teacher makes the homework: the student does it.

Present **continuous**

tv (tivî)	televisão
hairdresser (h*érdresser)	cabeleireiro(a)
angry (angri)	bravo(a); zangado(a)

Verbs

to watch (uótch)	assistir*
to wait for (uêit)	esperar
to miss (mis)	sentir falta de alguém ou de algo
to cry (crai)	chorar
to make (meik)	fazer
to get (guet)	ficar; tornar-se (neste caso)
to get ready (redi)	preparar-se
to listen (lissen)	escutar; ouvir
to play (plei)	jogar; brincar; tocar
to say (sei)	dizer

***to watch** é assistir a alguma coisa (um programa de TV, um espetáculo, um jogo). Para dizer que se está observando atentamente algo, usa-se **to look at** (observa-se uma foto, uma bela paisagem, uma flor).

To wait

É preciso prestar muita atenção ao verbo "esperar" em inglês!

to wait (on) significa "servir".
(De fato, waiter, em inglês, é "garçom", que geralmente serve as mesas de um restaurante.)
To wait for é que significa "esperar".

Esse verbo foi a causa de um terrível mal-entendido entre mim e minha esposa, no começo do nosso relacionamento.

Ela me disse: *"Tonight, I will wait (on) you."* (Esta noite vou servi-lo.)
E eu respondi: "Ótimo, porque meus pés estão doendo!".

E foi exatamente aí que os problemas começaram...

Present **continuous**

Todos os exemplos que convido você a traduzir agora são diálogos entre mim (J de John) e minha esposa (W de wife) ao telefone.

EXERCÍCIO n. 23

J: Oi, amor, onde você está? ....
W Na frente da TV, estou assistindo a um filme. ....

W: Onde você está? Estou esperando você! ....
J: Por que está me esperando, amor? ....
W: Não tenho dinheiro para a cabeleireira. ....

J: Oi, amor, está sentindo minha falta? ....
W: Sim, estou sentindo sua falta... Mas quem é? ....
J: Estou ficando bravo! ....
W: Ah, é você! ....

J: Amor, o que está fazendo? ....
W: Estou chorando. ....
J: Não chore! Estou chegando em casa! ....
W: É por isso que estou chorando. ....

J: Está em casa? ....
W: Sim, estou fazendo um bolo com muito amor. ....
J: Para quem? ....

W: O que está vendo na TV? ....
J: Não sei, não estou ouvindo. ....
W: Por que não está ouvindo? ....
J: Porque você está falando comigo! ....

Present **continuous**

material (matirial) — material
office (offis) — escritório
canteen (cantiin) — cantina; refeitório
employee (imploií) — empregado
delivery (diliveri) — entrega

Verbs
to turn on (tern on) — ligar um aparelho eletrônico ou abrir algo mecanicamente (TV, luz, rádio, torneira).
to turn off (tern off) — desligar um aparelho eletrônico ou fechar algo mecanicamente (TV, luz, rádio, torneira).
to know (nou) — saber; conhecer
to look into (luk intu) — informar-se
to deliver (diliver) — entregar
to finish (fínich) — terminar; finalizar

Todos os exemplos que convido você a traduzir agora são diálogos entre um chefe (*boss*) e seu empregado (*employee*).

Boss: Está fazendo o trabalho solicitado? Are you doing the work requested?
Employee: Sim, senhor! Yes, Sir!
Agora é com você...

Present **continuous**

EXERCÍCIO n. 24

B: Quando você vai enviar o material? ....
E: Eu estou enviando agora. ....

B: Você está no escritório? ....
E: Sim, estou ligando o PC. ....

B: Você está no escritório? ....
E: Sim, mas estou desligando o PC agora. ....

B: O Bezerra está aí? ....
E: Não, ele está comendo no refeitório. ....

B: E o que ele está comendo? ....
E: Não sei o que o Bezerra está comendo! ....

B: O que você está fazendo? ....
E: Estou falando com o sr. Smith. Você o conhece? ....

B: A que hora chega a entrega? ....
E: Estou me informando agora. ....

B: Estou esperando... ....
E: Ok, eles a estão entregando agora. ....

B: O Teixeira está terminando o projeto? ....
E: Não, mas eu o estou ajudando. ....

B: O que ele está fazendo agora? ....
E: Está me esperando. ....

Present **continuous**

ball (bool) — bola
client (claient) — cliente
motorbike (motabaik) — moto
desk (desk) — escrivaninha
coffee (côfi) — café
espresso — café
newspaper (niuspeiper) — jornal
project (prodjekt) — projeto
nobody (noubodi) — ninguém
there (th-er) — ali; lá

Verbs
to do (du) — fazer
to try to (trai tu) — tentar; experimentar
to find (faind) — achar, encontrar; procurar
to look (luk) — olhar
to look for (luk for) — procurar
to answer (ansa) — responder
to wait for (ueit) — esperar
to go (gou) — ir
to happen (h*apen) — acontecer
to eat (iit) — comer
to cook (cuk) — cozinhar
to wash (uóch) — lavar
to speak (spiik) — falar
to sleep (sliip) — dormir
to drink (drink) — beber
to read (riid) — ler
to help (h*elp) — ajudar
to sell (sel) — vender
to buy (bai) — comprar

Present **continuous**

Desta vez você precisa traduzir algumas conversations!

EXERCÍCIO n. 25

1.
Mother: O que Timmy está fazendo? ....
Father: Está tentando achar a bola dele. ....
Mother: Ele está procurando debaixo da cama? Porque a bola está lá. ....
....

2.
Boss: O que você está fazendo? ....
Secretary: Estou ligando para o cliente. ....
Boss: Ele não está atendendo? ....
Secretary: Não, mas estou esperando. ....
Boss: Eu estou indo embora. ....
Secretary: Tchau! ....

3.
Karl: O que está acontecendo? ....
Lisa: O cachorro está comendo, minha mãe está cozinhando, meu pai está lavando a moto dele e eu estou falando com você. ....
....

4.
Sales Manager: O que vocês estão fazendo? ....
Lucy: Eu estou mandando um e-mail, Tom está dormindo sobre a escrivaninha, Jimmy está tomando café e Humberto está lendo o jornal. ....
....
Sales manager: Ah, então está tudo normal! ....

Present **continuous**

2_ These days

A segunda maneira de usar o presente contínuo se dá quando se fala de uma ação que já começou, sobre a qual se fala ou se escreve no presente e que ainda não terminou, mas que terminará em um futuro próximo. Normalmente é usado para ações não permanentes.

Gianni: Então, o que está fazendo ultimamente? So, what are you doing these days?

Roberto: Nada de especial, estou estudando inglês. Nothing special; I'm studying English.

book (buk) — livro
restaurant (restrant) — restaurante
translation (transleichan) — tradução
project (prodjekt) — projeto
hotel (h*outel) — hotel
colleague (colííg) — colega
product (produkt) — produto

Verbs
to paint (peint) — pintar
to read (riid) — ler
to go to (gou tu) — ir a; ir para
to diet (daiet) — fazer dieta
to study (stadi) — estudar
to try to (trai) — tentar; experimentar
to sell (sel) — vender
to book (buk) — reservar
to cover (côver) — cobrir
to buy (bai) — comprar
to open (oupen) — abrir
to close (clous) — fechar

Present **continuous**

Adivinhe só? Passe as frases a seguir para o inglês, utilizando os elementos fornecidos até agora.

EXERCÍCIO n. 26

1. Ultimamente, estou pintando. ....
2. Estou lendo um livro. ....
3. Minha esposa está indo à ioga com frequência ultimamente (pelo menos é o que ela diz!). ....
4. Não estou indo ao restaurante porque estou fazendo dieta. ....
5. Estou estudando inglês. ....
6. Aonde está indo? Estou indo ao médico, estou doente. ....
7. Estamos estudando, não estamos jogando! ....
8. Vocês estão fazendo a tradução de francês? ....
9. Ei! Oi, aonde estão indo? ....
10. Estamos indo ao show do George Michael. ....
11. Estou trabalhando no projeto Star. ....
12. Estou fazendo uma *conference call*. ....
13. Estamos tentando vender para a Rússia. ....
14. Vocês estão experimentando um novo software? ....
15. Não estou indo ao trabalho às 7h. ....
16. Ele/ela está reservando o hotel para o chefe. ....
17. Estou cobrindo minha colega que está em casa. ....
18. Eles estão comprando os nossos produtos? ....
19. Não estamos abrindo um novo escritório. ....
20. Estamos fechando o escritório. ....

Present **continuous**

crisis (craicis)   crise
idea (aidia)   ideia
for less (for less)   por menos

Verbs
to lose (luuz)   perder
to pay (pei)   pagar
to save (seiv)   salvar; economizar

Já que o exercício anterior era simples, vamos dificultar um pouco e traduzir, ainda do português para o inglês, as frases a seguir.

EXERCÍCIO n. 27

Comerciante: Estamos perdendo dinheiro com esta crise. ....
Atendente: Tenho uma ideia: vamos vender por menos. ....
Comerciante: Não! ....
Atendente: Mas todos estão vendendo por menos agora e estão trabalhando!
....

Present **continuous**

E, para não chatear você, antes de avançarmos para o terceiro e último uso do *present continuous*, que na verdade será empregado como futuro, proponho dois exercícios diferentes. No primeiro deles, você vai completar as frases usando o presente simples ou o presente contínuo; no segundo, vai ter que decidir entre o uso de *too much* ou *too many* nas frases com *simple present* ou *present continuous*!

Every Monday, Sally **walks** to school. (presente do indicativo). Todas as segundas-feiras, Sally caminha até a escola.
Frank **is playing** football, today. (presente contínuo). Frank está jogando futebol hoje.

Agora é com você! Complete as frases a seguir, *please*:

EXERCÍCIO n. 28

1. Usually I (work) _____ with my father, but not this month.
2. Don't shout! Lucy (sleep) _____.
3. Stay at home, it (rain) _____.
4. Sorry, I can't hear her (sing) _____ because everybody (talk) _____.
5. I (play) _____ football every Friday.
6. Jason (write) _____ a book. I want to read it when it is finished.
7. She (work) _____ at the school at the moment. She (cook) _____ for the children.
8. I never (swim) _____ in the sea.
9. She (take) _____ the bus every morning.
10. He sometimes (eat) _____ with us.
11. He is always (make) _____ mistakes!
12. She usually (come) _____ with us.
13. My wife never (give) _____ me a kiss.
14. We (give) _____ all her money to charity.
15. Joseph (work) _____ with me.
16. Karl is always (run) _____ to work, because he wakes up late.
17. The snow (fall) _____ , now.
18. We (love) _____ her.
19. I (study) _____ English these days.
20. His car is broken at the moment, so he (walk) _____ to the stadium.

Present continuous

vampire	vampiro
toy	brinquedo
safely	com segurança
promise	promessa
secret	secreto
factory	fábrica

Verbs

to invest	investir
to spend	gastar
to keep	manter

EXERCÍCIO n. 29

1. She is working _____ in that factory.
2. She works _____ hours.
3. He is investing _____ money in that stupid company.
4. He sleeps _____, is he a vampire?
5. They are spending _____ money on stupid things.
6. Her son has _____ toys; his bedroom is full!
7. There are people drinking _____ to drive safely after the pub.
8. We are thinking about buying a house, but they cost _____.
9. He made _____ promises that he couldn't keep.
10. She knows _____ of my secrets!

Present **continuous**

3_ Present continuous future

O último uso do presente contínuo diz respeito à possibilidade de exprimir o tempo futuro (costumo dizer que a língua inglesa está cheia dessas bobagens que só causam confusão!).
Tecnicamente, o presente contínuo futuro é um presente, mas na verdade nada tem a ver com ele: é um futuro usado para expressar uma ação já planejada. Sabe-se a hora, o dia e com quem a ação irá se desenrolar... Tudinho! Geralmente exprime um futuro mais próximo.

Tom: What are you doing, tomorrow? O que você vai fazer amanhã?
Fred: Tomorrow morning, I am taking the dog to the park. Amanhã de manhã vou levar o cachorro ao parque.

This evening, I am eating pizza with my brother. Esta noite vou comer pizza com meu irmão.
Tomorrow morning, I am playing tennis with Paul. Amanhã de manhã vou jogar tênis com Paul.
At 7.15 in the morning, on Wednesday, we are going to Scotland. Na quarta-feira, às 7h15 da manhã, vamos para a Escócia.

Traaaaa... duzamos!

EXERCÍCIO n. 30

1. Domingo de manhã vou pintar a cozinha. ....
2. Esta noite vou ver minha mãe. ....
3. Esta noite parto para Londres. ....
4. Esta noite vou dormir na casa de um amigo. ....
5. Amanhã vou deixar minha namorada. ....
6. Vou tomar um banho. ....
7. Esta tarde vou fazer minha lição de casa com o Alex. ....
8. Amanhã de manhã vou lavar o carro. ....
9. Quarta-feira vou comprar um gato. ....
10. No sábado vou comprar os presentes de Natal. ....

Present **continuous**

meeting (miiting)	reunião; encontro
fax (fax)	fax
supplier (suplaier)	fornecedor
lunch (lantch)	almoço
bill (bil)	conta
invoice (invois)	fatura
customer (castomer)	cliente
speech (spiitch)	discurso
kind (kaind)	gentil

Verbs

to meet (miit)	conhecer; encontrar (pessoas)
to arrive (araiv)	chegar
to move (muuv)	mover; comover
to pay (pei)	pagar
to protect (protekt)	proteger

Deeeeeeee... novo!

EXERCÍCIO n. 31

1. Esta noite saio do escritório às 20h. ....
2. Vamos ter uma reunião às 16h (*to have a meeting*). ....
3. Amanhã vamos encontrar todos os nossos colegas de Londres. ....
4. O novo chefe chega às 12h. ....
5. Quarta-feira vamos mudar para um novo escritório? ....
6. Esta tarde o chefe vai fazer um discurso comovente. ....
7. Eles vão nos pagar segunda de manhã. ....
8. Vou enviar o fax às 14h. ....
9. Você vai ligar para o fornecedor depois do almoço? ....
10. Não vou ao escritório com eles. ....

Present **continuous**

everybody (evribodi)   todos; todo mundo
wedding (uéding)   casamento
so (sou)   então
mad (mad)   maluco
violent (vaiolant)   violento
sensitive (sensitiv)   sensível
birthday (berth*dei)   aniversário
present (prezent)   presente
hope (h*oup)   esperança

Verbs
to show (chou)   mostrar
to celebrate (celibreit)   celebrar; comemorar
to bring (bring)   trazer (neste caso)
to protect (protekt)   proteger

Agora proponho dois diálogos engraçados entre amigos. Assim, o exercício de traduzir estas frases talvez fique mais leve e divertido.

EXERCÍCIO n. 32

1.
Kevin: O que você vai fazer hoje à noite? ....
Beto: Vou assistir a um filme com Mary. ....
Kevin: Mary? ....
Beto: Sim, vou levá-la ao cinema. ....
Kevin: Eu vou com vocês! ....
Beto: Você está maluco? Estão passando um filme violento. Você é sensível.
....
Kevin: Ok, obrigado, Beto. Você é muito gentil por me proteger! ....

2.
Wendy: Esta noite comemoramos meu aniversário! ....
Sarah: Quem vem? ....
Wendy: Todo mundo vem! ....
Sarah: Vão trazer presentes? ....
Wendy: Espero que sim! ....

Going to 1.2.10

Mencionei anteriormente que a língua inglesa tem certas "bobagens que só causam confusão", particularmente em suas regras! Devo dizer que a regra que vou apresentar agora só não está no topo das dez mais porque, no português coloquial, ocorre algo semelhante.

going to quer dizer "indo para", *mas não tem apenas esse significado!*
going to também é usado para indicar o tempo futuro intencional.

I am going to Japan. Vou para o Japão (literalmente: estou indo para o Japão).

going to seguido de um lugar é *present continuous future*. (Lembra-se? Acabamos de ver isso!)
I am going to buy a car. Vou comprar um carro.

going to seguido de um verbo, é um futuro intencional.

O que é, então, o futuro intencional?
Ele indica a intenção de fazer alguma coisa no futuro, sem que seja algo necessariamente planejado, como acontece quando se usa o *present continuous future*!

I am not going to buy the new Alfa Romeo. Não vou comprar o novo Alfa Romeo (mesmo que, na verdade, seja o meu bolso que não tenha a intenção de comprá-lo!).
I am going to call my mother, when I have time. Vou ligar para a minha mãe quando eu tiver tempo.

Usar *going to* na frase interrogativa equivale a perguntar: "O que você tem a intenção de fazer?".

John descobriu que sua esposa não ia à ioga (imagine você!), mas que saía para dançar com "um sujeito musculoso". John então conversa com seu amigo Jimmy...

Jimmy: So, what are you going to do? Então, o que você vai fazer?
John: I'm going to find a muscular woman! Vou procurar uma mulher musculosa!

Slimple **Future** 1.2.11

O *will* identifica o futuro do indicativo, o *simple future*, o mais importante e mais usado.
Ao contrário do *present continuous future* e do *going to*, usa-se *will* no momento em que se decide fazer alguma coisa e quando se faz algo voluntariamente.

Will exprime algo que se decide fazer e que será feito por livre e espontânea vontade, como ajudar uma pessoa.
Will também é usado para exprimir uma promessa.

1. Frase afirmativa

Na forma afirmativa, *will* se posiciona entre o sujeito e o verbo.
A estrutura da *forma afirmativa* fica assim:

sujeito + *will* + verbo + complemento

I will eat an apple. Vou comer uma maçã.

Acabei de decidir comer uma maçã.

2. Frase negativa

Na forma negativa, antes do verbo usa-se sempre *will*, seguido de *not*.
A estrutura da *frase negativa* fica assim:

sujeito + *will* + *not* + verbo + complemento

I will not eat an apple. Não vou comer uma maçã.

Acabei de decidir *não* comer uma maçã.

Smple **future**

3. Frase interrogativa

Na forma interrogativa, *will* precede o sujeito e o verbo, introduzindo a pergunta. A estrutura da *forma interrogativa* fica assim:

will + sujeito + verbo + complemento

Will you eat an apple? Você vai comer uma maçã?

Nesse caso, estou pedindo para que você decida se quer comer uma maçã ou não!

Choosing

Will também pode ser usado como cortesia, para pedir um favor, por exemplo, deixando sempre à pessoa a opção de atendê-lo ou não.

Seguem alguns exemplos (adivinhe qual deles foi inspirado na minha esposa?):

1.
A: Você me passa a caneta?
B: Claro!

A: Will you pass me the pen?
B: Of course!

2.
A: Abra a janela, por favor?
B: Não! Abra-a você!

A: Will you open the window, please?
B: No! You open it!

A: Deixe-me, por favor?
B: Não, não a deixarei nunca! (Rá, rá, rá!)

A: Will you leave me, please?
B: No, I will never leave you! (Ah, ah, ah! Like the devil.)

Simple **Future**

Geralmente, em vez de dizer *I will*, usamos a forma abreviada *I'll*.
Acredita-se que essa abreviação seja mais usada por nós, ingleses, por ser mais rápida... Mas isso nem sempre é verdade. Neste caso, *I will* tem um tom mais solene, indica uma promessa importante, ao passo que, quando se fala de coisas mais banais, usa-se *I'll*.

Waiter: What will you have, Sir? O que vai querer, senhor?
(O garçom está me pedindo para decidir o que quero pedir!)

Me: I'll have the fish, please. Vou querer peixe, por favor.
(Fechei o cardápio e já escolhi.)

Eu não fico em pé no meio do restaurante e proclamo: *"Listen everybody! I will have the fish!"*. Se eu fizesse isso, achariam que enlouqueci.

Visto que a construção com *will* é usada no momento em que se decide fazer alguma coisa, ela é obviamente a forma mais usada porque, ao conversar com alguém, você não vai contar ao seu interlocutor coisas que os dois já sabem, certo? É claro que você vai contar coisas novas e, dependendo do que disser, aceitará a decisão de seu interlocutor.

John: This afternoon, I am cleaning my garage.
Jimmy: I'll help you!
John tinha planejado limpar a garagem. Jimmy desconhecia os planos de John, mas, quando soube, decidiu ajudá-lo na mesma hora.)

Paul: When are you going to call our mother? Quando você vai ligar para a nossa mãe?
John: I'll call her, now. (Decidi ligar agora).

Concettina: I can't find the dog! Não consigo encontrar o cachorro!
John: I won't* help you find him**! Eu não vou ajudar você a procurá-lo!

* **will not** ou **won't**
** Escuto dizerem com frequência que não se usa *he* ou *she* para animais, que só se usa *it*. Isso não é verdade! Se souber qual é o sexo do animal, você pode usar *he* ou *she*; se não souber, use *it* (ou simplesmente levante a cauda dele... e vai descobrir!).

Simple **Future**

sofa (soufa)   sofá
door (doo)   porta
table (teibol)   mesa
flight (flait)   voo
church (tchartch)   igreja
secret (siikret)   secreto; segredo

Verbs
to need (niid)   precisar
to lift (lift)   levantar; erguer
to ask (ask)   perguntar; pedir
to return (ritern)   retornar
to kiss (kiss)   beijar
to check (tchek)   checar; verificar
to marry (meri)   casar
to come (cam)   vir

A diferença entre o futuro com *will* e os outros dois é fundamental. Não é correto usar apenas o primeiro. Agora, é necessário exercitar o uso de todos eles...

EXERCÍCIO n. 33

Boss: Preciso do arquivo X. ....
Paula: Vou enviá-lo a você agora. ....

John: Carlos, você me ajuda a levantar o sofá? ....
Carlos: Vou tentar! ....

Boss: Onde está o senhor Jones? ....
Paula: Vou perguntar para a Marta. ....

Simple **Future**

Wife: Volto às três. ....
John: Eu não vou abrir a porta depois da meia-noite! ....

Boss: Reserve para mim uma mesa no "Badejo Manco" para esta noite? ....
....
Paula: Claro! Vou ligar imediatamente! ....

John: Você vai me beijar enquanto durmo? ....
Wife: Não! Não vou. ....
John: Ótimo! ....

Boss: O voo está reservado? ....
Paula: Vou verificar agora. ....

Wife: Vou ao bingo. ....
John: Eu vou ficar aqui. ....

Tommy: Não coma o bolo. É para domingo! ....
Ana: Não vou. ....

Tommy: Agora vou reservar o hotel. ....
Ana: Ok, agora eu vou contar para a minha mãe. ....

Will, como futuro, também é utilizado para exprimir uma opinião, uma convicção.

Flamengo will win on Sunday. O Flamengo vai ganhar no domingo.

If she sees that film, she will cry. Se ela assistir àquele filme, ela vai chorar.

Simple **Future**

package (pakedj) — pacote
promotion (promouchan) — promoção
idea (aidia) — ideia
expenses (expenses) — despesas
discount (discaunt) — desconto
soon (suun) — logo

Verbs
to lose (luuz) — perder
to take (teik) — levar; pegar
to hate (h*eit) — odiar
to think (th*ink) — pensar
to receive (rissiiv) — receber
to like (laik) — gostar; agradar
to cut (cat) — cortar

EXERCÍCIO n. 34

1. O Corinthians vai perder domingo. ....
2. Ela vai deixar você por isso. ....
3. Leve Julie ao cinema e ela vai amar você. ....
4. John não virá conosco. ....
5. Susy vai odiar você por isso. ....
6. O e-mail vai chegar na segunda. ....
7. Meus colegas ficarão tão contentes que nos darão mais dinheiro agora. ....
8. O pacote vai chegar hoje. ....
9. Acho que o senhor Baker vai receber você logo. ....
10. Você vai receber uma promoção por aquele projeto. ....
11. O chefe de Londres vai falar durante a *conference call*. ....
12. A sua ideia vai agradar! ....
13. Vão odiar a sua ideia. ....
14. Vão cortar as despesas este ano. ....
15. Os clientes ficarão contentes com o desconto. ....

Simple **Future**

Contarei agora uma pequena história em que aparecerão todos os três tipos de futuro vistos até aqui.
Certa noite, Simon enche a cara e resolve pedir sua namorada, Samantha, em casamento.

Si: Samantha, quer se casar comigo?
Lembre-se de que ele está pedindo para que ela tome uma decisão. Como dizer isso em inglês?
Si: Samantha, *will* you marry me?

Sa: Sim, eu me caso com você.
Sa: Yes, I will marry you.

Então Simon liga para a mãe dele, para lhe dar a "boa notícia".

Si: Mamãe, vou me casar!
Lembre-se de que é uma ação já decidida, mas ainda não planejada: o que se usará para dizer isso?
Si: Mum, **I'm going** to get married!

Aí Simon reserva a igreja e liga para o padre. (Pense bem: como ele dirá isso ao padre, agora que o casamento é algo planejado?)

Si: I'm getting married! (presente contínuo futuro)

Proponho agora uma conversa entre três amigos. Repare, por favor, que cada amigo usa um futuro diferente em cada frase do diálogo (presente contínuo – intencional/ going to – futuro simples/ will):

Brad: Esta noite vou ver Julie (ação planejada).
B: This evening I am seeing Julie.
Carl: Vou com você! (decisão instantânea)
C: I'll come with you!
David: Quando eu tiver tempo, vou ligar para ela (intencional, já decidido).
D: When I have time, I'm going to call her.

Simple **Future**

husband	marido
sister	irmã
Verbs	
to find	achar, encontrar; procurar
to eat	comer
to call	chamar; ligar

Seguindo o exemplo anterior, façamos outro exercício usando os diversos tipos de futuro vistos até aqui. Para isso, vejamos um diálogo entre três amigas: Bárbara, Carla e Silvana.

EXERCÍCIO n. 35

B: Meu marido vai me levar para fazer compras no sábado (ação planejada, pelo menos para ela...)
C: Vou procurar um marido como o seu! (intencional)
S: Dou-lhe o meu, se você o quiser!
S: Amanhã à noite vou comer com minha irmã na casa dela. Quer vir, Carla?
C: Sim! Vou ligar para o meu marido agora.
B: Ela vai fazer brigadeiro? (atenção ao verbo *fazer*: o brigadeiro será feito a partir do zero, será criado!)

Simple **Past** 1.2.12

Para aprender a conjugar o passado, é necessário conhecer a *regular and irregular verbs rule* (regra dos verbos regulares e irregulares).

Qual é a diferença entre um verbo regular e um verbo irregular? Os verbos regulares são aqueles aos quais basta acrescentar **-ed** para se obter a forma passada. Os irregulares, no entanto, não têm regra nem lógica únicas: infelizmente é necessário estudá-los e memorizá-los! Vejamos os verbos regulares.

Presente: I want (eu quero)
Passado: I wanted (eu quis/eu queria) – equivale aos pretéritos perfeito e imperfeito.
Particípio passado: wanted (querido)

Sendo assim, temos: to want-wanted-wanted

Devemos seguir algumas regras ao acrescentar o -ed aos verbos, como acontece com a adição do -s no plural:

Aos verbos que já terminam em -e, acrescenta-se apenas o d:

to love   loved
to smoke   smoked

Nos verbos monossilábicos que terminam com apenas uma consoante precedida por uma única vogal, a consoante antes do -ed é duplicada:

to stop   stopped
Mas...
to clean   cleaned (a consoante é precedida por duas vogais!)

Nos verbos dissilábicos que terminam com apenas uma vogal tônica, a consoante antes do -ed é duplicada:

to prefer   preferred (a vogal tônica é o segundo *e*)
to permit   permitted (a vogal tônica é o *i*)
Mas...
to offer   offered (a vogal tônica é o *o*)

Simple **Past**

Nos verbos que terminam com -l precedido de uma única vogal, a consoante antes do -ed é duplicada:

to trav**el**   trav**el**led
Mas...
to boil   boiled

Nos verbos que terminam com -Y, o Y final será mantido se for precedido por uma vogal e será alterado para -i se precedido por consoante:

to pla**y**   pla**yed**
to stu**dy**   stud**ied**

ATENÇÃO!
O *simple past* é usado para exprimir ações já concluídas no passado. Ele equivale aos pretéritos perfeito e imperfeito na língua portuguesa.
Como no *simple present*, a formação da frase em inglês não muda e aqui também usamos o verbo *to do*, obviamente no passado, como auxiliar nas frases negativas e interrogativas. Conjuga-se sempre o *do* no passado, mas não o verbo que indica a ação, que fica no infinitivo: basta apenas um no passado!
Sendo assim, temos: *to do-did-done*.

1. Frase afirmativa

Agora que vimos os principais usos, começaremos a ver detalhadamente como se constrói uma frase com o *simple past*, partindo da forma afirmativa.

A estrutura da *forma afirmativa* fica assim:

sujeito + verbo + complemento

I saw a film yesterday. Vi um filme ontem (irregular).
She washed her car. Ela lavou o carro dela (regular).

Simple **Past**

2. Frase negativa

Neste caso, deve-se acrescentar à fórmula da frase afirmativa o verbo *do* no passado, ou seja, *did*, mais a negativa not (= *did not*). Lembre-se: não se conjuga o verbo principal, que continua no infinitivo!

A estrutura da *frase negativa* fica assim:

sujeito + *did* + *not* + verbo + complemento

I didn't see the film. (*e não* I didn't saw the film.) Eu não vi o filme.
Last year, I didn't go to Japan. Ano passado eu não fui ao Japão.

3. Frase interrogativa

Partindo da fórmula afirmativa, para construir a interrogativa basta acrescentar *did* (*past* de *to do*) no início da frase, deixando o verbo principal no infinitivo.

A estrutura da *forma interrogativa* fica assim:

did + sujeito + verbo + complemento

Did you see the film? (*e não* Did you saw the film?) Você viu o filme?
Did you have dinner last night? Você jantou ontem à noite?

A estrutura da *frase interrogativa negativa* fica assim:

did + *not* + sujeito + verbo + complemento

Didn't you see the film? (*e não* Didn't you saw the film?) Você não viu o filme?

4. Examples

Agora vou ensinar a você algo que dificilmente se ensina nas escolas de idiomas. Vou mostrar como se fala feito um inglês, e não como um turista. Escuto bastante

Simple **Past**

as pessoas dizerem: "Se não falar inglês perfeitamente, em Londres as pessoas farão de conta que não entendem você!". Não, não é assim! Às vezes os ingleses ignoram os turistas porque... os estrangeiros se alongam demais! Não é bonito, mas é o que acontece!

Imagine que você mora em Londres e, toda vez que vai à farmácia, é parado duas ou três vezes por pessoas com um mapa na mão que logo começam: *"Excuse me, sir, I hope not to disturb you, but I am Brazilian and I want to know maybe if it's ok..."*.

Ser exageradamente prolixo em inglês é um erro: o bom súdito da rainha é econômico, conciso... e talvez essa regra não fizesse mal algum a um brasileiro! Se eu tivesse de perguntar a alguém como chegar a algum lugar, eu diria: *"Excuse me? Piccadilly?"*... E acredito que assim me ajudariam!

Outro exemplo: vamos imaginar que ontem à noite você saiu, tomou uma cerveja, dançou e depois foi para casa.
Você diria:
"I went out and then I drank a beer and then I danced and then I went home".

Longo, muito longo!
São os velhos livros de gramática inglesa que dizem que devemos repetir sempre o sujeito. *Não é verdade*! Talvez exatamente por isso tenham ficado velhos...

Eu diria assim:
"I went out, drank a beer, danced, then went home".
Não é lindoooo?!

Assim, vamos rever a frase dita por você, destacando as palavras que é preciso cortar por serem supérfluas.

I went out **and then I** drank a beer **and then I** danced **and** then **I** went home.

Aqui temos quatro ações:
1. I went out
2. drank a beer
3. danced
4. went home

Certifique-se de deixar claras essas quatro ações, pois o resto é desnecessário!

Simple **Past**

and/then

Os protagonistas deste quadro, *and* (e) e *then* (em seguida), são mais ou menos intercambiáveis. A única diferença é que *then* se encaixa melhor mais para o fim da frase, indicando que a sequência de ações terminou. Bom, mas ninguém vai morrer se o *and* for usado também nessa posição.

É importante lembrar que as ações expressas em um intervalo de tempo acontecem segundo uma ordem cronológica: nunca vão se desenvolver simultaneamente. Construir uma frase significa recriar uma espécie de sequência de ações. Essa sequência tanto pode descrever uma noite como também períodos muito mais longos, anos, por exemplo. E, como regra, lembre-se de usar *and* ou a vírgula para separar as ações, até a última, precedida por *then*.

Os últimos cinco minutos...

Boss/chefe: What did you do in the last five minutes? O que você fez nos últimos cinco minutos?

Robert: I called my mother, ate a sandwich, drank a coffee then you arrived! Liguei para a minha mãe, comi um sanduíche, tomei um café e, em seguida, você chegou.

A história da Terra...

The world was created, dinosaurs came, died, then man was born. O mundo foi criado, chegaram os dinossauros, eles morreram e, em seguida, o homem nasceu.

Obviamente, não são necessárias quatro ações, bastam duas ou três. É para deixar você praticar mais que uso frases com várias delas, como esta:

Ano passado comecei a trabalhar, paguei o meu carro, perdi o emprego e, em seguida, vendi o carro. Last year, I started to work, paid for my car, lost my job, and then sold my car.

Simple **Past**

bed (bed)	cama
school (skuul)	escola
milk (milk)	leite
last year (last iier)	ano passado
lake (leik)	lago
full (ful)	cheio
bread (bred)	pão
playboy (pleiboi)	conquistador; safado
neighbour (neiber)	vizinho(a)

Verbs

to cook	cozinhar
to clean	limpar
to work	trabalhar
to return	voltar; retornar
to watch	assistir
to ask	perguntar; pedir
to kiss	beijar
to eat	comer
to go	ir
to go out	sair
to take	levar
to sleep	dormir
to buy	comprar
to see	ver

Seguindo os exemplos anteriores, tente traduzir as frases que veremos agora... para você ir se aquecendo e se preparando para o próximo exercício.

EXERCÍCIO n. 36

1. Ontem à noite eu cozinhei, comi, limpei a casa e, em seguida, fui dormir.
2. Hoje eu trabalhei, assisti a um filme, levei meu filho à escola e, em seguida, dormi.
3. Esta manhã comprei o leite, fui para casa e, em seguida, voltei para a cama.
4. Ontem terminamos o projeto e, em seguida, fomos comemorar.
5. Escrevi uma carta e, em seguida, dormi três horas.

Simple **Past**

EXERCÍCIO n. 37

O diário de Suzy

Segunda-feira, vi um homem lindo.
Eu pedi a ele para sair comigo.
Nós fomos ao lago e, em seguida, comemos.
Enquanto estávamos comendo, ele me pediu para beijá-lo, mas a minha boca estava cheia de pão.
Quando minha boca ficou vazia, ele estava beijando outra.
"Você é um safado!", eu gritei.
"Mas ela é minha irmã", ele disse.
Vi no espelho que meu rosto estava vermelho.
Enquanto estávamos acabando de comer, a conta chegou.
Ele pagou tudo e depois fomos ao bar e pegamos uma garrafa de vinho.
Enquanto estávamos bebendo, ele me pediu um beijo, mas a minha boca estava cheia de vinho.
Quando minha boca ficou vazia, ele estava beijando outra.
"Ela é sua irmã também?", perguntei.
"Não, sou um safado", ele disse.
Eu saí, peguei um táxi e fui para casa.
Quando cheguei em casa, vi algumas flores sobre a mesa com uma mensagem.
A mensagem era "eu te amo".
Enquanto eu sorria por causa da mensagem, minha vizinha entrou.
"Suzy!", ela disse, "você está na minha casa! Você bebeu vinho de novo?!".

Past **Continuous** 1.2.13

O *past continuous*, como o próprio nome dá a entender, é muito semelhante ao presente contínuo, ou seja, é seu equivalente no passado.
Assim como acontece no *present continuous*, para construir o *past continuous* precisamos do verbo "estar", que, naturalmente, virá conjugado no passado de acordo com a sequência *to be-was-been*.

present: I am making a cake. Estou fazendo um bolo.
past: I was making a cake. Eu estava fazendo um bolo.

present: I am drinking a coffee. Estou tomando um café.
past: I was drinking a coffee. Eu estava tomando um café.

present: I am cutting the grass. Estou cortando a grama.
past: I was cutting the grass. Eu estava cortando a grama.

A estrutura da frase é exatamente igual à do presente contínuo, tanto nas frases afirmativas quanto nas interrogativas e negativas: a única diferença é que o verbo *to be* passa a ser conjugado no passado.
O passado contínuo é usado quando uma ação que estava ocorrendo no passado é interrompida por outra. Para introduzir as frases com *past continuous*, são usados *when* (quando) ou *while* (enquanto).

I was watching TV, **when** you called me. Eu estava assistindo à TV **quando** você me ligou.

While I was writing, the light went out. **Enquanto** eu estava escrevendo, a luz se apagou.

When the phone rang, she was writing a letter. **Quando** o telefone tocou, ela estava escrevendo uma carta.

While we were having the picnic, it started to rain. **Enquanto** estávamos fazendo um piquenique, começou a chover.

What were you doing, **when** the storm started? O que você estava fazendo **quando** o temporal começou?

Past **Continuous**

While John was sleeping last night, someone took his car. **Enquanto** John estava dormindo ontem à noite, alguém levou seu carro.

Sammy was waiting for us, **when** we arrived. Sammy estava nos esperando **quando** chegamos.

While I was writing the e-mail, the computer died. **Enquanto** eu estava escrevendo o e-mail, o computador pifou!

What were you doing, **when** you broke your leg? O que você estava fazendo **quando** quebrou a perna?

Simples, não? O importante agora é aprender aos poucos os verbos irregulares. Para fazê-lo de maneira simples e eficaz, aconselho memorizá-los gradualmente: três por dia, por exemplo. Muito importante também é repassá-los durante as atividades cotidianas, enquanto se veste, enquanto toma banho... e, em vez de cantar no chuveiro, você pode relembrar os verbos!

photo (foutou)	foto
match (match)	jogo; partida
leg (leg)	perna
question (kuéstchan)	questão; pergunta
name (neim)	nome
scream (scriim)	grito
kick (kik)	chute

Verbs

to start	começar
to cry	chorar
to fall	cair
to run	correr
to forget	esquecer
to undress	despir-se
to sort out	arrumar

Past **Continuous**

EXERCÍCIO n. 38

1. Enquanto eu estava limpando, Simon me chamou. ....
2. Eu estava falando quando ela começou a chorar. ....
3. Enquanto eu estava assistindo ao jogo, caí. ....
4. Ele estava correndo quando quebrou a perna. ....
5. Enquanto ele/a me fazia uma pergunta, eu esqueci o nome dele/a. ....
....
6. Eu estava arrumando o quarto quando encontrei uma libra. ....
....
7. Eu estava me despindo quando sua mulher chegou! ....
8. Enquanto jogávamos, escutamos um grito. ....
9. Eu estava dormindo quando ele/a me deu um chute. ....

Veja agora alguns exemplos no presente, no passado e no futuro... Usaremos também o *future continuous*, que é intercambiável com o *future simple*.

present continuous: I am waiting for a bus. Estou esperando o ônibus.
past continuous: I was waiting for a bus. Eu estava esperando o ônibus.
future continuous: I will be waiting for a bus. Eu vou esperar o ônibus.

simple present: I walk to school. Eu caminho até a escola.
past simple: I walked to school. Eu caminhei até a escola.
future simple: I will walk to school. Eu vou caminhar até a escola.

É a sua vez de elaborar algumas frases! E preste atenção: eu já dei uma ajudinha, pois todos os verbos são regulares, ou seja, terminam sempre em -ed no passado.

EXERCÍCIO n. 39

1.
presente: I am aiming my pistol. (*to aim* significa "mirar")
passado: ....
futuro: ....

2.
presente: I allow people in my house. (*to allow* significa "permitir")
passado: ....
futuro: ....

3.
presente: I avoid stupid people. (*to avoid* significa "evitar")
passado: ....
futuro: ....

4.
presente: I am begging her to go out with me. (*to beg* significa "implorar")
passado: ....
futuro: ....

5.
presente: I behave very well, when she is with me. (*to behave* significa "comportar-se")
passado: ....
futuro: ....

6.
presente: He is boiling eggs for breakfast. (*to boil* significa "ferver, cozinhar")
passado: ....
futuro: ....

7.
presente: She is counting her money to see if she can buy a new dress. (*to count* significa "contar")
passado: ....
futuro: ....

8.
presente: I complain to the father, when the child behaves badly at school. (*to complain* significa "reclamar")

passado: ....
futuro: ....

9.
presente: I am cleaning my garage. (*to clean* significa "limpar")
passado: ....
futuro: ....

10.
presente: I am concentrating on my work. (*to concentrate* significa "concentrar-se")
passado: ....
futuro: ....

11.
presente: The postman delivers letters to my house, sometimes. (*to deliver* significa "entregar")
passado: ....
futuro: ....

12.
presente: I dislike everything he says. (*to dislike* significa "não gostar")
passado: ....
futuro: ....

13.
presente: I am describing the party to Simon. (*to describe* significa "descrever")
passado: ....
futuro: ....

14.
presente: She develops projects for big companies. (*to develop* significa "desenvolver")
passado: ....
futuro: ....

15.
presente: I don't decide what to do in my house. (*to decide* significa "decidir")
passado: ....
futuro: ....

16.
presente: She isn't forcing her son to study. (*to force* significa "forçar")

passado: ....
futuro: ....

17.
presente: They are improving conditions, finally. (*to improve* significa "melhorar")
passado: ....
futuro: ....

18.
presente: I am learning Russian. (*to learn* significa "aprender")
passado: ....
futuro: ....

19.
presente: They live in a big house. (*to live* significa "viver, morar")
passado: ....
futuro: ....

20.
presente: We are launching the new product in January. (*to launch* significa "lançar")
passado: ....
futuro: ....

21.
presente: I am watching tv and opening my mail, while Tina is cleaning the room. (*to watch* significa "assistir" *to open*, "abrir")
passado: ....
futuro: ....

22.
presente: They shout, scream and complain about everything. (*to shout* significa "gritar, berrar")
passado: ....
futuro: ....

23.
presente: The police arrest, the lawyers accuse and the judge sentences. (*to arrest* significa "prender"; to accuse, "acusar"; to sentence, "sentenciar, condenar")
passado: ....
futuro: ....

24.
presente: I park the car, press the button, then pull out the ticket.
(*to park* significa "estacionar"; to press, "pressionar, apertar"; to pull out, "retirar")
passado: ....
futuro: ....

25.
presente: I regret that I refuse to remove the offensive poster. (*to regret* significa "arrepender-se"; to refuse, "recusar"; to remove, "remover, retirar")
passado: ....
futuro: ....

To say /To tell

Esses dois verbos significam "dizer". Mas quando se usa um e quando se usa outro?
To say é usado em uma conversa, ao passo que *to tell* serve para informar, dar ordens, contar.

Depois do verbo *to tell* nunca se usa a preposição *to*, pois a pessoa que vem depois de *tell* e à qual se comunica alguma coisa fica ligada diretamente ao verbo.

Tell me a joke. — Conte-me uma piada.
Tell him the story. — Conte a história para ele.
Don't **tell** Lucy I love her. — Não conte a Lucy que eu a amo.
I **told** him to go. — Eu disse para ele ir embora.

Preposições, Adjectives and Verbs + -Ing

1.2.14

Em inglês, algumas **preposições** pedem que o verbo que as segue esteja na forma -ing.

As mais comuns são:

after	depois
before	antes
without	sem
instead of	em vez de

She always calls me **after** leav**ing**. Ela sempre me liga depois de ir embora.
Please, clean your room **before** go**ing** out. Por favor, limpe seu quarto antes de sair.
I can't live **without** eat**ing**. Não posso viver sem comer.
Do your homework **instead of** watch**ing** tv. Faça sua lição de casa em vez de assistir à TV.

Há também alguns **adjetivos** muito úteis que exigem uma **preposição**; esta, por sua vez, se vier antes de um verbo, pede a forma -ing.

Cito alguns:

tired of	cansado de
sick of	cheio de; enjoado de
afraid of	ter medo de
fond of	apaixonado por
used to	acostumado a

I am **tired of** wait**ing**. Estou cansado de esperar.
I am **sick of** eat**ing** pasta. Estou cheio de comer massa.
I am **afraid of** fly**ing**. Tenho medo de voar.
Mr. Williams is **fond of** garden**ing**. O sr. Williams é apaixonado por jardinagem.
I am **used to** gett**ing** up early. Estou acostumado a acordar cedo.

Para finalizar, quero acrescentar também alguns **verbos** que, seguidos de **outro verbo**, pedem que este seja usado na forma -ing.

to start	começar
to stop	parar
to finish	terminar; acabar

Prepositions, Adjectives and Verbs + -Ing

I want **to start** learn**ing** English well. Quero começar a aprender bem inglês.
Please, **stop** smok**ing**! Por favor, pare de fumar!
They **finished** talk**ing** at 1 o'clock in the morning. Eles acabaram de conversar à 1 da manhã.

bathroom	banheiro
kitchen	cozinha
homework	lição de casa
thing	coisa
nonsense	absurdo; tolice
same	mesmo(a)
music	música
bad impression	má impressão (to make a)
in a loud voice	em voz alta

Verbs

to go out	sair
to listen to	ouvir; escutar
to repeat	repetir
to help	ajudar
to pass	passar

EXERCÍCIO n. 40

1. Antes de sair, limpe o banheiro e a cozinha. ....
2. Fui à escola sem ter feito a lição de casa. ....
3. Por que não fala em vez de chorar? ....
4. Pare de repetir sempre as mesmas palavras. ....
5. Em vez de jogar tênis, por que não estuda? ....
6. Estamos acostumados a ouvir suas tolices. ....
7. Eles estão cheios de repetir sempre as mesmas palavras. ....
8. Minha mãe é apaixonada por música. ....
9. Temos medo de causar uma má impressão. ....
10. Começarei a pintar o banheiro e, em seguida, vou terminar de limpar a cozinha. ....

Step 3

1.3.1 **Prepositions**
place
time
motion

1.3.2 **If**
1.3.3 **Adjectives**

1.3.4 **Comparative**
superioridade
inferioridade
igualdade

1.3.5 **Superlative**
absoluto
relativo

1.3.6 **The human body and the five senses**
the head
the eyes
the nose
the ears
the mouth
"the voice"
the fifth sense

Prepositions 1.3.1

Há uma regra muito simples em inglês, *the English preposition rule*, que diz respeito às preposições e que, ao contrário de muitas outras regras, *não* apresenta exceções!

Uma **preposição** é sempre seguida de um **substantivo**, nunca de um **verbo**, entendendo-se como "substantivo":
os substantivos comuns (*dog, money, love*), que podem ser acompanhados de um ou mais adjetivos.
os substantivos próprios (Bangkok, Maria)
os pronomes (*you, him, us*)
as formas -ing dos verbos (*swimming, acting, playing*), porque nesses casos são substantivos: o nadar, o representar, o jogar.

The food is on the table.
She lives in Japan.
Tara is looking for you.
The letter is under your blue book.

Nos capítulos anteriores, você aprendeu a utilizar os principais tempos verbais. Agora, é importante conhecer aquelas que podem ser definidas como "a cola da língua inglesa", ou seja, as preposições. São fundamentais porque um discurso é como um trem, que sempre tem um destino, um lugar aonde se quer chegar... Se errar as preposições, você correrá o risco de parar na plataforma errada e acabar chegando a um outro lugar!

As principais preposições

aboard	a bordo	around	em torno de; por volta de
about	quase, aproximadamente	before	antes
		behind	atrás
		beyond	além
above	sobre	below	sob; abaixo
after	depois	beside	ao lado de
across	através de; de lado a, lado	between	entre (duas coisas)
		by	por; perto de
		despite	apesar de
against	contra	down	abaixo
among	entre (mais de duas coisas)	during	durante
		except	exceto; menos

Prepositions

for	para	since	desde
from	de	than	do que
in	em; dentro de	through	através
like	como	to	a
near	perto	towards	até; em direção a
of	de	under	debaixo
off	fora	unlike	diferente de
on	sobre; em cima	until	até
opposite	em frente de; oposto a	up	sobre
out	fora de	with	com
plus	mais; a mais	within	dentro
regarding	com respeito a; a respeito de	without	sem

A trap

Nas frases a seguir, por que aparece um verbo logo depois da "preposição" *to*? De acordo com a regra, isso não seria possível!
I would like to go now.
She used to smoke.

Atenção, pois a resposta é muito simples: nesses dois exemplos, *to* não é uma preposição, mas parte do infinitivo do verbo *(to go, to smoke)*.

sun	sol
mountain	montanha
wind	vento
tree	árvore
river	rio
temperature	temperatura

Prepositions

forest	floresta
(the) cold	o frio
walk	caminhada
(the) rain	a chuva
toilet	banheiro
dawn	alvorada; amanhecer

Verbs

to swim	nadar
to run	correr
to find	achar, encontrar; procurar
to sleep	dormir

Agora chegou o momento de utilizar essas preposições. Exercite-as traduzindo algumas frases.

EXERCÍCIO n. 41

1. O sol está acima da montanha. ....
2. Caminhei contra o vento. ....
3. Dormi entre as árvores. ....
4. Atrás da montanha há um rio. ....
5. Por volta das seis, fomos embora. ....
6. A temperatura na floresta era de cinco abaixo de zero. ....
7. Jane estava ao meu lado. ....
8. Entre as duas montanhas havia um belíssimo pub. ....
9. Apesar do frio, nadamos no rio. ....
10. Durante nossa caminhada eu caí. ....
11. Estava bonito, exceto pela chuva. ....
12. Corri como o vento. ....
13. Havia um banheiro em frente ao pub. ....
14. Diferente de Mark, achei o banheiro sem problemas. ....
15. Depois do pub dormimos debaixo de uma árvore até o amanhecer. ....

Prepositions

1. Place

Em inglês, as preposições de lugar (assim como as de tempo, que veremos mais adiante) são três:

At

Indica um ponto fixo, o lugar preciso em que se encontra uma pessoa ou um objeto.

He is at the park. Ele está no parque (onde se encontra o parque, ele também se encontra).
She is at the bar with her husband.
We are at my house.
Mom is at the market.
Dad is at church.

at the corner, at the bus stop, at the door, at the top of the page, at the end of the road, at the entrance, at the crossroads, at the pub, at home, at work, at school, at university, at college, at the top, at the bottom, at the side, at reception...

On

Esta preposição indica uma superfície e é muito fácil. Pode ser traduzida como "sobre" ou "em cima de".

The pen is on the table. (original, não?)
The cat is on the book.

on the wall, on the ceiling, on the door, on the cover, on the floor, on the carpet, on the menu, on a page, on a bus, on a train, on a horse, on the radio, on the beach, on the road...

In

Esta preposição indica que algo ou alguém está inserido em algum lugar ou se encontra em um espaço fechado*.

I am in a hotel room.
She is in London.
The children are in the playground.

Prepositions

The present is in a red box.

in the garden, in France, in my pocket, in my wallet, in the building, in the car, in a taxi, in a lift, in the newspaper, in the sky, in Oxford Street...

* É importante saber que "estar em um espaço fechado" não quer dizer necessariamente "fechado" no sentido literal e físico (entre quatro paredes, por exemplo). Está correto dizer *to be in London* se pode entender Londres como "fechada", no sentido de que a cidade tem fronteiras definidas, mesmo que não sejam muros físicos.

Agora tente memorizar o uso das preposições de lugar lendo os exemplos a seguir, que, a esta altura, já posso deixar de traduzir, certo?

Jane is waiting for you at the bus stop.
The shop is at the end of the street.
My plane stopped at Dubai and Hanoi and arrived in Bangkok two hours late.
When will you arrive at the office?
Do you work in an office?
I have a meeting in New York.
Do you live in Japan?
Jupiter is in the Solar System.
The author's name is on the cover of the book.
There are no prices on this menu.
You are standing on my foot.
There was a "no smoking" sign on the wall.
I live on the 7th floor at 21 Oxford Street in London.

AT the bar, there was a cat **IN** a box **ON** the floor.
AT the cinema, there was a man **IN** a boat **ON** the screen.
He is **ON** the 7th floor **AT** work **IN** London.

2. Time

Como eu já disse, as preposições de lugar e de tempo em inglês são as mesmas:

Prepositions

At

É usada para indicar uma hora precisa.

At lunchtime, I have an appointment.
I am seeing her at 7 in the morning (ação planejada).
I will meet you at 12 noon (decisão tomada no momento em que se fala).
I saw them at 4 in the afternoon (ação passada).
I was swimming at 6:40 (ação contínua no passado).

At 3 o'clock, at noon, at bedtime, at sunrise, at sunset, at the moment, at the week, at Christmas time, at the same time, at midnight...

On

É usada para indicar os dias e as datas (que, pensando bem, são quase a mesma coisa, já que uma data representa um dia!).

On Monday, I am studying with Carol (ação planejada).
On August the 1st, I am leaving for Africa (ação planejada).
On Tuesday, I started work (ação passada).
On September 11, there was a memorial service (ação passada).
On Thursday, I will come with you to the stadium (decisão tomada no momento em que se fala).

on Independence Day, on Tuesday morning, on my birthday...

In

Esta preposição é usada para indicar os meses, os anos, os séculos ou períodos mais longos.
Vou ensinar a você um truque: quando se fala de tempo, se não puder usar *at* (hora precisa), nem *on* (dia, data); use necessariamente *in*, que se encaixa bem em todas as outras situações.

In the morning, in the week, in the month, in the year, in the century, in 2010, in summer, in the past, in the 1990s, in the Ice Age, in the future...

I was born in 1978.
It will be easier in the future!

Prepositions

Agora, tente memorizar o uso das preposições de tempo lendo os exemplos a seguir, os quais, como já disse antes, não vou traduzir para que o exercício não fique tão cansativo!

I have a meeting at 9 a.m.
The shop closes at midnight.
Jane went home at lunchtime.
In England, it often snows in December.
Do you think we will go to Mars in the future?
There will be a lot of progress in the next century.
Do you work on Mondays?
Her birthday is on November 20.
Where will you be on New Year's Day?

Agora, para dar um exemplo real, apresento a minha data de nascimento, incluindo as horas:

I was born ON February 27 IN 1970 AT 6 in the morning.
I was born ON February 27 IN 1978 AT 6 in the morning. (se quem me fizer a pergunta for uma moça bonitinha!)
Tente você também escrever sua data de nascimento com dia, ano e hora.

Exceções

1_Nas frases, quando usar *last* (passado), *next* (próximo), *every* (todo/a; cada) ou *this* (esse/a; este/a), não use *at*, *in* e *on*.

I went to London last June não in last June!
He's coming back next Tuesday não on next Tuesday!
I go home every Easter não at every Easter!
We'll call you this evening não in this evening!

2_Com os meses, os anos e as partes do dia se usa *in*, exceto com *night/midnight* (meia-noite) e *midday* (meio-dia), que exigem rigorosamente a preposição *at*.

I study at night não in the night!
She kisses you at midnight não in the midnight!
I need to have a lunch at midday não in the midday!

Prepositions

Tente completar as frases com as preposições de tempo e de lugar corretas.

EXERCÍCIO n. 42

1. I live ____ the centre of Milan.
2. My drink is ____ the table.
3. I go to Sardinia ____ the summer.
4. I have an appointment with the doctor ____ 6 o'clock A.M.
5. I like living ____ the city.
6. My book is ____ my car ____ the seat (assunto).
7. My brother is working ____ the new factory in Oxford.
8. He only comes here ____ Mondays.
9. ____ June 5, she will be 6 years old!
10. They are surely ____ the train, the train left ____ 7.15 P.M. from the station.
11. If he is not ____ the bar, then he is ____ work.
12. The last time I saw him was ____ 1985 ____ the railway station.
13. She was ____ the car with Simon ____ Thursday.
14. I don't like to speak ____ the morning.
15. I will be ____ the hospital ____ 10.00 A.M..
16. If the bed is full, I will sleep ____ the floor.
17. There were 150 people ____ the church ____ 9 ____ the morning!
18. We are moving to a new house ____ Scotland. It is ____ a hill near the lake.
19. I went to France by boat ____ 1977.
20. You will see the supermarket ____ the end of the road.

Prepositions

3. Motion

Quando há movimento, é muito importante usar a preposição correta para indicá-lo. Não se pode dizer: *"I go school!"*... Só o Tarzan fala assim! Deve-se dizer: *"I go to school!"* (vou à escola). Quando voltar da escola, você deve dizer: *"I come from school!"*.

To

É a preposição que se usa para exprimir o deslocamento até algum lugar. É preciso prestar muita atenção ao se usar o verbo *to arrive*, que, mesmo indicando movimento, pede a preposição *at*, porque o mais importante não é o fato de se ir, mas aonde se chega.

I go **to** the shops by car.
I went **to** the shops by car.
I will go **to** the shops by car.
Mas
I **arrived at** school.

From

É a preposição usada para exprimir o deslocamento a partir de algum lugar.

I come back **from** school at 6 P.M.
I came back **from** school at 6 P.M.
I will come back **from** school at 6 P.M.

Into

É a preposição usada para exprimir um movimento de fora para dentro.

I put the flowers **into** the vase. Coloco as flores dentro do vaso.
I went **into** the hotel. Entrei no hotel (de fora para dentro).
Now I am **in** the hotel (estou dentro, em um espaço fechado).

Onto

Tem a mesma função de *into*, mas nesse caso o movimento que se expressa se dá "sobre" alguma coisa... e em contato com ela (*on*).

Prepositions

I put the glass onto the table. Coloco o copo sobre a mesa.
The flowers are in my hand. I put the flowers onto the table. Now the flowers are on the table. As flores estão em minha mão. Eu coloco as flores sobre a mesa. Agora as flores estão em cima da mesa.
The cat was on the chair. The cat jumped onto the table. The cat is now on the table. O gato estava na cadeira. O gato pulou sobre a mesa. O gato está em cima da mesa agora.
Se alguém dissesse the cat jumped on the table, significaria que o gato já estava sobre a mesa e pulou, para cima e para baixo, sempre em cima da mesa... Esse gato seria um pouco doidinho, não?!

Com todas essas novas preposições, nada melhor do que tentar traduzir uma bela história. Ao final do livro, você vai encontrar a versão correta, mas, por favor, não a consulte antes de tentar traduzi-la você mesmo... Faça o melhor que puder!

cup (cap)   xícara
wind (uínd)   vento
window (uíndou)   janela
bird (berd)   pássaro
clouds (clauds)   nuvens
boats (bouts)   barcos
sea (sii)   mar
suddenly (sadenli)   de repente
odour (ouder)   cheiro; odor
Scots (skots)   escoceses
flight (flait)   voo
joke (djouk)   piada
funny (fãni)   divertido; engraçado

Verbs
to smell (smel)   cheirar
to ask (ask)   perguntar; pedir
to pour (por)   despejar
to see (sii)   ver
to look (luk)   olhar
to sit (sit)   sentar

Prepositions

EXERCÍCIO n. 43

The journey **(a viagem)**

A bordo do avião, pedi uma bebida.
A comissária de bordo despejou o café quente na minha xícara enquanto o avião estava indo contra o vento.
Através da janela, vi um pássaro em meio às nuvens e, quando olhei para baixo, vi os barcos no mar.
De repente, senti um cheiro de uísque e, quando olhei ao redor, vi que estava sentado entre dois escoceses.
Durante o voo conversei com uma senhora americana perto de mim.
Ela pôs o seu café sobre a mesinha e escutou as minhas piadas engraçadas.

Como prometi, aí vão outras palavras, outros verbos e, naturalmente, outra historinha que contém preposições de lugar e tempo... *Ready?*

wine (uáin)	vinho
glass (glaas)	copo
ground (graund)	chão
wall (uool)	muro; parede
shop (chop)	loja
hands (h*énds)	mãos
pocket (pókit)	bolso
keys (kiis)	chaves
centre (center)	centro
boyfriend (boifrend)	namorado

Verbs
to fly   voar

Prepositions

EXERCÍCIO n. 44

Gramado

Ontem de manhã, às 10h15, eu estava em um bar no centro de Gramado.
Na minha frente havia uma mulher sentada à mesa que estava despejando vinho em uma taça.
Quando o vinho acabou, ela caiu no chão.
Na parede havia uma foto de um pássaro que voava através das nuvens.
Do lado de fora, vi um menino que estava esperando a mãe dele em frente a uma loja.
Enquanto eu estava ajudando a mulher, o namorado dela chegou.
Às 11h fui para o hotel.
Coloquei a mão no bolso e peguei as chaves do meu quarto.
Dentro do quarto, havia uma carta da minha mulher.
"Querido ex-marido, hoje eu estava fazendo compras com a Maria e vimos você molestando uma mulher em um bar. Amanhã eu o ajudarei a encontrar uma nova casa!"

If 1.3.2

Acho melhor informar que estou prestes a levar você para o "maravilhoso mundo do *if*". Significa **"se"**.
Naturalmente, não temos certeza de tudo o que queremos ou não fazer, e o *if*, em inglês, serve justamente para introduzir a incerteza, a hipótese e a possibilidade...

Há quatro tipos de *if* em inglês, diferentes quanto ao que exprimem e quanto às finalidades para as quais são utilizados. Vejamos todos eles, um por um.

1_Possibilidade real

O primeiro *if* diz respeito às possibilidades verdadeiras e reais.

Se o dinheiro cair, irei às Maldivas. **If the money arrives, I will go to the Maldives.**

Nesse caso, há uma possibilidade concreta de que o dinheiro cairá na conta e, se isso acontecer, é certeza que irei às Maldivas!

Regra: aqui, a primeira oração, que começa com *if*, pede o *simple present*, enquanto a oração principal pede o futuro (*will* ou outro verbo modal).

If I go to the party, I will take my friend. Se eu for à festa, levarei meu amigo.
Nessa frase, fica claro que há uma possibilidade real de quem fala ir à festa.

2_Hipótese

O segundo *if* não diz respeito a uma realidade específica, mas a uma hipótese.

Se chegasse muito dinheiro, eu iria às Maldivas. **If a lot of money arrived, I would go to the Maldives.**

Nesse caso, quem fala não se refere a uma possibilidade real, mas simplesmente exprime um desejo, algo que gostaria muito de fazer.

Regra: aqui, a primeira oração, que começa com *if*, pede o *simple past*, enquanto a oração principal pede o condicional (*would*, que é o passado de *will*).

If

If I went to the party, I would take my friend. Se eu fosse à festa, eu levaria meu amigo.
Nesse caso, entende-se que quem fala não tem intenção de ir à festa: simplesmente quer deixar claro que, se fosse o caso, levaria um amigo.

3_If passado

O terceiro *if* diz respeito a uma ação ou a uma possibilidade que talvez não possa mais ser realizada.

Se o dinheiro tivesse caído, eu teria ido às Maldivas. **If** the money **had arrived, I would have gone** to the Maldives.

Nesse caso, não se pode mudar o passado, mas a vontade de quem fala é exprimir uma ação ou uma possibilidade que, no passado, não se realizou.

Regra: aqui, a primeira oração, que começa com *if*, pede o past participle, enquanto a oração principal pede o passado condicional (*would have*).

If I had had the opportunity, I would have married him. Se eu tivesse tido a oportunidade, eu teria me casado com ele.
Nesse caso, entende-se que a possibilidade de quem fala se casar com ele (*him*) não existe mais. O bonde passou e quem fala já o perdeu!

4_If 0

O quarto *if*, que eu também chamo simplesmente de "*If genérico*", exprime fatos reais ou verdades absolutas, geralmente inevitáveis.

Se tomo muito vinho, caio. **If** I **drink** a lot of wine, I **fall**.

Nesse caso, não se deseja exprimir apenas ações relacionadas e inevitáveis.

Regra: aqui, a primeira oração, que começa com *if*, pede o *simple present*, exatamente como a oração principal.

Nesse caso, *if* pode ser substituído por *when* (quando):
Quando a vejo, fico feliz. **When** I **see** her, I **am** happy.

If

Resumidamente, quando escuta *If*, o falante da língua inglesa presta muita atenção ao tempo do verbo principal da frase, para verificar se o que está ouvindo diz respeito à realidade ou não... E, se escuta *had* (*past participle* do verbo *to have*), pensa no passado.

Agora vamos traduzir, de acordo com os mecanismos apresentados. Nos vários diálogos a seguir, cada frase contém um if diferente.

EXERCÍCIO n. 45

1.
Tom: Se eu arranjar trabalho, comprarei um carro.
Tim: Se soubesse ontem, eu teria vendido o meu para você.
Tom: Se eu fosse capaz de dirigir, compraria um carro bonito e veloz.

2.
Sarah: Se eu tiver dinheiro, irei a Nova York este verão.
Julie: Se eu tivesse tempo, iria com você.
Lisa: Se eu tivesse tido tempo e dinheiro, teria ido a Nova York ano passado.

3.
Julie: Se vier comigo, ficarei feliz.
Emma: Se tivesse me pedido antes, teria dito que sim.
Carmen: Se tivesse me perguntado, eu teria ido.

4.
Football coach and player (técnico de futebol e jogador)
FC: Se você jogar de novo como no sábado, nós perderemos.
P: Jogarei bem, você vai ver.
FC: Desculpe-me, eu quis dizer (hipótese): se jogasse hoje, você não jogaria bem.
P: Por quê? Não vou jogar? (ação planejada)
FC: Não!

If

could be	poderia ser
gold mine	mina de ouro
office	escritório
area	área
owner	proprietário
sorry	desculpe-me
exhibition centre	centro de exposições

Verbs
to get rich — enriquecer; ficar rico

Apresento agora uma historinha a ser traduzida. Preste atenção a qual *if* deve ser usado e, *remember*, encare o exercício como um jogo!

EXERCÍCIO n. 46

The big chance

Eu estava caminhando com Carlos quando vimos um bar.

O bar era velho e feio, mas eu disse: "Aquele bar poderia ser uma mina de ouro, veja quantos escritórios existem na área. Se tivesse dinheiro, eu compraria aquele bar e ficaria rico!".

Carlos, diferente de mim (atenção às preposições!), tem muito dinheiro, então, na hora do almoço, foi ao bar e perguntou ao proprietário: "Você venderia este bar?".

O proprietário respondeu: "Eu o venderia, mas tenho de perguntar à minha esposa. Ligue-me às 18h".

Mais tarde, no escritório, Carlos disse: "Se ele me vender aquele bar, ficarei rico!".

Às 18h, Carlos ligou para o proprietário, mas ele disse: "Desculpe-me, mas minha esposa não quer vender!".

Um mês depois, a prefeitura decidiu abrir um novo centro de exposições perto daquele bar.

Carlos estava triste. "Se ele tivesse vendido aquele bar para mim, eu teria ficado rico!", ele disse.

Everything or Nothing

every	todo(a); cada
everything	tudo
everybody	todos/as (pessoas); todo mundo
nothing	nada
nobody	ninguém
something	algo; alguma coisa
somebody	alguém

EXERCÍCIO n. 47

1. Se todos forem ao cinema, eu ficarei em casa. ....
2. Você tem alguma coisa no olho. ....
3. Quero comprar alguma coisa para você. ....
4. Alguém comeu o meu sorvete! ....
5. Ninguém quer ir comigo! ....
6. Não tenho nada a esconder! ....
7. Eu lhe daria tudo (*would*), mas não tenho nada! ....
8. Todo dia espero você chegar. ....
9. Toda vez que vou lá, volto cansado. ....
10. Às vezes ele/a me liga. ....
11. Tudo o que faço, faço por você. ....
12. Todos precisam de alguém para amar. ....
13. Ninguém me entende. ....
14. Preciso de alguém de vez em quando. ....
15. Se você comer algo, vai se sentir melhor. ....

Adjectives 1.3.3

Pronto! Chegou a hora de conhecer novos instrumentos que podem ajudar você a descrever objetos, lugares e pessoas.

Antes de mais nada, os adjetivos em inglês seguem uma ordem bem específica! Como já dissemos, eles vêm sempre antes do substantivo a que se referem. Mas como eles se organizam?

dimensão	idade	opinião	cor	material	substantivo
big	old	beautiful	black	wooden	piano
small	young	ugly	white		man
deep		wonderful	blue		river
long			black		road
long	young	sad	white		face
	young	happy	black		girl

Dimensão

big	grande
small	pequeno(a)
high	alto(a)
low	baixo(a)
tall	alto(a) (para pessoas)
short	baixo(a) (para pessoas)
wide	largo(a)
narrow	estreito(a)
long	longo(a)
deep	profundo(a)
shallow	raso(a)

Idade

old	velho(a)
young	jovem
new	novo(a)

Adjectives

Opinião

A maior parte dos adjetivos encontra-se nesta vasta categoria: qualquer coisa que possa exprimir uma opinião entra aqui!

good	bom/boa	nice	bom; legal; simpático
bad	mau/má; ruim	pleasant	agradável
happy	feliz	fast	rápido(a); veloz
sad	triste	slow	lento(a)
rich	rico(a)	grateful	grato(a)
poor	pobre	ungrateful*	ingrato(a)
beautiful	bonito(a)	polite	educado(a)
ugly	feio(a)	impolite	mal-educado(a)
thin	magro(a)	lucky	sortudo(a)
fat	gordo(a)	unlucky*	azarado(a)

* **un-**, quando acrescentado ao começo do adjetivo, exprime seu contrário ou antônimo, seu exato oposto.

Cor

black	preto(a)	light blue	azul-claro
blue	azul	grey	cinza
green	verde	orange	laranja
yellow	amarelo(a)	purple	roxo
white	branco(a)	red	vermelho
pink	rosa	brown	marrom; castanho

Material

Os adjetivos deste grupo equivalem aos materiais propriamente ditos, ou seja, aos substantivos aos quais se referem!

wooden	de madeira	madeira
steel	de aço	aço
plastic	de plástico	plástico
glass	de vidro	vidro
metal	de metal	metal
cotton	de algodão	algodão
cloth	de pano; de tecido	pano; tecido

Adjectives

Vamos fazer agora o exercício clássico de reorganização de palavras. Você vai ordenar os adjetivos de acordo com os grupos que acabamos de ver. Agora é com você!

EXERCÍCIO n. 48

1. John is a..white - young - beautiful - tall **man**.
2. John's wife is .... ugly - short - old - fat **woman**.
3. He had a .... wooden - long - brown **leg**.
4. She had a .... glass - old - short - nice **table**.
5. They were in a .... blue - new - metal - fast **car**.
6. I have a.. cotton - soft - white - new **t-shirt**.
7. She wears .... pink - plastic - modern **glasses**.
8. She had... brown - beautiful - big **eyes**.
9. He was a .... thin - old - tall **boy**.
10. She is a ....young - nice - polite **girl**.

Adverbs

O advérbio é a palavra usada para indicar quando, onde e como certa ação se desenvolve. Os advérbios são aquelas palavras que, em português, terminam em **-mente** e que, em inglês, costumam ser formadas acrescentando-se **-ly** ao adjetivo.

lento   slow
lentamente   slowly
claro   clear
claramente   clearly
óbvio   obvious
óbviamente   obviously

Comparative 1.3.4

Em uma frase comparativa, estabelece-se uma relação entre duas coisas ou duas pessoas (termos de comparação) por meio de um adjetivo.

Paul is **slower than** John. Paul é **mais lento que** John.
John is **less slow than** Paul. John é **menos lento que** John.
John isn't **as slow as** Paul. John não é **tão lento quanto** Paul.

Paul e John são dois termos de comparação; "lento" é o adjetivo que estabelece a relação entre eles.

O comparativo tem três formas: de superioridade (mais)
                                     de inferioridade (menos)
                                     de igualdade (tanto quanto)

1. Superioridade

Para formar o comparativo de superioridade dos adjetivos, estas são as regras:

Adjetivos monossilábicos

Adjetivo + -er
tall/tall**er** (alto/mais alto)

Casos especiais:

1_Nos adjetivos que terminam em **-e**, acrescenta-se apenas o **-r**
nic**e**/nic**er** (legal/mais legal)

2_. Nos adjetivos que terminam em uma consoante precedida de uma vogal, dobra-se a **consoante** e acrescenta-se **-er**
ho**t**/ho**tter** (quente/mais quente)

3_Nos adjetivos monossilábicos ou dissilábicos que terminam em **-y**, troca-se o **y** por **i** e acrescenta-se **-er**
ugl**y**/ugl**ier** (feio/mais feio)

Comparative

Adjetivos com mais de duas sílabas

More + adjetivo*
interesting/**more** interesting (interessante/mais interessante)

* Alguns adjetivos dissílabos podem ter tanto a forma -er quanto aparecer precedidos de *more*. Geralmente:

usa-se **-er** quando se quer dar **mais ênfase ao adjetivo**.
usa-se **more** quando se quer dar **mais ênfase à palavra more**.

O **segundo termo**** da comparação é sempre antecedido por *than*.

Paul is taller **than** John. Paul é mais alto que John.
This book is more expensive **than** that one. Este livro é mais caro que aquele.

** Quando o segundo elemento de comparação é um pronome pessoal, usa-se o **pronome pessoal do caso reto**:
He is taller than I, ou, s/he, they.
Paul is taller **than** she (is).

O comparativo de superioridade pode ser precedido de um destes advérbios para indicar o grau de intensidade:

much/a lot of/far + **comparativo** = **muito mais**

We are going to Madrid by car. It's **much cheaper**! Nós vamos a Madri de carro. É muito mais barato!
Travelling by plane is **far more expensive**. Viajar de avião é muito mais caro.

a little/a bit/a little more + **comparativo** = **pouco mais**

My suitcase is a **little heavier** than yours. A minha mala está um pouco mais pesada que a sua.
Paul is **a bit taller** than John. Paul é um pouco mais alto que John.

comparativo + *and* + comparativo = cada vez mais

It's getting **colder and colder.** Está ficando cada vez mais frio.

Comparative

It's getting **more and more difficult** to find a car park in the city centre. Está ficando cada vez mais difícil encontrar um estacionamento no centro da cidade.

the + comparativo + *the* significa **quanto [mais]/tanto [mais]**

The sooner you leave, **the** sooner you will arrive. Quanto mais cedo você sair, mais cedo você chegará.
The sooner, the better! Quanto antes, melhor!

2. Inferioridade

Para formar o comparativo de inferioridade dos adjetivos, estas são as regras:

Less + adjetivo

O **segundo termo** da comparação é sempre antecedido por *than*.

John is **less tall than** Paul. John é menos alto que Paul.
Sarah is **less beautiful than** I (am). Sarah é menos bonita que eu.

Assim como acontece com o comparativo de superioridade, o comparativo de inferioridade também pode ser precedido por um advérbio para indicar o grau de intensidade:

John is a **little less** tall than Paul. John é um pouco menos alto que Paul.
Travelling by train is **far less** expensive than travelling by plane. Viajar de trem é muito menos caro do que viajar de avião.

3. Igualdade

Para formar o comparativo de igualdade dos adjetivos, estas são as regras:

as + adjetivo + as

O **segundo termo*** de comparação, neste caso, é antecedido pelo segundo *as*.

Mary is **as tall as** Susan. Mary é tão alta quanto Susan.
This cake is **not as good as** the cake my grandmother makes. Esse bolo não é

Comparative

tão bom quanto o bolo que minha avó faz.

* Quando o segundo elemento de comparação é um pronome pessoal, utiliza-se o **pronome pessoal do caso reto**:
He is as tall as I, you, (s)he, they.
Sarah is **as** beautiful as I (am).

Nas frases negativas em inglês, usa-se mais o comparativo de igualdade do que o comparativo de inferioridade:

John isn't as tall as Paul em vez de John is less tall than Paul.

                        leopard   leopardo

Even

Outro elemento importante para o comparativo é even.
Em português equivale a "ainda mais".

Jenny está ainda mais bonita que Jane! Jenny is even more beautiful than Jane!

O Corinthians é ainda mais forte que o Palmeiras! Corinthians is even stronger than Palmeiras!

A Irlanda é ainda mais fria que a Inglaterra. Ireland is even colder than England.

Comparative

pig	porco
elephant	elefante
snail	caracol
bee	abelha
lion	leão
horse	cavalo
bat	morcego
camel	camelo
feather	pena
fast	rápido; veloz
busy	ocupado; atarefado
dangerous	perigoso
blind	cego
light	leve

Vamos ver se você realmente entendeu! Traduza as frases a seguir.

EXERCÍCIO n. 49

1. Ele é tão rápido quanto um leopardo. ....
2. Ele é tão gordo quanto um porco. ....
3. Sou tão gordo quanto um elefante. ....
4. Ela é tão lenta quanto um caracol. ....
5. Ela é tão atarefada quanto uma abelha. ....
6. Sou tão perigoso quanto um leão. ....
7. Ele come tanto quanto um cavalo. ....
8. Ele é tão cego quanto um morcego. ....
9. Ela é ainda mais leve que uma pena. ....
10. Um leão come ainda mais que um camelo. ....

Comparative

as or like

Meus alunos já me perguntaram inúmeras vezes qual é a diferença entre esses dois modos de dizer "como"! *As* de fato é usado nos comparativos, mas *like* também é usado com o mesmo fim. Está confuso? Eu também! Vejamos as diversas maneiras de usá-los.

as + substantivo = no papel de/com a função de

I work as a teacher at the English school. Eu trabalho como professor na escola de inglês.
I use my bedroom as a studio. Eu uso meu quarto como um ateliê.

***like* + substantivo ou pronome** para fazer uma comparação.

He eats like a pig. Ele come feito um porco.
She dances like an elephant. Ela dança como um elefante.

EXERCÍCIO n. 50

1. Mike is working in London ____ a policeman.
2. He looks ____ a gorilla.
3. ____ you know, I have no money.
4. She sees me ____ a bank!
5. He drinks ____ a fish!
6. I love him ____ a friend, only ____ a friend!
7. You are ____ a brother to me.
8. You are ____ stupid ____ me.
9. He plays football ____ a girl!
10. She's working ____ a waitress.

Superlative 1.3.5

Existem duas formas de superlativo: **absoluto** (Marcos é altíssimo)
relativo (Marcos é o mais alto de sua classe)

1. Absoluto

Primeiro, vejamos como ele é formado:

***very, extremely* e *really* + adjetivo**

Mark is very tall. Mark é altíssimo/muito alto.
This book is very interesting. Este livro é muito interessante/interessantíssimo.
That girl is really beautiful. Aquela moça é belíssima/muito bonita.

Alguns adjetivos já são superlativos e, com eles, são usados os advérbios *very* e *extremely*, mas também *absolutely* e *really* (que são menos formais). Vejamos alguns:

freezing	congelante
wonderful	maravilhoso(a)
fantastic	fantástico(a)
marvellous	maravilhoso(a)
perfect	perfeito(a)
essential	essencial
enormous	enorme
delicious	delicioso(a)
awful	horrível

This cake is **absolutely** delicious! Este bolo é absolutamente delicioso!
It's **really** freezing, today. Está realmente congelante hoje.

2. Relativo

Para formar o superlativo relativo, estas são as regras, apresentadas resumidamente:

Superlative

Adjetivos monossilábicos

adjetivo + -est
tall/tall**est** (alto/o mais alto)

Casos particulares:

1_Nos adjetivos que terminam em **-e**, acrescenta-se apenas **-st**
ni**ce**/nic**est** (legal/o mais legal)

2_Nos adjetivos monossílabos e dissílabos que terminam em **-y**, troca-se o **y** por **i** e acrescenta-se **-est**
happ**y**/happ**iest** (feliz/o mais feliz)

Adjetivos com mais de duas sílabas

most + **adjetivo***
interesting/**most** interesting (interessante/o mais interessante)

* Os adjetivos dissilábicos podem tanto apresentar a forma **-est** quanto ser precedidos de *most*, geralmente: narrow – narrowest/most narrow.

Adjetivos que formam o comparativo/superlativo de modo irregular

| good | better | the best |
| bad | worse | the worst |

I am faster than you, but Michael is the fastest in the world! Eu sou mais rápido que você, mas Michael é o mais rápido do mundo!
She is more beautiful than her sister, but her mother is the most beautiful woman in the city! Ela é mais bonita que a irmã, mas a mãe dela é a mulher mais bonita da cidade!
You are slower than I (am), but David is the slowest in the class. Você é mais lento que eu, mas David é o mais lento da classe.

# Old

old (velho)
Este adjetivo tem duas formas de comparativo e, portanto, também tem duas formas de superlativo:

older pode ser usado sempre

My house is older than yours. A minha casa é mais velha/antiga que a sua.
He is older than I (am). Ele é mais velho que eu.

elder é usado para comparações de idade entre membros da mesma família

My elder brother is a teacher. Meu irmão mais velho é professor.

oldest pode ser usado sempre

This is the oldest building in the town. Esse é o prédio mais velho/antigo da cidade.
Carl is the oldest sailor on the ship. Carl é o marinheiro mais velho/antigo no navio.

eldest é usado para comparações de idade entre membros da mesma família

She is the eldest daughter. Ela é a filha mais velha.

Ótimo momento para brincarmos um pouco. Neste exercício de *multiple choice*, você terá de escolher a opção correta entre as quatro apresentadas!

Superlative

EXERCÍCIO n. 51

1. Qual é o comparativo de *hot*?
hoter
hotter
hotest
hottest

2. Qual é o superlativo de *deep*?
deeper
deepper
deepest
deeppest

3. Qual é o comparativo de *lively*?
livelyer
more livelyer
livelier
more livelier

4. Qual é o comparativo de *sad*?
sader
sadder
sadier
saddier

5. Qual é o superlativo de *ugly*?
uglier
uggliest
uglyest
ugliest

Superlative

6. Qual é o superlativo de *small*?
smallier
smaller
smalliest
smallest

7. Qual é o superlativo de *unpleasant*?
unpleasant
most unpleasant
more unpleasant
unpleasantest

8. Qual é o comparativo de *destructive*?
destructiver
more destructive
destructivier
more destructivier

9. Qual é o superlativo de *soft*?
softest
softiest
softtest
most soft

10. Qual é o comparativo de *heat*?
heater
heatter
heatier
hetter
nenhuma das anteriores

Superlative

Agora, depois de ver todos os comparativos e superlativos, chegou a hora de você traduzir uma bela carta. Para esta tarefa, serão também importantes os adjetivos vistos anteriormente.
A carta relata o caso do sr. Jones, que sempre quis comprar um cão de guarda para a sua fazenda. No entanto, todo dia chegava um cachorro com algum problema e, na sua carta, o sr. Jones explica qual era o problema de cada um.

Neste exercício, **é importante saber que se** algo ou alguém "vem, chega" (*to arrive*) em uma frase em inglês, o verbo deve ficar no final. Lembre-se de que a estrutura em inglês é **sujeito + verbo + complemento**.

EXERCÍCIO n. 52

Caro Senhor Smith,

Na segunda-feira, veio um cachorro branco, gordo e lento.
Na terça-feira, veio um cachorro mais gordo e mais lento que o primeiro.
Na quarta-feira, veio o cachorro mais gordo e mais lento de todos.
Na quinta-feira, veio um cachorro magro, preto, lento e estúpido.
Na sexta-feira, veio um cachorro mais estúpido do que aquele de quinta e mais gordo do que aquele de quarta.
No sábado, veio o pior cachorro do mundo. Um cachorro chamado Lucky, com uma perna de pau e um olho de vidro quebrado.

Quero meu dinheiro de volta!
Sr. Jones

Superlative

some and any

São dois pronomes indefinidos do inglês e ambos podem ser traduzidos como "algum(a), alguns(mas), um(a), uns, umas".

Some é usado nas frases afirmativas, ou nas interrogativas em que já se sabe – ou se tem a sensação de saber – que a resposta será afirmativa.
Any, por sua vez, é usado nas frases negativas e interrogativas.

Cito também *a little* (um pouco de) e *a few* (alguns, poucos) como alternativas possíveis.

I have some friends.	Eu tenho alguns amigos.
I haven't any friends.	Eu não tenho amigo algum.
Are there any shells on the beach?	Há algumas conchas na praia?
Is there any air in the ball?	Há ar na bola?
I have little time.	Tenho pouco tempo.
I have a little time.	Tenho um pouco de tempo.
I have few records.	Tenho poucos discos.
I have a few records.	Tenho alguns discos.

The Human Body and the Five Senses   1.3.6

Para começar, farei uma lista com algumas partes do corpo: aprendê-las certamente será fundamental, mais cedo ou mais tarde...

head	cabeça
face	rosto
neck	pescoço
arm	braço
chest	peito
breasts	seios
belly	barriga
back	costas
hand	mão
finger	dedo
thumb	polegar
palm	palma
leg	perna
knee	joelho
foot	pé

Não posso ignorar completamente as partes íntimas: se acontecesse alguma coisa durante uma viagem ou temporada no exterior, certamente seria preferível saber explicar o problema ao farmacêutico ou médico. Encontrei uma maneira mais agradável – e muito usada por nós, ingleses – de se referir a elas:

private parts	partes íntimas
buttocks	nádegas
bottom	bunda, bumbum
genitals	genitais

Também é importante você saber dizer que sente **dor**. Quando uma parte do corpo dói, primeiro se fala "a parte" e depois o verbo **to hurt** (doer).

My eyes hurt.	Meus olhos doem.
My legs hurt.	Minhas pernas doem.
My head hurts.	Minha cabeça dói.
His back hurts.	As costas dele doem.
Her belly hurts.	A barriga dela dói.

The Human Body and the Five Senses

Agora faremos o seguinte: vamos relacionar as partes mais importantes do corpo a alguns verbos (é fundamental você se conhecer bem, para o caso de precisar falar de si mesmo).
Proponho essa combinação porque muitos dos principais verbos utilizados em inglês estão ligados a uma parte do corpo, e visualizar essas ligações ajudará você a se lembrar deles. É mais fácil para o cérebro memorizar imagens do que palavras.

1. The head
Vamos começar do alto, pela cabeça. Primeiro, os cabelos (quando os temos!).
Em inglês, cabelo não é um substantivo contável, portanto, tenha você muito ou pouco, será sempre hair.
(Atenção ao pronunciar o h porque, se não o pronunciar, acabará dizendo "air", ou seja, ar. Sendo assim, se você pedir *"Please cut my (h)air!"* ["corte meu ar"], imagino que estará correndo um sério risco!)
A palavra *hair* é muito usada em inglês e se aplica a todos os pelos do corpo. Para especificá-los, basta acrescentar a parte do corpo em questão (*arm hair, chest hair, leg hair*).

eye/eyes	olho/olhos
nose	nariz
mouth	boca
chin	queixo
ear/ears	orelha/orelhas
cheek/cheeks	bochecha/bochechas

2. The eyes
Agora passemos aos *olhos*. Quantas coisas os olhos podem fazer? Bom, para começar, um dos cinco sentidos está relacionado a eles.

The sense of sight (a visão)

ver; enxergar
to see-saw-seen

Lembre-se de que, em inglês, quando se usa o verbo ver ou enxergar, prefere-se a forma *"I can see"* a *"I see":*

The Human Body and the Five Senses

I can see you! Can you see me?
Can't you see me? I can't see you!

olhar
to look-looked-looked
to watch-watched-watched

Look (at) é usado quando se presta atenção ao aspecto físico de alguém ou de alguma coisa (o *at* é como uma flecha que aponta para aquilo que se observa). Em algumas situações, equivale a "observar".

Watch é usado quando se observa uma ação que está se desenvolvendo. Em algumas situações, equivale a "assistir".

Tom, look at that dog!
Você quer que Tom observe como o cão é fisicamente, a raça, a cor...

Tom, watch that dog!
Você quer que Tom veja o que o cão está fazendo, por exemplo: pulando, dançando, cantando no caraoquê...

Tim: What are you looking **at**?
Tom: I am looking **at** the photo.
Julie: What are you watching?
Sarah: I am watching a sad film.

A diferença entre "olhar" e "ver" é que "ver" é involuntário. Se um escocês levanta o *kilt* na sua frente, você vê, mas não o faz voluntariamente (assim espero!). Porém, se você "olhar", é sinal de que bebeu mais do que ele!

3. The nose

Agora o *nariz*, que, como os olhos, está ligado a um dos cinco sentidos.

The sense of smell (o olfato)

cheirar/sentir o cheiro
to smell-smelled-smelled

I can smell coffee. Can you smell coffee?
Can't you smell coffee? I can't smell coffee.

The Human Body and the Five Senses

Agora, mais um pequeno detalhe: *to smell* (verbo) significa "cheirar", "sentir o cheiro", e *smell* (substantivo) significa "cheiro". Como o substantivo é neutro, para dizer se o cheiro é bom ou ruim, basta acrescentar um adjetivo: um cheiro bom é a *good smell* e um cheiro ruim, *a bad smell*.

4. The ears

E agora as orelhas, também ligadas a um dos cinco sentidos.

The sense of hearing (a audição)

ouvir
to hear-heard-heard

I can hear the traffic. Can you hear the traffic?
Can't you hear the traffic? I can't hear the traffic.

escutar
to listen-listened-listened

Como acontece com *to see* e *to look*, a diferença entre *to hear* e *to listen* é que o primeiro é involuntário, ou seja, ouve-se mas não se atenta ao som, e o segundo é voluntário, escuta-se algo com atenção.

Se ouço um cantor que detesto no rádio, durante aqueles três segundos em que tento mudar a frequência, sou obrigado a ouvi-lo (*to hear*). Se ao contrário, quem está cantando é o meu cantor preferido, escuto-o com prazer... Aí uso *to listen*. Exatamente como no caso de *look* (*at*), *to listen* também exige uma flecha: para apontar o que se escuta, usa-se *to*.

Don't listen **to** him, listen **to** me! Não dê ouvidos a ele, dê ouvidos a mim!

5. The mouth

E agora a *boca*, que faz parte de uma atividade realmente fundamental:

respirar
to breathe-breathed-breathed

E, graças à língua, a boca também se liga a um dos cinco sentidos.

The Human Body **and the Five Senses**

The sense of taste (o paladar)

sentir o gosto, saborear
to taste-tasted-tasted

I can taste salt in this soup. Can you taste salt in this soup?
Can't you taste salt in this soup? I can't taste salt in this soup.

6. "The voice"

Ligada à boca, temos a voz, que não é propriamente uma parte do corpo, mas tem funções igualmente fundamentais e, por isso, merece uma seção inteira dedicada a ela.

Vejamos o que se pode fazer com a voz:

falar
to talk-talked-talked
to speak-spoke-spoken

Esse dois verbos são mais ou menos intercambiáveis, mas *to speak* é mais formal.

dizer
to say-said-said
to tell-told-told

To say é mais genérico, utilizado em diálogos e conversas, enquanto *to tell* refere-se a uma ação com "sentido único", ou seja, é usado expressamente como sinônimo de "contar, dar instruções e informar".

To say também tem uma daquelas famosas flechas, o *to*, para apontar a quem se está dizendo alguma coisa.

What did she say **to** him? ou What did she tell him?

gritar; berrar
to shout-shouted-shouted

"STOP SHOUTING!" I shouted.

The Human Body **and the Five Senses**

gritar
to scream-screamed-screamed

All the girls were screaming, when they saw John Peter Sloan (só se for em meus sonhos!).

sussurrar
to whisper-whispered-whispered

"I love you!" the postman whispered into my wife's ear.

cantar
to sing-sang-sung

"I only sing in the shower" said Tommy. "So you don't sing very often!" I said.

7. The fifth sense

Falta agora apenas o quinto sentido:

The sense of touch (o tato)

tocar
to touch-touched-touched

I can touch the sky. Can you touch the sky?
Can't you touch the sky? I can't touch the sky.

Assim como em português, *to be touched* (estar tocado) refere-se também à esfera emotiva, portanto, é possível "estar tocado sentimentalmente".

You remembered my birthday! I am touched!
I heard Ricardo Teixeira on the radio defending his actions and I was touched.
Your book is very touching.

empurrar
to push-pushed-pushed

The Human Body and the Five Senses

puxar
to pull-pulled-pulled

sentir/perceber
to feel-felt-felt

sentir/perceber com as mãos: to feel
sentir/perceber emocionalmente: to feel
sentir/perceber com o nariz: to smell
sentir/perceber com os ouvidos: to hear

I can feel something on my chest! Is it a spider? Aaaghhrr!
I feel love for you.
I feel loved/bad/cold/good.

driver (draiver) — motorista
suddenly (sadenli) — de repente
dark (dark) — escuro
high volume (h*ai voliuum) — volume alto
back door (bak doo) — porta dos fundos
turned on — ligado; aceso
turned off — desligado; apagado

VERBS
to want (uónt) — querer
to happen (h*apen) — acontecer
to decide (dissaid) — decidir
to die (dai) — morrer
to turn on (tern on) — ligar; acender
to turn off (tern off) — desligar; apagar

Ok! Agora vá tomar um café e respirar um pouco, porque vamos fazer exercícios mais sérios: a historinha que você irá traduzir contém (basicamente) verbos ligados ao corpo e preposições. Atenção: é uma história de terror, portanto, se você tem problemas de coração, não se arrisque! *Let's go!*

The Human Body and the Five Senses

EXERCÍCIO n. 53

Ontem à noite, às 19h30, eu estava em um táxi com minha esposa. Eu estava sentado atrás do motorista e estava olhando as fotos da casa nova, enquanto minha esposa escutava o rádio. O motorista falou conosco, mas eu não consegui ouvir o que ele dizia. De trás, vi que o motorista tinha cabelos pretos e compridos e orelhas grandes. De repente ouvi um grito e toquei o braço da minha esposa. Eu queria ver o que havia acontecido, então disse (instrução) ao taxista para parar. Fui até a casa, mas minha esposa não quis vir comigo. Quando estava do lado de fora da casa, não consegui ver nada, então entrei no jardim para enxergar melhor. Pela janela não conseguia ver nada porque estava tudo escuro, então decidi ir para a parte de trás da casa. Entrei pela porta dos fundos. Dentro da casa ouvi alguém sussurrar. Eu queria sair correndo, mas estava muito curioso. Depois de cinco minutos, ouvi alguém gritar: "Saia! Saia daqui!". Eu quis morrer! Lentamente, entrei na sala e vi tudo. Era uma TV, ligada e em alto volume, diante da qual uma senhora idosa dormia!

No

É traduzido como *nada, nenhum, ninguém* e usado tanto com substantivos no singular quanto no plural.

Atenção, porque *no* por si só já exprime algo negativo. Sendo assim, não pode haver outra negação na construção da frase. Então, o verbo deve ficar na afirmativa.

I have no friends.	Não tenho amigos.
I have no money.	Não tenho dinheiro.
We have no solution.	Não temos solução.
Mark has no chance with Lucy.	Mark não tem chance com Lucy.
They have no idea about me.	Eles não têm nenhuma ideia sobre mim.

Step 4

1.4.1 **Present perfect**

1.4.2 **Present perfect continuous**

1.4.3 **Past perfect**

1.4.4 **Verbos modais**
*can/could/be able to
could/could have
would/would have
should/should have
might/might have
must and have to*

Present **Perfect** 1.4.1

Em inglês, o *present perfect* exprime uma ação no passado. No entanto, ao usar esse tempo verbal, não se pode especificar quando o evento ocorreu. Seria errado dizer *I have seen your mother yesterday*, porque nesse caso a ação já foi concluída e, sendo assim, deveria ser expressa com o **simple past**: *I saw your mother yesterday.*

O **present perfect** é o tempo verbal que exprime o conceito geral de uma ação que, embora tenha acontecido no passado, há um dia ou mesmo há cinco minutos, ainda tem grande importância no presente.

I **have seen** your mother; she is beautiful!
I **have broken** my leg; I can't come to play football.

Nesse segundo exemplo, o fato de a pessoa ter quebrado a perna no passado não é o mais importante: o mais importante é que ela não pode jogar **agora**.

Agora que vimos as principais maneiras de usar esse tempo verbal, vamos ver detalhadamente como se constrói uma frase com o *present perfect*: usa-se o auxiliar *to have*, seguido do particípio passado do verbo (a terceira forma!).

A estrutura da *forma afirmativa* fica assim:

sujeito + *to have* + particípio passado do verbo + complemento
I have eaten an apple. Comi uma maçã.
simple past: I ate an apple.

A estrutura da *frase negativa* fica assim:

sujeito + *to have* + *not* + particípio passado do verbo + complemento
I haven't eaten an apple. Não comi uma maçã.
simple past: I didn't eat an apple.

Present Perfect

A estrutura da *forma interrogativa* fica assim:

to have + sujeito + particípio passado do verbo + complemento
Have you eaten an apple? Você comeu uma maçã?

simple past: Did you eat an apple?

A estrutura da *forma interrogativa negativa* fica assim:

to have + *not* + sujeito + particípio passado do verbo + complemento
Haven't you eaten an apple? Você não comeu uma maçã?

simple past: Didn't you eat an apple?

Vejamos alguns exemplos para clarear um pouco as ideias...

This morning, **I bought** (simple past) a watch. Esta manhã, comprei um relógio.

I have bought (present perfect) a watch; do you like it? Comprei um relógio. Você gostou? (Neste caso, usa-se o *present perfect* porque não importa quando o relógio foi comprado, mas a opinião da pessoa com quem se fala, que deve dizer se o relógio lhe agrada agora).

I **broke** (simple past) Jake's PC last week. Eu quebrei o PC do Jake semana passada.
I **have broken** (present perfect) Jake's PC! Eu quebrei o PC do Jake! (subentendida nessa frase com o *present perfect* está a pergunta: "O que vou fazer *agora*?").

Como eu sou inglês, meu cérebro decide automaticamente se uma coisa que aconteceu no passado só é importante "antes", quando de fato ocorreu, ou se mais importante é a consequência dessa ação *agora*, no presente. O cérebro de alguém que não tem o inglês como língua materna não decide automaticamente, como o meu, e é por isso que os brasileiros demoram um pouco para compreender e utilizar esse tempo verbal. Infelizmente, a única maneira de aprendê-lo bem é *usá-lo* o máximo possível até você se acostumar com ele!

Present
Perfect Continuous

1.4.2

Este tempo verbal é usado para expressar uma ação que começou no passado e continua no presente.

A estrutura da *forma afirmativa* fica assim:

sujeito + *has/have* + *been* + gerúndio (verbo + *-ing*)

I **have**/I'**ve been working** here for two years.
You **have**/You'**ve been working** here for two years.
Have you **been working** here for two years?
You **have not**/**haven't been working** here for two years.

for
and since

Usando o *present perfect continuous* para informar há quanto tempo se está fazendo ou se faz algo, e assim expressar a duração da ação, há duas opções:

SINCE é usado quando se expressa o momento inicial de uma ação.
FOR é usado quando se expressa a duração da ação.

Vamos supor que você trabalha em uma empresa há vinte anos. Vejamos as duas maneiras de dizê-lo:

Q: How long* have you been working for Teleboh?
A: I have been working for Teleboh for 20 years. (Trabalho/Estou trabalhando para a Teleboh há vinte anos.)
ou
A: I have been working for Teleboh since 1995. (Trabalho/Estou trabalhando para a Teleboh desde 1995.)

* A frase interrogativa começa sempre com how long? (há quanto tempo?).

Present **Perfect Continuous**

Recentemente, eu e minha esposa consultamos um "profissional" para tentar ajeitar um pouco as coisas.

Doctor: So, you have been having problems lately, right? Então, ultimamente vocês têm tido problemas, correto?
Wife: Yes, we both have the same problem, I and he. Sim, temos o mesmo problema, eu e ele.
D: What is it? De que se trata?
W: He! Ele!
John: See? I have been tolerating these things for ten years! I have been waiting for a little respect since I met her, but nothing! Viu? Eu venho tolerando essas coisas há dez anos! Espero um pouco de respeito desde que a conheci, mas nada!
D: What is the problem, madam? Qual é o problema, senhora?
W: The problem is that he always puts me in his stupid tales for his students, what a bad impression! O problema é que ele sempre me mete nas histórias estúpidas (que conta) para os alunos dele, que humilhação!
D: I have been seeing couples since 1977, but I have never seen a couple like you! Atendo casais desde 1977, mas nunca vi um casal como vocês!

lately and recently

Outro caso em que se recorre ao *present perfect continuous* para expressar ações mais gerais é aquele em que esse tempo verbal vem acompanhado de *lately* (ultimamente) ou *recently* (recentemente).

I haven't been feeling well, lately. Não tenho me sentido bem ultimamente.
She hasn't been working, lately. Ela não tem trabalhado ultimamente.
She hasn't been studying, recently. Ela não tem estudado recentemente.
He hasn't been calling, recently. Ele não tem ligado recentemente.

Present Perfect Continuous

tired	cansado(a)
all day	o dia todo
builders	pedreiros

Verbs
to clean	limpar
to watch	assistir
to want	querer
to disturb	incomodar; perturbar
to think	pensar
to build	construir

Vamos traduzir alguns diálogos.

EXERCÍCIO n. 54

1.
John: Meu amor, você está cansada. Por quê? ....
Wife: Porque estive limpando o dia todo. ....
John: Eu sei, eu estive observando você o dia todo. ....
Wife: Você esteve me observando o dia todo? Por que não me ajudou? ....
....
John: Porque não queria incomodá-la! ....

2.
John: Há quanto tempo estão construindo aquela casa? ....
Liam: Estão trabalhando há dois anos. ....
John: Tem chovido até agora? ....
Liam: Não, o problema é que há apenas dois pedreiros! ....

Past **Perfect** 1.4.3

O *present perfect* também tem o seu passado, que em português pode ser traduzido como a forma composta do pretérito mais-que-perfeito (auxiliar *ter* ou *haver* no pretérito imperfeito + particípio passado do verbo principal). Por isso, não será muito difícil para você aprendê-lo, já que é bastante parecido com o que nós, ingleses, usamos. Eu o chamo de o "passado no passado".
Ele segue as mesmas regras do *present perfect*, mas com o verbo *to have* no passado:

I had already seen the film. Eu já tinha visto o filme.
I was tired because I had worked a lot that week. Eu estava cansada (o) porque tinha trabalhado muito aquela semana.
I left the restaurant because I had eaten enough. Eu saí do restaurante porque tinha comido o suficiente.

again, still and yet

Again

Significa "**de novo, mais uma vez**". Indica uma ação que se repete..

I called her at 10. Then I called her again at 11. Then again at 12. Eu liguei para ela às 10. Em seguida, liguei de novo às 11. Em seguida, de novo às 12. (Quem fala ligou três vezes e, a cada vez, houve uma interrupção entre uma ação e outra.)

Still

Significa "**ainda**". Refere-se a uma ação ininterrupta.

Vamos supor que você deixou seu amigo no *pub* às 20h. Você volta à meia-noite (you come back again at 12 A.M.) e ele ainda está lá. Ele ficou ali, sem interrupção. Portanto, usa-se *still*.
Are you still here? Você ainda está aí?
After 40 years, Romário was still playing! Depois dos 40 anos, Romário ainda estava jogando!

Past **Perfect**

Yet

Significa "**ainda não**". Antes de explicar a relação entre *yet* e o *present perfect*, preste atenção à posição de *yet* na frase: ele fica quase sempre no final da sentença e é usado exclusivamente nas frases negativas.

I have seen your new car. Vi o seu carro novo.
I have not seen your new car, yet. Ainda não vi o seu carro novo.

Has Mike arrived? Mike chegou?
Not yet. Ainda não.

Have they paid you? Pagaram você?
No, they haven't paid me, yet. Não, ainda não me pagaram.

I haven't cleaned the room, yet! Eu ainda não limpei o quarto!

Agora, complete as frases abaixo usando again, still ou yet!

EXERCÍCIO n. 55

1. I will read the book, but I haven't had time, ____.
2. Do you want to go out with me, ____?
3. He is ____ watching tv!
4. They are ____ winning! In 20 minutes, the game will be finished.
5. You broke your leg, ___?!
6. I loved Paris; I want to go, ____.
7. Do you ____ love me?
8. I don't know what I want to do, ____.
9. Sorry! The book hasn't arrived, ____.
10. Can you take me to work, ____? I am on foot.
11. You ____ don't know who I am, do you?
12. I ____ love you.
13. You're in love? But you haven't seen her, ____!
14. Oh my God! Birmingham City won the Champions, ___!

Verbos **modais** 1.4.4

Nem tudo na vida é certo e garantido. Os verbos modais servem para exprimir uma hipótese, a possibilidade ou não de algo acontecer. Ajudam a relativizar as certezas. Normalmente funcionam como verbos auxiliares e constituem uma classe limitada de verbos.
Os verbos modais mantêm a mesma forma para todas as pessoas. São seguidos por um verbo no infinitivo sem o *to*. (Lembre-se de que em *could, would* e *should* não se pronuncia o *l*.)

1. Can/Could/Be able to
Passado: Could
Presente: Can
Futuro: Will be able to

A estrutura da *forma afirmativa* segue o modelo da frase afirmativa comum:

sujeito + verbo modal + verbo no infinitivo (sem *to*) + complemento

I can go to the cinema. Posso ir ao cinema.

A estrutura da *forma negativa* segue o modelo da frase negativa comum:

sujeito + verbo modal + *not* + verbo no infinitivo (sem *to*) + complemento

I cannot/can't go to the cinema. Não posso ir ao cinema.

A estrutura da *forma interrogativa* segue o modelo da frase interrogativa comum, invertendo-se o sujeito e o verbo:

verbo modal + sujeito + verbo no infinitivo (sem *to*) + complemento

Can I go to the cinema? Posso ir ao cinema?

A estrutura da *forma interrogativa negativa* segue o modelo da frase interrogativa comum, com o mesmo verbo modal na forma negativa:

verbo modal + *not* + sujeito + verbo no infinitivo (sem *to*) + complemento

Can't I go to the cinema? Não posso ir ao cinema?

Verbos **modais**

O verbo *can* é fundamental, mas escuto com frequência as pessoas o usarem da maneira errada. Ele tem três sentidos, e vou resumi-los rapidamente antes de analisá-los com mais cuidado.

I can   A. **eu posso** (tenho a permissão, a autorização para fazer algo)
I can open the window. (Tenho a permissão do professor.)

B. **eu consigo*** (sou capaz de fazer algo)
I can open the window. (A janela fica no alto, mas eu a alcanço.)

C. **eu sei** (tenho uma habilidade)
I can speak Chinese. (Eu estudei chinês: conheço a língua.)

* Em vez de usarem *I can* no sentido de "eu consigo", costumo ouvir as pessoas dizerem *I am able to*. Essa forma não é usada nesse sentido, pois se refere mais, por contraste, a uma incapacidade física ou mental. Usa-se *will be able to* apenas no futuro: não se esqueça!

A. Ter permissão para

Can present
I can kiss my wife. (Tenho permissão para fazê-lo. Não que a procura seja muito grande! Rá, rá, rá!)
My wife can't drive my car. (*nunca* deixo minha esposa dirigir *meu* carro!)

Wife: Can I watch Amici on tv, tonight?
John: Yes, if I can watch Inter vs Milan, tomorrow.
Wife: Can I drink your last beer?
John: Are you crazy? NO!

Could past
When Lisa was my woman, I could kiss her. (Quando Lisa era minha mulher, eu tinha permissão para beijá-la, agora não mais, infelizmente!)
When he worked in the bar, could he drink beer for free? (Quando trabalhava no bar, ele tinha permissão para tomar cerveja de graça? Eu acredito que não... Caso contrário, por que teria deixado o emprego?)

Verbos **modais**

Will be able to future
Para formar as frases no futuro, considere *will be able to* como um bloco só.
Na forma negativa, use *I will not* (que se abrevia *won't*).

I will be able to work in the hospital as a doctor after I graduate. Terei permissão para trabalhar no hospital como médico depois de me formar.
Will she be able to drive her father's car when she passes her test? Ela poderá dirigir o carro do pai quando passar no exame?

B. Conseguir/ser capaz de...

Can present
I can arrive at seven. Consigo chegar às sete.
They can see into the future. Eles conseguem ver o futuro.

Wife: Can you sort out the broken water pump?
John: Can't you do it? I'm watching a film.
Wife: I can't do it!
John: I haven't got the tools. I can't do it without tools. Call the plumber.
Wife: Is the film good?
John: I don't know; I can't hear it!

Could past
She could help me with my homework. Ela era capaz de me ajudar com minha lição de casa.
Could you run for twenty miles when you were young? Voce era capaz de correr vinte milhas quando era jovem?
I couldn't work, when I was in hospital. Eu não conseguia trabalhar quando estava no hospital.

Will be able to future
I will be able to walk better, after the operation. Vou conseguir caminhar melhor depois da operação.
I will be able to pay you, when I get my money. Vou conseguir pagar você quando receber meu dinheiro.

C. Ter a habilidade de

Can present
I can speak English, but only when I'm drunk. Eu sei falar inglês, mas apenas quando estou bêbado.
I can swim and cook. Eu sei nadar e cozinhar.

Verbos **modais**

Wife: I can't drive because I have had too much whisky.
John: No, my dear, you can't drive, period*!
Wife: Ok, but I can cook.
John: That is a question of opinion.

* period, nesse contexto, significa "e ponto final!" ou "ponto!".

Could past
I could speak English, when I was a child. Eu sabia falar inglês quando era criança.
Could you ride a bike, when you were a child? Você sabia andar de bicicleta quando era criança?

Will be able to future
My son will be able to swim. Meu filho vai saber nadar.
I will be able to speak French well, after ten years in Paris. Eu vou falar bem o francês depois de dez anos em Paris.

Chegou a hora de brincar um pouco. Você terá de adivinhar qual *can* (ter a permissão/ter a habilidade/conseguir) foi usado nas frases a seguir, como neste exemplo:
I passed my driving test, I can take you home, now (permissão).

EXERCÍCIO n. 56

1. I can sleep in my bed.
2. I can read and write.
3. You can't enter without authorization.
4. Can you see the mountain from here?
5. We can't go to Japan without a passport.
6. She can run 10 kilometers in 20 minutes!
7. She can dance.
8. I can't assemble this new tent.
9. They can sing well.
10. How can you run so fast?

Verbos **modais**

music	música
jealous	ciumento(a)
envy	inveja
in	em
school	escola
maybe	talvez

VERBS

to listen (to)	ouvir; escutar
to dance	dançar
to pay	pagar
to know	saber
to live	viver; morar

EXERCÍCIO n. 57

1. Eu não posso ajudá-lo, mas talvez James possa. ....
   ....
2. Você pode vir conosco? ....
3. Não posso ouvir essa música! ....
4. Mas você sabe dançar? ....
5. Não posso falar com você. Minha esposa é ciumenta, apesar de ela ter inveja de você por causa do seu marido. ....
   ....
6. Vou conseguir pagar você em cinquenta anos. ....
7. Eu sabia falar chinês quando era criança porque nós morávamos na China.
   ....
8. Ela poderá levar você à escola quando tiver um carro. ....
   ....
9. Podemos conversar amanhã? ....
10. Posso porque é meu! ....

Verbos **modais**

2. Could/could have

Veremos agora algo que pode confundir, porque *could*, além de ser o passado de *can*, tem uma nova função quando é usado no condicional.

O **presente condicional** do verbo *poder* (*can*) é:

eu poderia	I *could*
tu poderias/você poderia	you *could*
ele(a) poderia	she/he/it *could*
nós poderíamos	we *could*
vós poderíeis/vocês poderiam	you *could*
eles(a) poderiam	they *could*

Could mantém a mesma forma para todas as pessoas e é seguido pelo infinitivo do verbo sem *to* (os verbos modais nunca são seguidos por *to*, lembra?).

I could go out this evening. Eu poderia sair esta noite.
You could ask. Você poderia perguntar.
She could help you. Ela poderia ajudar você.

O **passado condicional** do verbo *poder* (*can*) é:

eu poderia ter	I *could have*
tu poderias ter/você poderia ter	you *could have*
ela(e) poderia ter	she/he/it *could have*
nós poderíamos ter	we *could have*
vós poderíeis ter/vocês poderiam ter	you *could have*
elas(es) poderiam ter	they *could have*

Depois de *could* e de *to have*, vem o particípio passado do verbo que dá sentido à frase. Veja como ela se forma:

sujeito + *could* + *have* + particípio passado

I could have stayed at home this evening. Eu poderia ter ficado em casa esta noite.
You could have told me. Você poderia ter me dito.
She could have helped you. Ela poderia ter ajudado você.
We could have drunk a coffee. Nós poderíamos ter tomado um café.

Verbos **modais**

A construção da frase é sempre igual:

Afirmativa
I could go to the cinema.

Negativa
I could not/couldn't go to the cinema.

Interrogativa
Could you go to the cinema?

Interrogativa negativa
Couldn't you go to the cinema?

Could como possibilidade
Pode ser
John could be in America. John poderia estar nos Estados Unidos.
John could have gone to America with you. John poderia ter ido aos Estados Unidos com você.
John could go to America with you. John poderia ir aos Estados Unidos com você.
Não pode ser
Mary couldn't be at home now. Não há como Mary estar em casa agora.
Mary couldn't have been at home. Não havia como Mary estar em casa.
Mary couldn't possibly stay at home this evening. Não há como Mary estar em casa esta noite.

Could como condição
Pode ser
If I had more time, I could travel around the world. Se eu tivesse mais tempo, poderia dar a volta ao mundo.
If I had had more time, I could have travelled around the world. Se eu tivesse tido mais tempo, eu poderia ter dado a volta ao mundo.
If I have more time this winter, I could travel around the world. Se eu tiver mais tempo neste inverno, pode ser que eu dê a volta ao mundo.
Não pode ser
Even if I had more time, I couldn't travel around the world. Mesmo se tivesse mais tempo, eu não poderia dar a volta ao mundo.

Verbos **modais**

Even if I had had more time, I couldn't have travelled around the world. Mesmo se eu tivesse tido mais tempo, eu não poderia ter dado a volta ao mundo.
Even if I had more time this winter, I couldn't travel around the world. Mesmo se eu tivesse mais tempo neste inverno, eu não poderia dar a volta ao mundo.

Could como sugestão
Pode ser
You could have visited London. Você poderia ter visitado Londres.
You could visit London. Você poderia visitar Londres.
Não pode ser – não existe a frase negativa!

Could como um pedido educado
Pode ser
Could I have something to drink? Eu poderia pedir algo para beber?
Não pode ser
Couldn't you help me with this homework? Você não poderia me ajudar com a lição de casa?

to meet	conhecer; encontrar (pessoas)
to feel	sentir
to kiss	beijar
to leave	partir; ir embora

EXERCÍCIO n. 58

1. Ela estará lá. Você poderia encontrá-la para conversar. ....
2. Se não se sente bem, você poderia procurar um médico. ....
3. Desculpe-me, eu poderia ter estado com você. ....
4. Dê um beijo na Cíntia. Pode ser que ela parta amanhã. ....
5. Você poderia comprar um livro para mim? Amanhã trarei o dinheiro para você. ....
6. Se arranjasse tempo neste verão, eu poderia ir a Londres. ....
7. Você poderia ter me ligado. ....
8. Eu poderia ter feito uma refeição com você. ....
9. Se não tivesse visto você, eu não poderia ter dado a você seu dinheiro ... (bom proveito!). ....
10. Se eu não tivesse estudado, não poderia ter ido para a universidade. ....

Verbos **modais**

3. **Would/Would have**

Would (o passado de *to will*) é o verbo que, em inglês, funciona como o verdadeiro condicional. O verbo que se acrescenta ao *would* fica no condicional:

viria	é	I would come
iria	é	I would go
conversaria	é	I would talk
jogaria	é	I would play

Would, como *could*, mantém a mesma forma para todas as pessoas e é seguido pelo verbo no infinitivo sem o *to*.

A construção da frase é sempre igual:

Afirmativa
I would go to the cinema.

Negativa
I would not/wouldn't go to the cinema.

Interrogativa
Would you go to the cinema?

Interrogativa negativa
Wouldn't you go to the cinema?

O passado condicional do verbo querer (will)
Exatamente como acontece com o uso do *could*, depois de *would* e de *to have* vem o particípio passado do verbo que dá sentido à frase. Veja como ela se forma:

sujeito + *would* + *have* + particípio passado

O emprego mais frequente de **would** no passado é com a **if clause**, especialmente com o terceiro tipo que já explicamos.

If I had listened to my mother, I would have become a doctor. Se tivesse escutado minha mãe, eu teria me tornado um médico.
If I went out with her, I would be happy. Se tivesse saído com ela, eu estaria feliz.

Verbos **modais**

Would you eat a cat? Você comeria um gato?
If she had seen all the beer, she would have drunk it! Se tivesse visto toda a cerveja, ela a teria bebido!

Traduza as frases a seguir. Em cada uma delas há razões para usar *would* e *could*.

EXERCÍCIO n. 59

1. Se pudesse, eu iria embora com você. ....
2. Eu faria isso se pudesse. ....
3. Você faria isso se pudesse? ....
4. Se pudéssemos, compraríamos um carro para você. ....
5. Se pudesse, ele se casaria com Lucy. ....
6. Se tivesse dinheiro, eu compraria uma casa. ....
7. Se pudéssemos, iríamos a Londres. ....
8. Se eu pudesse vir, ficaria feliz. ....
9. Se soubesse que você estava lá, eu poderia ter comprado uma cerveja para você, e o teria feito. ....
10. Se soubesse que você estava em casa, eu teria vindo à sua casa. ....
....

4. **Should/Should have**

Should é usado para dar uma sugestão ou um conselho, mas também pode exprimir uma obrigação ou um dever. É um condicional e mantém a mesma forma para todas as pessoas.

eu deveria	I *should*
tu deverias/você deveria	you *should*
ele(a) deveria	she/he/it *should*
nós deveríamos	we *should*
vós deveríeis/vocês deveriam	you *should*
eles(as) deveriam	they *should*

Verbos **modais**

O passado condicional
Exatamente como acontece com *could* e *would*, depois de *should* e de *to have* vem o particípio passado do verbo que dá sentido à frase. Veja como ela se forma:

sujeito + *should* + *have* + particípio passado

A construção da frase é sempre a mesma:

Afirmativa
I should go to the cinema.
You should eat better.

Negativa
I should not/shouldn't go to the cinema.
They shouldn't run in the corridor.

Interrogativa
Should I go to the cinema?
Should they know where you are?

Interrogativa negativa
Shouldn't I go to the cinema?
Shouldn't you defend me with your mother?

Não perca tempo, pratique já!

EXERCÍCIO n. 60

Gary: Você acha que eu deveria trocar de mulher?
Mike: Você deveria ficar feliz, porque nenhuma outra mulher iria querer você.
Gary: Você não deveria dizer isso, você é meu amigo!
Mike: O que eu deveria dizer? É verdade!

Verbos **modais**

5. **Might/might have**
Might exprime uma incerteza, aquele "talvez" que acrescentamos à frase quando dizemos algo do qual não estamos totalmente certos.

%

Quando se fala em possibilidades, pode-se expressar o grau de probabilidade por meio de um percentual. Para ficar mais claro, darei alguns exemplos.

A.
Tom: Where is Joseph? Onde está o Joseph?
Sally: I don't know; he could be in his office. Não sei. Ele poderia estar no escritório dele.
Nesse caso, **could** indica que há uma grande chance de ele estar no escritório. **75%** de certeza.

B.
Tom: Where is Joseph? Onde está o Joseph?
Sally: I don't know, he might be in his office. Não sei. Talvez esteja no escritório dele.
Nesse caso, Sally não sabe onde Joseph está, mas dá um palpite. **50%** de certeza.

No caso de *might*, vale a mesma regra de formação da frase que vimos para *could, would* e *should*. *Might* no passado também pede *to have* e o verbo no particípio passado.

Might é um verbo fundamental e tem dois significados principais:

A. No futuro
I might buy a dog to protect my new house. Pode ser que eu compre um cachorro para proteger minha casa nova.
They might play in the cup, if they continue to play well. Pode ser que eles joguem no campeonato se continuarem a jogar bem.

Verbos **modais**

B. No presente
I might be ill. Talvez eu esteja doente.
They might be angry. É possível que eles estejam bravos.

Veja a construção da frase *negativa*:
It might not rain. Pode ser que não chova.
They might not come, if you are not here. Pode ser que eles não venham se você não estiver aqui.

O passado condicional
Como nos casos anteriores, depois de *might* e de *to have* vem o particípio passado do verbo principal. A frase fica assim:

sujeito + *might* + *have* + particípio passado

I **might have** seen her. Pode ser que eu a tenha visto.
You **might have** left your keys at the gym. Pode ser que você tenha deixado suas chaves na academia.
If they had played better, they **might have** won. Se tivessem jogado melhor, eles poderiam ter ganhado.

Traduza agora as frases a seguir. Uma dica: em cada frase há razões para usar *should* e *might*.

EXERCÍCIO n. 61

1. Você deveria ficar em casa esta noite. Pode ser que chova. ....
   ....
2. Você deveria ter ligado para o escritório. Talvez tenham encontrado seu celular. ....
3. Talvez eu fique em casa e assista a um filme. Seria bom. ....
   ....
4. Eu deveria perdoá-la? Talvez seja melhor. ....
5. Eles não deveriam criar problemas. Podem se arrepender. ....
   ....

Verbos **modais**

6. Must and have to

Ambos significam *"dever, ter de"*, mas são usados em situações diferentes e com nuances diversas. Vejamos os dois separadamente.

Must
É utilizado quando quem fala é quem toma uma decisão ou transmite uma ordem. A construção da frase é sempre a mesma:

Afirmativa
I must go to the cinema.

Negativa
I must not/musn't go to the cinema.

Interrogativa
Must I go to the cinema?

Have to
Have to + infinitivo é usado quando se trata de uma regra imposta por pessoas de fora e que não depende de quem fala.

A construção da frase é a seguinte:

Afirmativa
I have to go to the police station.

Negativa
I don't have to go to the police station.

Interrogativa
Do you have to go to the police station?

Atenção: *have to* não é considerado um verbo auxiliar e, portanto, forma as frases interrogativas, negativas e interrogativas negativas como um simples verbo regular, ou seja, com *do/does*.

Verbos **modais**

Must mantém a mesma forma para todas as pessoas, enquanto *have to* segue a conjugação do verbo *to have, of course!*

I *must*
you *must*
she/he/it *must*
we *must*
you *must*
they *must*

I *have to*
you *have to*
she/he/it *has to*
we *have to*
you *have to*
they *have to*

Have to
Presente	Passado	Futuro	Negativo
have to	had to	will have to	can't

Must
Presente	Passado	Futuro	Negativo
must	had to	will have to	must not

Cheryl: Joe, if you want to leave early, you **have to** tell the boss.
Joe, se quiser sair mais cedo, você tem de avisar o chefe.
(Não é Cheryl que diz a Joe que ele deve informar o chefe; é o chefe que impõe esse dever.)

Boss: If you want to leave early, you **must** tell me.
Se quiser sair mais cedo, você deve me avisar.
(Neste caso, é o próprio chefe quem fala e impõe a ação.)

Agora, para traduzir as frases, preste atenção em quem fala e em quem impõe a ação a quem. Está claro, né?

EXERCÍCIO n. 62

1. Devo pegar as crianças na escola. ....
2. Devo fumar menos! ....
3. Devo tirar carteira de motorista se eu quiser dirigir aqui. ....
4. Você deve pagar impostos. ....
5. Você deve me ajudar mais! ....

Verbos **modais**

A secret

Há uma frase que ajuda a entender bem would, could e should...
Tente memorizá-la:

Jenny: Are you coming with me?
Darren: I would if I could and I should, but I can't.
Eu iria se pudesse, e deveria ir, mas não posso.

A mesma frase no passado fica ainda pior. Veja que coisa!

I would have, if I could have, and I should have, but I couldn't.
Eu teria ido, se pudesse, e deveria ter ido, mas não podia.

Não se preocupe! Até mesmo nós, ingleses, temos de pensar duas vezes para dizer essa frase!

E vamos finalizar este step com uma historinha divertida, na qual você vai encontrar todos os verbos modais:

EXERCÍCIO n. 63

Se eu puder ir visitar o Teixeira no hospital, irei hoje. Teria ido ontem, mas trabalhei. Poderia pedir a Tommy para vir comigo. Eu iria sozinho, mas não tenho carro. Devo ir hoje e deveria levar um presente. Algo de que o Teixeira vai gostar. Flores? Uma maçã? Uma loira? Eu deveria pedir uma dica para a mãe dele. O médico disse que ele deve ficar no hospital por duas semanas. Eu não poderia ficar em um hospital, eu ficaria doido. Pode ser que eu já seja doido. Não seria melhor ir amanhã? Não gostaria de ir lá agora, ele pode estar dormindo. Contanto que eu não vá para nada. Eu deveria ficar ou deveria ir? O Teixeira se ofenderia se eu não fosse? Eu não gostaria que ele se ofendesse. Devo ir, sim! Afinal de contas, fui eu quem o empurrou escada abaixo. Mas se eu soubesse que ele quebraria a perna, eu não teria feito isso! Eu não vou.

Step 5

1.5.1 **Anglo Saxon family**
to get
to set
to let
to keep

1.5.2 **Phrasal verbs**

1.5.3 **Passive form**

Anglo
Saxon Family

1.5.1

Eu sempre digo que, em minha modesta opinião, não ensinam bem o inglês como língua estrangeira por diversos motivos. Os professores são obrigados a explicar as regras e os conceitos em inglês, perdendo muito tempo e deixando os alunos pouco à vontade e frustrados. É por isso que os verbos fundamentais não são ensinados: simplesmente porque não há como um não falante do inglês compreender certos verbos e conceitos sem conhecer seu funcionamento.
Você sabia que os verbos mais importantes e mais usados em inglês são *to get, to set, to let* e *to keep*? Esses verbos idiomáticos, pertencentes à *anglo saxon family*, são fundamentais, mas, se não forem ensinados com alguns macetes, o aluno certamente terá muita dificuldade para compreendê-los.
Por exemplo, ao ouvir um inglês ou um norte-americano falar, nota-se que eles usam com muita frequência o verbo *to get*. E se você quiser entender melhor esse verbo, vai abrir o dicionário e... encontrar umas 27 páginas cobertas de exemplos. E aí... vai fechá-lo rapidamente, achando que memorizar todos aqueles significados e o modo de usá-los é uma missão impossível! Mas não é! Porque você não precisa decorar tudo: basta entender como o verbo *to get* "funciona".

1. **To get**
Alguém já explicou para você que o verbo *to get*, em geral, é uma mudança de estado, que pode acontecer com você, com outra pessoa ou com alguma coisa?

Levanto-me. I get **up**.
Ou seja, "ir de baixo para cima".

Fico bêbado. I get **drunk**.
Ou seja, "passar de sóbrio para bêbado".

Estou ficando velho. I am getting **old**.
Ou seja, "passar de jovem para velho".

Está ficando escuro. It's getting **dark**.
Ou seja, "passar de claro para escuro".

Jimmy: Posso pegar seu carro emprestado?
Tom: Ok, mas não o suje!

Anglo **Saxon Family**

Jimmy: Can I borrow your car?
Tom: Ok, but don't get it **dirty**.
Ou seja, "passar de limpo para sujo".

Get the dog **off** the bed. Tire o cachorro de cima da cama.
Ou seja, "sair de cima da cama e ir para o chão".

I will get the file **done**. Vou finalizar o arquivo.
Ou seja, "passar de algo por fazer para algo já feito".

Get the people **here**. Traga as pessoas aqui.
Ou seja, "trazer as pessoas de lá para cá".

I got the bottle **open**. Abri a garrafa.
Ou seja, "de fechado para aberto".

Andy: I'll take Granny to the park...
Marc: Ok, don't get her **tired**.
Andy: Levarei a vovó ao parque...
Marc: Ok, mas não a deixe cansada.
Ou seja, "passar de descansado para cansado".

Na vida as coisas mudam continuamente; portanto, quando algo passa de um estado a outro, certamente há um modo de dizê-lo usando *to get*.
To get merece uma explicação mais demorada, porque, ao contrário do que se possa imaginar, ele não é um inimigo, mas o melhor amigo que você poderia ter!
To get é um verbo irregular *(to get-got-got)* de múltiplos significados:

Chegar/alcançar; contatar; juntar-se

Visto que há sempre um movimento envolvido, a preposição **to** é indispensável (muito raramente se usa o verbo **to arrive at**, mais formal que **to get to**.)

He got to me at 12. Ele se juntou a mim às 12h. (Ele me encontrou às 12h.)
There will be no buses and his car is broken, so he can't get to work. Não haverá ônibus e o carro dele está quebrado, então não há como ele chegar ao trabalho.

She called you, faxed you and e-mailed you, but she couldn't get to you. Ela ligou para você, mandou fax e e-mail, mas não conseguiu contatar você.

We got to the stadium late. Chegamos tarde ao estádio.

Anglo **Saxon Family**

"Levar"
Ou *pegar, receber involuntariamente*

He is in hospital because he got hit by a bottle at the stadium. (*Hit by* é "atingido por"; by introduz o autor da ação.) Ele está no hospital porque levou uma garrafada/foi atingido por uma garrafa no estádio.

He got a cold working in the cold. Ele pegou um resfriado trabalhando no frio.

He's getting sued by his ex-wife for 3,000 Euro. Ele está sendo processado pela ex-mulher por 3 mil euros.

I got bit by a dog. Levei uma mordida de um cachorro.

Obter/receber

You'll get a nice gift, if you paint well. Você vai receber um presente legal se pintar bem.

He'll get a promotion for that project. Ele receberá uma promoção por aquele projeto.

If you're lucky, you'll get 5,000 Euro for that car. Se você tiver sorte, receberá 15 mil por aquele carro.

I get results. Obtenho resultados.

Entender

A diferença entre os verbos *to understand* e *to get* é que o primeiro é mais formal, mais linguístico (quando digo *I don't understand Russian*, quero dizer que não entendo um idioma).

To get é mais informal e também mais conceitual, refere-se ao significado, às ideias, àquilo que se quer obter e ao porquê se faz certa coisa.

I can't get what she wants from me. Nao consigo entender o que ela quer de mim.

I want you to wash the car, feed the cat, then fix the oven, did you get that? Quero que você lave o carro, dê comida ao gato e depois conserte o forno, entendeu? (pobre marido!)

The plans are crazy... I don't get what he wants. Os planos são loucos... Não entendo o que ele quer. (Entendi o que ele diz, mas não o que ele quer!)

You don't get it! Você não entende (a ideia em questão)!

Anglo **Saxon Family**

E agora vejamos se você é capaz de compreender as frases a seguir. *Let's see how much you understand!*

The swimmer
The swimmer got into the water.
He wanted to get across the pool in less than a minute.
While he was getting across, he got cramps in his legs.
The swimmer was getting nervous and agitated because he was gradually getting slower.
When he got to the other side, he got out of the water.
"I don't get it!" he said. "I never got cramps in my legs before!"
He got dry, dressed, then got out of the building.
That night, his temperature got up to 40 degrees! He had got a cold in the pool.
"My head is getting light" he said.

To get, take and bring

to get-got-got
to bring-brought-brought
to take-took-taken

Pegar (*to take/to get*)

Se o objeto a ser pego está no mesmo lugar e momento em que se fala, deve-se usar *to take*; caso contrário, deve-se usar *to get*.

Jimmy: Can I borrow your pen? Posso pegar sua caneta emprestada?
(A caneta está sobre a mesa na frente dele.)

Tom: Yes, take it! Sim, pegue-a!
(A caneta está em outra sala.)

Tom: Yes, get it from my office. Sim, pegue-a no meu escritório!

Anglo **Saxon Family**

Levar *(to take)* **e trazer** *(to bring)*

Se trazem o objeto para perto de quem fala ou escuta, deve-se usar to bring; se, ao contrário, levam o objeto para longe de quem fala ou escuta, deve-se usar to take.
Você nunca foi a um restaurante take-away? O nome desse tipo de estabelecimento justifica-se exatamente porque você compra a comida e a "leva embora/para casa".

Marta: I have to go to the dentist today, can you take the dog to the park for a walk? Tenho de ir ao dentista hoje, você pode levar o cachorro ao parque para passear?

Marta: Can you bring the dog? Você pode trazer o cachorro?

Eu sei, eu sei... Você não está se aguentando de felicidade. Tudo bem! Vamos traduzir!

EXERCÍCIO n. 64

1.
Carl: Esta noite darei uma festa. Você vem? (ação planejada)
Lucy: Sim, mas antes tenho que pegar meu filho na escola (o filho não está presente), levá-lo à casa da avó dele, depois pegar uma garrafa de vinho (não tem vinho em casa) para levar à festa.

2.
Carl: Esta noite darei uma festa. Você vem? (ação planejada)
Lucy: Não, desculpe-me, tenho de pegar xampu no supermercado, lavar os cabelos e depois levar meu marido ao teatro.

Anglo **Saxon Family**

2. To set
É um verbo irregular (*to set-set-set*) e significa:

Estabelecer; fixar; colocar

I must set the alarm for 6 a.m. Devo colocar o despertador para as 6h.

They set my leg, when I broke it. Eles colocaram minha perna no lugar quando a quebrei.

They will set the date for the event, tomorrow. Eles vão estabelecer a data do evento amanhã.

The picture is set on the wall. O quadro está fixado na parede.

3. To let
É um verbo irregular (*to let-let-let*) e significa:

Deixar que...; permitir

Let me in! Deixe-me entrar!

Will you let me kiss you? Vai me deixar beijar você?

We let him take control of our house! Nós permitimos que ele assumisse o controle da nossa casa!

Let também pode ser usado no *imperativo* (portanto, sem um sujeito antes do verbo) para dar uma sugestão, um incentivo. *Let's* pode ser traduzido como "vamos", um convite a fazer alguma coisa, ou, de acordo com a variante de prestígio da língua portuguesa, como a forma imperativa do verbo que o segue, na primeira pessoa do plural (Vamos andando! Dancemos!).

Let's dance! Vamos dançar!/Dancemos!
Let's go! Vamos!
Let's eat! Vamos comer!/Comamos!
Let it be! Deixe estar!

Anglo **Saxon Family**

O quê? O que você disse? Está com vontade de fazer mais exercícios de tradução? Então aí vão mais alguns para você ficar feliz...

EXERCÍCIO n. 65

1. Vamos ver/Vejamos o que tem no cinema esta noite. ....
2. Vamos jogar/Joguemos futebol! ....
3. Vamos perguntar/Perguntemos a Susan aonde elas vão esta noite. ....
4. Vamos dormir/Durmamos um pouco. ....
5. Vamos escutar/Escutemos um pouco de música. ....

4. **To keep**
É um verbo irregular (*to keep-kept-kept*) e tem três significados:

Guardar

I keep my keys in my pocket. Guardo minhas chaves no bolso.

She kept his photograph for many years. Ela guardou a foto dele por muitos anos.

I won't keep your books, anymore. Não guardarei mais seus livros.

Manter; tomar conta

She kept the house, when I worked. Ela tomava conta da casa quando eu trabalhava.

I will keep the swimming pool clean. Manterei a piscina limpa.

She can't keep herself. Ela não pode se manter (economicamente).

Insistir; continuar a...

Neste caso, *keep* deve ser seguido de um gerúndio (*-ing*).

We kept going home, late. Continuamos indo para casa tarde.

I will keep trying to find it. Continuarei tentando encontrá-lo/a.

I won't keep asking you, if you answer! Não vou continuar perguntando se você responder!

Phrasal **Verbs** 1.5.2

O que é um *phrasal verb*? É um verbo seguido de uma preposição!
Simples, né? Nos *phrasal verbs*, a preposição passa a ser parte integrante do verbo, sendo indispensável para que ele assuma um novo significado.

Por exemplo: *to fall* significa "cair" e *out* significa "fora", mas *to fall out* quer dizer "desentender-se".

Não se assuste! Há centenas de *phrasal verbs*, mas vou ensinar a você apenas os mais importantes.
Antes de começar, quero acrescentar duas coisas:

Se **depois** do *phrasal verb* houver um verbo, este deve ficar no **gerúndio** (*-ing*).
I am used to see**ing** him there. Estou acostumado(a) a vê-lo lá.

Às vezes o sujeito pode ficar **entre o verbo e a preposição**.
The shop will **close down**, if this recession continues.
We will **close** the shop **down** if this recession continues.

A

To account for
Explicar; justificar algo

You went to Rio de Janeiro for three days and you spent 6.000?! How can you account for that? Você foi ao Rio de Janeiro por três dias e gastou 6 mil?! Como você explica isso?
at work:
The file is missing and I can't account for it! O arquivo sumiu e eu não sei como explicar isso!

To aim at/for
Visar; ter como objetivo; almejar

She is aiming at los**ing** five kilos before the holiday. Ela tem como objetivo perder cinco quilos antes das férias.
at work:
The project is aim**ing*** for increased productivity within the next three years. O projeto tem o objetivo de aumentar a produtividade nos próximos três anos.

* Quando o *phrasal verb* é seguido de outro verbo, este deve ficar no gerúndio (*-ing*).

Phrasal Verbs

To answer for
Responder por; assumir a responsabilidade; pagar por algo que se fez

Vou comparar dois *phrasal verbs* e quero que preste bastante atenção na diferença entre eles:

to answer to: é usado para indicar quem é o responsável por você, seu chefe. Sempre escuto a frase: *"He is my responsible"*. **This is not english!** O certo seria: *"I answer to Mr. Bezerra"* (ele é o seu chefe).

to answer for: é usado, por exemplo, quando se faz algo errado e é preciso assumir a responsabilidade e pagar por aquilo que se fez.
In English, you must answer for your errors!

Oliver, you will answer for this lipstick on your shirt, when I return from work! Oliver, você vai pagar por/explicar esse batom na sua camisa quando eu voltar do trabalho.
at work:
The boss will ask you to answer for the days you were at home. O chefe vai pedir para você explicar os dias que ficou em casa.

B
To back down
Renunciar; recuar; desistir; "dar para trás"

He wants 15.000 for his car, but I offered him 9.000; he will have to back down, if he wants to sell it. Ele quer 15 mil pelo carro, mas eu lhe ofereci 9 mil. Ele terá de recuar se quiser vendê-lo.
at work:
He said he would support me, but he backed down when things got difficult. Ele disse que me apoiaria, mas deu para trás quando as coisas ficaram difíceis.

To beef up
Reforçar; incrementar

Vem de *beef*, que significa "carne bovina", uma referência proveniente do mundo da agricultura e da prática de engordar o gado de corte.

You should beef up your curriculum; it is too short. Você deveria incrementar seu currículo; está muito curto.

Phrasal Verbs

at work:
We need to beef up our advertising campaign; sales are low. Temos de reforçar nossa campanha publicitária: as vendas estão baixas.

To build up
Construir; aumentar; desenvolver

We didn't get on last year, but then we built up a good relationship. Nós não nos demos muito bem ano passado, mas depois desenvolvemos um bom relacionamento.
at work:
He built up his company from one shop to a chain of 500. Ele aumentou a sua empresa de uma loja para uma rede de 500 unidades.

C

To close down
Fechar definitivamente; encerrar

Run and buy a new coat! They are selling them at half price because they are closing down! Corra e compre um casaco novo! Estão vendendo os casacos pela metade do preço porque vão fechar!
at work:
Our old supplier closed down, so we had to find a new one. Nosso antigo fornecedor fechou, então tivemos de procurar um novo.

To crop up
Surgir um imprevisto; acontecer algo inesperado

Este verbo indica que algo inesperado aconteceu e fica implícito que esse algo é mais importante do que aquilo que se estava fazendo ou do que aquilo que se pretendia fazer. Portanto, é um imprevisto. Geralmente se usa *something has cropped up* para dizer que surgiu um imprevisto de ordem pessoal, e não é o caso de dar detalhes ou não se tem tempo para explicar o que foi. O bom é que nenhum inglês vai pedir que você dê detalhes que não deseja dar! Esse verbo é quase sempre usado no *present perfect*, porque exprime uma ação que é uma consequência de algo que acabou de acontecer.

He couldn't come to the party; I think something cropped up at home. Ele não pôde vir à festa. Acho que aconteceu algo/surgiu um imprevisto em casa.

Phrasal Verbs

at work:
We will not meet the deadline; things keep cropping up. Não vamos cumprir o prazo: continuam surgindo imprevistos.

To cut back
Reduzir; diminuir; cortar

Este *phrasal verb* é interessante pelas preposições que podem ser usadas com ele: usa-se *on* quando se indica o que foi reduzido, e *by* indica o valor da redução, normalmente expresso em percentuais, mas também em números.

They cut back on funds for students by 45 million per year. Eles reduziram as verbas para os estudantes em 45 milhões por ano.
at work:
If we cut back on the advertising budget, how can we create more awareness for our products? Se cortarmos a verba para a publicidade, como poderemos criar mais anúncios para nossos produtos?

crisis	crise
less	a menos
profit	lucro

Traduza agora a historinha abaixo usando todos os *phrasal verbs* vistos até aqui!

EXERCÍCIO n. 66

Anne: A crise justifica os 3 milhões a menos de lucro este ano.
Boss: Mas o nosso objetivo eram 150 milhões a mais! Então teremos de reduzir o pessoal em 30%.
Anne: Sim, mas devemos também aumentar a verba para a publicidade, se quisermos desenvolver uma relação melhor com nossos clientes.
Boss: Não podemos gastar mais, caso contrário fecharemos, e não vou recuar desta vez! Não vou assumir a responsabilidade se fecharmos. (Toca um alarme!)
Anne: Ah, não! Aconteceu alguma coisa e sou responsável por isso! Tenho de correr!

Phrasal Verbs

F
To fall out
Desentender-se

Quero apresentar uma sequência de três *phrasal verbs* que, na minha opinião, ajudam a entender melhor:

to get on (dar-se bem)
to fall out (desentender-se; não se dar mais bem)
to make up (fazer as pazes; reconciliar-se)

Vamos imaginar que um relacionamento é como uma corrida de bicicletas para duas pessoas: no começo, o casal *get on* (se dar bem, mas também subir na bicicleta), depois começa a *fall out* (desentender-se, mas também cair). Por fim, é possível *make up* (reconciliar-se, fazer as pazes, mas também voltar a subir na bicicleta).

I didn't go to my mother's house this Christmas because we fell out. Não fui à casa da minha mãe este Natal porque nós nos desentendemos.

To find out
Descobrir

I found out that my wife was not going to yoga on Friday evenings. Descobri que minha esposa não estava indo à ioga nas noites de sexta.
at work:
We found out that our competitors were stealing our ideas. Descobrimos que nossos concorrentes estavam roubando nossas ideias.

To fit in
Servir, caber; encaixar na agenda, arranjar tempo

To fit quer dizer "caber, servir" (como medida).
My father is very big and so he can't fit into my small car.
Fit in refere-se ao tempo, encaixar um compromisso na agenda pessoal e profissional, arranjar tempo para alguma coisa.

Can we fit in some time to rest?! Podemos arranjar algum tempo para descansar?!
at work:
Hello, Doctor Smith, can you fit me in, tomorrow? Oi, doutor Smith, o senhor consegue me encaixar na agenda amanhã?

Phrasal Verbs

To focus on
Concentrar-se, focar

I will focus on my son's education, when he starts school. Vou me concentrar na educação do meu filho quando ele começar na escola.
at work:
In my presentation, I will focus on our need to improve customer service.
Na minha apresentação, focarei na nossa necessidade de melhorar o atendimento ao cliente.

G

To get across
Fazer-se entender, ser compreendido

When you do a presentation, it is important to get across to the audience. Quando você faz uma apresentação, é importante fazer-se entender/ser compreendido pelo público.

Lembre-se de acrescentar *to* depois de *get across* para indicar quem deve entender a sua fala ou a quem ela se destina.

To get away
Escapar, fugir

I have to get away from the office by five. Tenho que dar uma escapada do escritório por volta das 17h.
The prisoner got away by car. O prisioneiro fugiu de carro.

To get on
Dar-se bem

I get on with my Boss. Eu me dou bem com o meu chefe.
Do you get on with your father? Você se dá bem com seu pai?

K

To keep around
Ter por perto; ter à mão

O verbo pode ser separado da preposição.

I smoke, so I always keep my lighter around. Eu fumo, então sempre tenho meu isqueiro por perto.
He was very sick, so he always kept his medicines around. Ele estava muito doente, por isso sempre tinha os remédios à mão.

Phrasal **Verbs**

L
To let down
Decepcionar; quebrar uma promessa; deixar na mão

O verbo pode ser separado da preposição.

I promised to take her dancing, but I let her down. Eu prometi levá-la para dançar, mas eu a decepcionei.
Please help me get away from here; don't let me down! Por favor, ajude-me a sair daqui. Não me deixe na mão!

To let off
Perdoar

O verbo pode ser separado da preposição.

The judge let him off, because he was from Birmingham. O juiz o perdoou porque ele era de Birmingham.
I'll let you off, if you clean my room. Vou perdoar você se limpar meu quarto.

To look after
Cuidar de alguém ou de algo

Who will look after my children, if I go out this evening? Quem vai cuidar dos meus filhos se eu sair hoje à noite?
at work:
We got successful because we looked after our clients' interests. Obtivemos sucesso porque cuidamos dos interesses de nossos clientes.

To look into
Investigar; informar-se

É quase sempre seguido de *it* porque já se sabe do que se está falando.

Janet: Is there a bus that goes to the Duomo from here? Há algum ônibus que saia daqui e vá até a catedral?
Kevin: I don't know; I'll look into it. Não sei, vou me informar.
at work:
We looked into the possibility of expanding our business in America. Investigamos a possibilidade de expandir nossos negócios nos Estados Unidos.

Phrasal Verbs

M
To make up for
Compensar; remediar; recuperar

I let her down, so to make up for this, I will take her to the cinema. Eu a decepcionei, então, para compensar, eu a levarei ao cinema.
at work:
If we work extra-hard this year, we can make up for the low sales results of last year. Se trabalharmos ainda mais duro este ano, poderemos compensar os baixos resultados das vendas do ano passado.

P
To point out
Destacar; chamar a atenção para

I let her borrow my car, then her mother pointed out that she hasn't got a license! Eu deixei que ela pegasse meu carro emprestado, aí a mãe dela destacou que ela não tem habilitação!
at work:
In his presentation, he pointed out the most important area to focus on. Em sua apresentação, ele chamou a atenção para a área mais importante a ser focada.

To put back/off and to bring forward
Adiar e antecipar

Estes dois verbos são apresentados juntos porque mantêm uma relação íntima:

to put back (to) significa transferir algo para outra hora ou data posterior;
to bring forward (to) significa antecipar um compromisso ou um evento.

We put back our wedding to August, when the weather is better. Adiamos nosso casamento para agosto, quando o tempo é melhor.
They brought the trial forward. Anteciparam o julgamento.
at work:
They put the meeting back to Tuesday because Hans can't make it, today. Adiaram a reunião para terça porque Hans não tem como vir hoje.
Can we bring the meeting forward to 3 o'clock? I have to leave early; something has cropped up. Podemos antecipar a reunião para as 15h? Tenho de ir embora cedo: houve um imprevisto.

Phrasal Verbs

R
To run out of
Acabar; consumir

Em inglês não se pode dizer *the petrol finished* (tradução literal de "a gasolina acabou"), porque isso significaria que ela se consumiu sozinha. Veja o exemplo:

The pen has run out of ink.

Foi a tinta que acabou, mas é a caneta que não a contém mais. Sendo assim, a caneta se torna o sujeito da frase. Nesse caso, novamente, usa-se o *past perfect*, porque, quando algo acaba, o resultado disso passa a ser importante agora, no presente, certo? Veja como esse *phrasal verb* funciona:

recipiente	phrasal verb	conteúdo
The pen	has run out of	ink.
The car	has run out of	petrol.
My company	has run out of	money.

pessoa	phrasal verb/presente	conteúdo
I	have run out of	patience.
She	has run out of	time.
They	have run out of	ideas.

pessoa	phrasal verb/passado	conteúdo
I	ran out of	things to say.
We	ran out of	food.
Everybody	ran out of	energy.

pessoa	phrasal verb/futuro	conteúdo
I	will run out of	energy.
You	will run out of	paper.
The world	will run out of	oil.

S
To set aside
Separar; pôr/deixar de lado

I set aside some money for the holidays. Eu separei um pouco de dinheiro para as férias.

Phrasal Verbs

You should set aside your work problems, when you are with me at home. Você deveria deixar de lado seus problemas profissionais quando estiver comigo em casa.

To set up
Montar; instalar; organizar

We are setting up the tents. Estamos montando as barracas.
at work:
I'll set up a meeting with our new colleagues. Vamos organizar uma reunião com nossos novos colegas.

To sort out
Este *phrasal verb* é realmente muito importante e tem três significados:

1. Pôr/colocar em ordem, arrumar, consertar, dar um jeito

She doesn't know what to do; she has many problems at work and at home. She must sort out her life. Ela não sabe o que fazer. Tem vários problemas no trabalho e em casa. Ela tem que dar um jeito na vida.
at work:
We have some problems with our internet connection. I hope we can sort it out soon. Estamos com alguns problemas na conexão da internet. Espero que possamos consertar isso logo.

2. Organizar

His birthday is on Sunday. Let's sort out a party! O aniversário dele é no domingo. Vamos organizar uma festa!
at work:
Can we sort out a meeting for the end of the month? Podemos organizar uma reunião para o final do mês?

3. Ocupar-se de

When we write songs together, I sort out the words and he sorts out the music. Quando compomos músicas juntos, eu me ocupo das letras e ele se ocupa da música.
at work:
She sorts out the employees' salaries. Ela se ocupa dos salários dos funcionários.

Phrasal **Verbs**

bad day	dia ruim
birthday	aniversário
angry	bravo(a)
by the time	quando; no momento em que
already	já
lawyer	advogado(a)

Traduza agora a historinha abaixo, usando alguns dos *phrasal verbs* vistos anteriormente.

EXERCÍCIO n. 67

Andy: É um dia ruim.
Jake: Por quê?
Andy: Não fui à festa de aniversário da minha esposa e devo dar um jeito nas coisas porque ela está brava.
Jake: Por que você não foi?
Andy: Porque a gasolina do carro acabou e, quando cheguei, a festa já tinha terminado.
Jake: Ela não podia esperar?
Andy: Não. Eu liguei para ela e disse: "Você pode adiar a festa em duas horas? Estou chegando!".
Jake: Você destacou que o carro tinha parado?
Andy: Sim, mas ela disse apenas: "Não, vou antecipar... o nosso divórcio!". Eu quis remediar isso com flores, mas nada feito.
Jake: Então você deve arrumar um advogado agora.
Andy: Não posso, meu dinheiro acabou!

Phrasal Verbs

T
To take over
Assumir o controle; continuar algo no lugar de outra pessoa; tomar conta (invadir)

Antes de dar alguns exemplos com este *phrasal verb*, quero que você se imagine como passageiro em um carro. Se o motorista passar mal, você assumirá o volante, ou seja, *you take over the car.*

The aliens are taking over the planet!!! Os alienígenas estão tomando conta do planeta!!!
at work:
I might not finish this project in time; something has cropped up. Can you take over, please? Pode ser que eu não termine este projeto a tempo: houve um imprevisto. Você pode continuar no meu lugar, por favor?

To turn down
Recusar (uma proposta)

To turn down significa também "abaixar" (o volume do rádio, por exemplo), mas não é esse o significado que quero mostrar aqui.
O verbo pode ser separado da preposição.

I asked her to come with me to New York, but she turned me down. Eu pedi a ela para vir comigo a Nova York, mas ela recusou.
at work:
There is a strike because the company turned down the workers' conditions. Há uma greve porque a companhia recusou as reivindicações dos trabalhadores.

W
To work on
Concentrar-se em algo a fim de melhorá-lo, trabalhar em algo

He could be a great footballer; he must work on his style. Ele poderia ser um excelente jogador de futebol. Ele precisa melhorar seu estilo.
at work:
We are working on a new project. Estamos trabalhando em um novo projeto.

Phrasal **Verbs**

Atraso

Este conceito geralmente é complicado de entender. O que defino como **"o atraso em inglês"** realmente pode gerar certa confusão. Mais de uma vez, aconteceu de um aluno meu chegar atrasado à aula e dizer: *Sorry for the delay!*. Mas o fato é que não houve nenhum *delay*!

Vou tentar explicar melhor a "sequência" de um atraso:

hold up é um substantivo, é o motivo do atraso, o início da sequência.

Imagine que eu esteja com meu amigo Dave no trem que deveria partir às 9h. Olho para o relógio e vejo que já são 9h20. O cobrador passa por nós e eu pergunto: *"What's the hold-up?"* (Por que o atraso? Qual é o motivo do atraso?), e ele me responde que uma árvore caiu nos trilhos. Então, a árvore nos trilhos é o *hold-up*, o motivo do atraso.

delay é um substantivo, o atraso propriamente dito, uma medida de tempo.

A árvore é removida e o trem parte às 9h30. Isso quer dizer que houve um delay de 30 minutos.

Mas veja só a diferença entre *delay* e *late*.

late significa atrasado, pode ser tanto um adjetivo quanto um advérbio e refere-se ao grau de atraso em relação a um compromisso.

Eu, que estou no trem com meu amigo Dave, tenho um compromisso em Birmingham, mas acabo chegando *late* (atrasado) porque o trem, que deveria ter chegado às 10h, chegou às 10h30. Nesse sentido, o trem também está *late*, mas não Dave, porque ele não tem nenhum compromisso marcado. Sendo assim, eu e o trem estamos *late*, mas Dave não, porque ele não precisa cumprir nenhum horário.

Hold up: tree on the track
Delay: 30 minutes
Late: 30 minutes late (for me and the train!)

Para concluir, quando aquele meu aluno chegou 15 minutos depois do horário, ele estava atrasado, pois eu já havia começado pontualmente a aula, com os outros alunos, e não houve nenhum *delay*. Ele deveria ter dito simplesmente: *Sorry, I'm late!*.

Passive **Form** 1.5.3

Para dar continuidade ao tema do quadro que acabamos de ver, sempre que se fala em atraso, usa-se a voz passiva, como você poderá notar nos dois primeiros exemplos a seguir.

hold up (verbo)
The train was held up by a tree on the track. O trem foi retido por uma árvore nos trilhos.

delay
The train was delayed for 30 minutes. O trem foi atrasado em 30 minutos.

late
The train arrived at Central Station 30 minutes late. O trem chegou à estação central 30 minutos atrasado.

Veja outro exemplo:
Você precisava enviar um pacote para Londres. O pacote teria de chegar na segunda-feira, mas, devido a uma greve dos correios, ficará retido na agência postal durante três dias.
What is the hold up? The hold up is the strike (a greve).
The delay? The package (o pacote) is delayed for 3 days.
Will the package be late? Yes, it will arrive 3 days late!

Hold up: the strike
Delay: the package is delayed for 3 days
Late: the package will arrive 3 days late

Agora é necessário escrever um e-mail para o destinatário do pacote em Londres.

Dear Chris,
The package we sent is being held up by a postal strike.
O pacote que enviamos está sendo retido por uma greve nos correios.
The package will be delayed for 3 days, so it will arrive 3 days late.
O pacote será retido por três dias, então ele vai chegar três dias atrasado.
Sorry for the inconvenience!
Desculpe-me pelo inconveniente!

John

INSTANTENGLISH

English in Use

At work
Going abroad

At
work

2.1.1 **Receiving someone**
2.1.2 **Small talk**
Ice breakers
How to say goodbye
2.1.3 **Communicate at office**
2.1.4 **E-mail**
O "sanduíche" (início positivo-má notícia-conclusão forte)
Signing off
Examples
2.1.5 **On the telephone**
A message on an answering machine
The game rules
2.1.6 **Conference calls**
Introduction
How it is done
2.1.7 **Presentations**
A funny start

Durante vários anos, especializei-me no tema da comunicação no trabalho, tendo colaborado com importantes multinacionais na Itália.
Usei minha experiência como ator para preparar algumas *presentations* de alto nível e presenciei várias *conference calls* internacionais, ajudando muitos executivos a dar conta dessa tarefa tensa e difícil.
A seguir, darei algumas sugestões valiosas, dicas que também podem ser muito úteis para a comunicação cotidiana no trabalho e na sua língua materna.

Receiving **Someone**   2.1.1

Ao receber um colega do exterior, é muito importante demonstrar desenvoltura e afabilidade.

Não pense que é preciso mostrar seriedade e profissionalismo: deixe isso para quando começarem a trabalhar. Lembre-se de que esse colega está igualmente tenso por causa da situação e ficará muito mais tranquilo se encontrar uma pessoa sorridente, alegre e capaz de deixá-lo à vontade.

Vejamos uma cena típica:
Chega um *visitor* (e com isso não quero dizer um lagarto extraterrestre se arrastando pelos corredores, mas um convidado; caso você veja um lagarto, é sinal de que está trabalhando demais!).

Estenda a mão e cumprimente-o:
"Hello, Mr. Grant, I'm Roberto and I'm very pleased to meet you."
(Olá, sr. Grant, eu sou o Roberto, é um prazer conhecê-lo.)

Ou, se já o havia conhecido ou encontrado antes:
"Hello, Mr. Grant, I'm very pleased to see you again."
(Olá, sr. Grant, é um prazer revê-lo.)

Nesse momento, costumo ouvir as pessoas dizerem *"follow me"* (siga-me). Não há nada de errado com essa expressão, desde que você seja um policial e esteja prendendo um criminoso. No trabalho, é melhor dizer:
If you'd like to come this way, I'll show you to my office/Mr. Bezerra's office...
(Se fizer o favor de me acompanhar, levarei o senhor ao meu escritório/ao escritório do sr. Bezerra...)

Please?

Ao pegar o elevador, **não diga** *please*, como quem diz "por favor", para fazer à outra pessoa a gentileza de deixá-la entrar antes de você. Deve-se dizer **after you!** Se você disser *please* ao convidado, ele vai esperar que você lhe faça uma pergunta e dirá: *"Please what?"*. Até ele entender o que você quis dizer com "por favor", o elevador já vai ter chegado, aberto e fechado a porta, e ido embora...

Small Talk 2.1.2
Ou conversa fiada...

Ao acompanhar o visitante, tente quebrar o gelo com um pouco de *small talk*. Vejamos alguns exemplos:

"So, how was your flight?" (Então, como foi o voo?)

"Have you been to São Paulo, before?" (O senhor já esteve em São Paulo antes?)

"I love London/Berlin/Kabul; I would like to spend more time there." (Eu adoro Londres/Berlim/Cabul. Gostaria de passar mais tempo lá.)

"Mr. Bezerra won't be long, now." (O sr. Bezerra não vai demorar.)

"Mr. Bezerra will be with you in a moment." (O sr. Bezerra receberá o senhor daqui a pouco.)

"Can I get you anything?" (Posso lhe oferecer alguma coisa?)

You

Em inglês, *you* é usado para se dirigir a qualquer pessoa, em qualquer situação, não importa o grau de formalidade.

1. Ice breakers
Como o próprio nome diz, estas frases são usadas para "quebrar o gelo". São ligeiramente engraçadas e ajudam a deixar o ambiente mais leve. Mostre também simpatia e segurança ao pronunciá-las!

"Don't worry, Mr. Bezerra speaks better English than I (do)!"
(Não se preocupe, o sr. Bezerra fala inglês melhor do que eu!)

"You should try and have dinner at Fasano. Food there is almost as good as my mother´s."
(Você deveria experimentar jantar no Fasano. A comida de lá é quase tão boa quanto a da minha mãe.)

Small **Talk**

"I would adivse you to take a taxi in Vila Madalena: there are so many twists and turns and one-way streets. Some people have been trapped in the neighbourhood for weeks. Our RH manager is still there, somewhere." (Eu aconselharia o senhor a pegar um taxi na Vila Madalena: são tantas voltas, curvas e ruas de mão única. Algumas pessoas já passaram semanas presas no bairro. Nosso gerente de RH ainda está lá, em algum lugar.)

Se oferecer algo para beber:

"Sorry, we have only tea, coffee or water. Someone finished the whisky after Fluminense won the cup." (Desculpe, temos apenas chá, café ou água. Alguém acabou com o whisky depois que o Fluminense venceu o campeonato.)

"Something to drink, maybe?" (Algo para beber, talvez?)

"We have tea, coffee... or water." (Temos chá, café... ou água.)

"Certainly. A glass of water. Still or sparkling?" (Claro. Um copo de água. Sem gás ou com gás?)

"Certainly. A cup of tea/coffee. Sugar? Milk?" (Claro. Uma xícara de chá/café. Açúcar? Leite?)

2. **How to say goodbye**
Se é chegada a hora de partir, veja como você pode se despedir de seu convidado:

"It was a pleasure meeting you (*again*, caso não seja a primeira vez) and I hope you enjoy your stay in our city." (Foi um prazer conhecê-lo [revê-lo] e espero que aproveite sua estada em nossa cidade.)

"Have a nice week, Mr. Grant." (Tenha uma boa semana, sr. Grant.)

"Would you like me to call you a taxi?" (Quer que eu chame um táxi?)

"Let me take you back to the entrance, this way..." (Deixe-me acompanhá-lo até a saída, por aqui...)

Small **Talk**

Bye

Não diga *bye bye*, que é coisa de criança, nem *goodbye*, que soaria como o fim de uma história melodramática (adeus, Mr. Grant).

Comunicando-se no **escritório**   2.1.3

O segredo está no *checklist!*

Há uma nova abordagem na comunicação no ambiente de trabalho, e ela é única! A boa notícia é que agora não se usam mais frases longas, complicadas e cheias de jargões. Ao contrário: nas relações modernas, usa-se um inglês simples, direto e amistoso.
Geralmente, as pessoas se preocupam demais com as boas maneiras, mas posso garantir que não é desrespeitoso ser conciso e simples. Aliás, está aí uma característica muito apreciada neste mundo cada dia mais veloz e frenético.
Antes de escrever um e-mail, fazer uma apresentação ou dar um telefonema, procure sempre preparar uma lista, um *checklist* com os pontos mais importantes a serem transmitidos. Fazendo isso, ao menos você terá certeza absoluta de que vai se lembrar de todos os tópicos. Aí vão algumas dicas realmente úteis, agrupadas em palavras-chaves.

Concisão e brevidade
- corte palavras e frases inúteis;
- corte a introdução caso faça referência a um contato anterior;
- separe as informações: se tiver três coisas para dizer, diga uma de cada vez.

Clareza e simplicidade
- use palavras fáceis, linhas e parágrafos curtos;
- mantenha o assunto o mais simples possível;
- use palavras e frases claras, objetivas, não divague.

Objetividade e presteza
- responda às perguntas sem demora;
- primeiro responda à pergunta, depois explique;
- use um tom amigável, coloquial.

Sinceridade e convicção
- responda rapidamente;
- procure ser compreensivo e prestativo;
- escreva como se seu destinatário estivesse na sua frente.

No mundo moderno dos negócios, não se usam mais certas frases antigas e

E-mail 2.1.4

Não é uma carta, por isso não use frases longas e floreadas como se fazia "antigamente"

inúteis:
I regret to inform you (melhor: *I am sorry, but…*)
Please do not hesitate to contact me (melhor: *Feel free to ask me any questions*)
Please advise (melhor: *Please let me know*)

Isso porque a maneira antiga de falar não é natural: se você não fala assim, por que deveria escrever assim?
Se eu perguntasse: "Rita está no escritório?", por acaso você me responderia: *"Regarding your enquiry dated November 21 as to whether or not Rita is present in her office, I regret to inform you that…"*??! Você nunca faria isso! E, se fizesse, pareceria louco! Portanto, não escreva desse modo! Se você diz *"I have checked Rita's office and she isn't there"*, então escreva assim!

O e-mail é um meio de comunicação rápido, por isso escreva uma mensagem breve e concisa.

Dear Barney,

I will send the file tonight.
Cheers (se for alguém próximo)
Speak to you soon (se não for tão próximo)

Fred Flintstone

Use um estilo coloquial, mais autêntico, deixando o leitor ficar com a impressão de estar lidando com alguém de carne e osso! Às vezes escuto coisas do tipo "parece grosseiro falar assim": não é grosseiro falar de maneira simples e amistosa. Aliás, é algo bem aceito pelos colegas, acredite!

Hi, Tom,
There are a few things I'm not sure about, could you help me?

Os espaços são importantes!

Who sorts out the invoice for delivery 804?
When will we know how much we need for next month?
Who must I contact for approval?
Thanks a lot,

Rita

O leitor vai agradecer sua clareza e ler com prazer suas próximas mensagens.

E-mail

Pelo mesmo motivo, para parecer o mais claro possível, evite a **voz passiva**:

Não: It was agreed by the committee... (passiva)
Sim: The committee agreed... (ativa)

Não: At the last meeting, a report was made by the Secretary... (passiva)
Sim: At the last meeting, the Secretary reported... (ativa)

Não: This form should be signed and should be returned to me. (passiva)
Sim: You should sign the form and return it to me. (ativa)

1. O "sanduíche"
(início positivo-má notícia-conclusão forte)

Quando precisar dar uma má notícia ou pedir desculpas, use sempre o sistema do "sanduíche" (© john peter sloan). O começo de um e-mail é como a introdução de uma música, define o seu *mood*...

Se o e-mail começar "para baixo", depois ficará difícil abrandar esse tom negativo. Vamos dar um exemplo:

Orange Company SRL

Um limeirense, o sr. Gazzetta, envia 17 toneladas de laranja ao seu melhor cliente, Mr. Jones. Quando o navio está atravessando o Atlântico, ocorre uma tempestade, a refrigeração do contêiner falha e todas as laranjas se estragam. O senhor Gazzetta só pode entrar em contato com Mr. Jones por e-mail.

Essa história se baseia em um fato real, e eis o e-mail desastroso que foi enviado:

Dear Mr. Jones,
I'm really sorry, but your load of oranges can't be delivered (aqui o senhor Jones já caiu da cadeira e está desesperado).
There was an accident during the journey across the sea and all of the oranges went bad (agora o senhor Jones acha que vai desmaiar...).
We have prepared a new load and I hope nothing happens this time.

Agora veja como o e-mail deveria ter sido escrito:

E-mail

Dear Mr. Jones,
I have just finished loading your new delivery. (ação-solução)
We had an unexpected problem (não explique o problema nos mínimos detalhes, pois não interessam ao sr. Jones, ele quer saber apenas das soluções!), but I will do all I can to make sure this never happens again! (ação-solução)
Please, accept this new load as our gift for any inconvenience caused. (compensação)
Feel free to call me for any details (assim, se tiver interesse em saber o que aconteceu, ele vai ligar e perguntar).
I look forward to a great future partnership! (não use hope, que demonstra fraqueza; passe a ideia de que tudo correrá bem)
Sincerely,

Mr. Gazzetta

2. Signing off

Mr. and Ms.

As mulheres não achavam justo que o estado civil dos homens permanecesse no anonimato, escondido atrás de um genérico *Mr.* (usado tanto para homens casados quanto para solteiros), enquanto o delas era revelado (*Miss* era usado para as solteiras e *Mrs.* para as casadas). Agora não se usam mais *Mrs.* nem *Miss*, apenas *Ms.*, que é neutro. (Somente na comunicação escrita! Ao falar com uma senhora de modo cortês e formal, dirija-se a ela como *madam*.).

Quando se referir a um homem, use sempre *Mr.*
Quando se referir a uma mulher, use sempre *Ms.*
Quando escrever para um grupo de pessoas, use *Dear Sirs.*
Se não souber quem vai ler o e-mail, use *To whom it may concern.*

E-mail

Escrito o e-mail, você talvez fique pensando em como concluí-lo. Como finalizar um e-mail? Quais são os cumprimentos corretos? Qual é a fórmula certa? Vamos esclarecer um pouco as coisas...

Sincerely
Se você cometeu um erro ou teve de se desculpar por algo importante, é melhor usar *sincerely*: a mensagem é a de que você está tratando o ocorrido com toda a seriedade.

Regards
Por si só não quer dizer nada. Na verdade, eu uso esse cumprimento quando estou irritado, porque é o mínimo indispensável para uma pessoa educada. (Exceção: se você se corresponde com muita frequência com uma pessoa, não há problema em usar *regards*, para não ter de variar todas as vezes!)

Best regards
É como dizer "Saudações" ou "Com os melhores cumprimentos", um "tchau" mais formal.

Kind regards
É um belo cumprimento, usado sobretudo quando se quer alguma coisa!

Warm regards
Quando se conhece bem o interlocutor, esse cumprimento demonstra o máximo de afeto, sem deixar de ser formal.

Cheers
Não existe propriamente uma tradução para esta palavra em português. Também é usada para dizer "saúde" quando se faz um brinde.

Take care
Equivale ao nosso "cuide-se".

Speak to you soon
Significa exatamente "nos falamos em breve", "até logo".

E-mail

3. Examples
Vejamos alguns exemplos de e-mails, imaginando várias situações nas quais é necessário enviá-los.

Situação: enviar um arquivo atrasado

Formal

Dear Mr. Collins,

The file you requested is attached; sorry it's late.
There is a lot going on at the moment.
Kind regards,

Rocco Sacci
Accounts Manager
S&S London

Informal

Hi Peter,

I'm really sorry for being late, but the file you wanted is attached!
It's crazy around here at the moment.
I hope you're well,

Rocco

Situação: solicitar uma resposta

Formal

Dear Mr. Regan,

Would you please confirm that you received my question about the Saturn project and if your answer is positive or not.
Sorry for pressing you, but there is some urgency.
Thank you for your understanding.

Karl Manner
IT dept
Delware Electronics

Informal

Oliver,

I hate to bug you (incomodar), *but I really need an answer, my friend.*

Humorous Alternative:
I think your answer to my question got lost (se perdeu) *in cyber space.*
Can you send it again, please?
Waiting patiently,

Karl

E-mail

Situação: solicitar uma reunião

Formal

Dear Mr. Lieber,

I'd like to know if I could make an appointment with you to discuss some issues concerning the Saturn project.
I have some ideas and I think you'll find them interesting.
Please let me know when it would be convenient.
Kind regards,

Sarah Thompson
Head Publisher
Taylor & Taylor Ltd

Informal

Hi Ricky,

I was wondering (estava me perguntando) *if we could meet and talk about the Saturn stuff* ("coisas" sobre Saturno).
I have a few ideas you might be interested in.
Let me know when it would be convenient.

Sarah

E-mail

Situação: pergunta direta

Formal

Dear Ms. Chambers,

Thank you for the new list of regulations. I'd just like to ask you for a little more clarity concerning point 3.
It isn't clear to us what we need to do here. Thanks in advance for your time and help.

Jennifer Palin
Security Manager
Kraft Foods

Informal

Hi Diane,

We are a little confused about these new regulations.
Would you explain point 3 in more detail, please? We don't really get it (entender o conceito).
Thanks for your patience!

Jennifer

Situação: "tirar o corpo fora"

Formal

Dear Mr. Rosenthal,

I have just (agora mesmo) *learned* that I won't be able to attend the meeting on Friday.
I hope this doesn't inconvenience you and I hope to exchange ideas with you at a later date.
Sincerely,

Tanya Buhnik
Marketing Manager
Salty Biscuits srl

Informal

Hey Jim,

I'm really sorry, but I can't make the meeting. Something has cropped up in the office that I really have to sort out.
Hope to see you at the next one!

Tanya

E-mail

Situação: organizar uma viagem de negócios

Formal	Informal
Dear Mr. Regis,	Hi Colin,
I can confirm that I am arriving in London at 3 P.M. on Monday. Please let me know if there will be someone at the airport to receive me. I can also confirm that I'll be staying at the Victoria Hotel in Abbey Road for my three days in London. I look forward to seeing you there,	I am landing in London at 3 P.M., so if anybody is kind enough (gentil o suficiente) *to come and meet me at the airport that would be great*. If not, I'll take a taxi. I'm staying in the Victoria Hotel, it was the nearest we could sort out at short notice (em curto prazo), hope it has a mini-bar!
Bill Summers Customer Service Currys Ltd	Bill

Situação: aviso de entrega

Formal	Informal
Dear Ms. Hollins,	Tara,
I can confirm that the delivery of *goods* (mercadorias) *will arrive on Monday morning at your warehouse*. We request that someone is there to receive it. Best regards,	Your *load* (carregamento) *will be delivered* (entregue) *on Monday morning*. Please have someone at the *warehouse* (armazém) *ready for the truck* (caminhão)! Thanks dear,
Joseph Lamer Logistics Manager Hollyoaks srl	Joe

E-mail

Situação: à procura de emprego

Formal
(sabe que há uma vaga)
Object: FAO (For the Attention Of) Human Resources

To whom it may concern, (caso não saiba a quem se dirigir, embora seja melhor saber)

I am writing to you about the vacant (vago, livre) position in your accounts dept.
I am very interested in this position and ask you kindly to have a look at my CV, which is attached to this message.
Thank you very much for your time,

Linda Rizzi

Informal
(tem interesse na empresa, mas não sabe se há uma vaga)
Object: FAO Human Resources

To whom it may concern,

I am writing to you to express my interest in joining your company.
I feel your company is perfectly suited (adequada) to my studies/professional experience and I kindly ask you to view my CV, attached, for future consideration.
Thank you for your time and help,

Linda Rizzi

Situação: multiple questions

Formal

Dear Ms. Harris,

A few questions, if I may,
- What is the delivery deadline (prazo) for these orders?
- Can we send the goods part by part, or do you need them all together?
- Should we send them all to the same address, or are there different addresses for different orders?
Thank you for clarifying,

Tim Roth - United Fruits

Informal

Hi Myriam,

A few questions, please:
- What is the delivery deadline for these orders?
- Can we send the goods bit by bit (aos poucos), or do you need them all together?
- Should we send them all to the same address, or are there different addresses for different orders?
Thanks mate,

Tim

On the **Telephone**   2.1.5

Mostrarei agora uma típica conversa de trabalho ao telefone e nela vou inserir algumas expressões muito importantes.

London: Hello, Simms' Fruit Farm.
Ana: Good morning, this is Ana from Kraft, São Paulo.
L: Good morning, how can I help you, Ana? (teoricamente, a resposta deveria ser essa!)
A: I'd like to speak to the person in charge of (responsável por) accounts, please.
L: Certainly, hold on [espere] a minute, I'll just put you through.

(*to put* + sujeito + *through*: passar a ligação)

Música irritante

Geralmente ouve-se uma música de espera irritante, e o jeito é aguentar firme!

L: Sorry to keep you waiting. I'm afraid, Mr. Jones isn't **in his office*** at the moment, but if you leave your number, I will ask him to call you back.
A: That would be great, thanks. It's Ana Rossi from Kraft (Brazil) and the number is 0055 for Brazil, then 011 3456…
L: Ok, I'll make sure he gets that as soon as possible.
A: Thanks a lot, bye.
L: Bye.

On the Telephone

*In (my) office

Não se diz *"he is in office"*, porque quem está *in office* (no poder) é o presidente dos Estados Unidos, por exemplo... Usa-se *in my/his/her office* para se dizer que alguém está ou não no escritório no momento.

1. A message on an answering machine (deixar uma mensagem na secretária eletrônica)
Vejamos a seguir algumas frases fundamentais para quando você tiver de deixar uma mensagem na secretária eletrônica.

Introdução
Hello, this is Ken. **or** Hello, My name is Ken Beare (mais formal).

Diga a hora e o motivo da ligação
It's ten in the morning. I'm phoning/calling/ringing to see if.../to let you know (para informá-lo/a) that... to tell you that...

Peça o que precisa pedir
Would you call/ring/telephone me back? **or** Would you mind (você se importaria de)...?

Deixe o número do seu telefone
My number is... **or** You can get me at... **or** Call me at... **or** You can reach me at...

Como encerrar
Thanks a lot, bye. **or** I'll talk to you later, bye.

On the **Telephone**

Darei um exemplo para que fique clara a dinâmica necessária quando se deixa uma mensagem na secretária eletrônica.

Ring... Ring... Ring... (o telefone)

Tom's answering machine: Hello, this is Tom. I'm afraid I'm not in at the moment. Please leave a message after the beep....

Beep... (o telefone)

Hello, Tom, this is Ken. It's about noon and I'm calling to see if you would like to go to the Birmingham game on Friday. We are sure to win again. Would you call me back? You can reach me at 367 8925 until five this afternoon. I'll talk to you later, bye.

Slowly

Uma das reclamações que mais ouço é a seguinte: "Eles falam muito rápido, não consigo acompanhar!". Não tenha medo... Muitas vezes os ingleses não percebem que estão falando rápido demais, e ninguém vai se ofender se você demonstrar que não está entendendo. *Aliás*, é muito pior fingir que entendeu ou tentar adivinhar o que o outro está dizendo. Em alguns casos, pode ser até perigoso.
Se não tiver certeza de ter compreendido, *interrompa* seu interlocutor! E não se esqueça desta dica: peça imediatamente à pessoa para falar mais devagar.

"Sorry, could you speak slowly, please, I am still learning."

O interlocutor vai reconhecer seu esforço para aprender a língua e, de bom grado, vai ajudar você a entender.

On the **Telephone**

2. **The game rules**
Agora vou revelar alguns segredos fundamentais para você usar ao telefone, principalmente no trabalho.

Repetir
Ao anotar o nome de alguém ou uma informação importante, é fundamental repetir tudo o que a pessoa fala. É um método muito eficaz: quando você repete cada parte relevante, cada número ou mesmo cada letra, no caso de um *spelling*, o interlocutor começa imediatamente a falar mais devagar, pois acredita que você está tomando nota de tudo – e você ainda vai causar uma boa impressão, porque quem anota dá a entender que está preocupado em compreender bem as informações recebidas..

Não fingir que entendeu
Nunca diga que entendeu se não for verdade. Peça ao interlocutor para repetir até que tudo fique realmente claro. Lembre-se de que é a outra pessoa que precisa se fazer entender e, portanto, é interessante para ela que você a entenda perfeitamente. Ao pedir a alguém para explicar ou repetir uma coisa mais de duas vezes, a pessoa começará a falar mais devagar.

Conference **Calls** 2.1.6

Lembre-se de uma coisa: se você tem dificuldade ou medo de lidar com *conference calls*, posso garantir que não é o único.
Mas imagine que, quando estão todos ali conectados com pessoas de diversos lugares, uma delas diga: *Please, I would like to ask everybody to speak in a slow, clear and simple way, because it is important to me to understand.*

Essa pessoa viraria seu herói ou heroína de uma hora para outra, não é mesmo? Você mandaria chocolates e flores para ela no Natal, né? Então, por que você não se torna esse mito?! E não pense: "Não quero interromper para não encher o saco!", pois isso não é verdade! Aliás, tanto nas chamadas *one-to-one* quanto nas *conference calls*, cedo ou tarde as pessoas com as quais você está conectado vão perceber que você não está acompanhando 100%... Os ingleses não são bobos!

Para ficar mais tranquilo e à vontade, considere estes pontos-chave:

- as *conference calls* não costumam ser uma ferramenta muito utilizada no trabalho, mas são valiosas, de baixo custo, rápidas e fáceis de organizar;

- não deixe a *conference call* ficar chata. Por correio, fax ou e-mail, envie a pauta, mas também folhetos, imagens e gráficos, quando disponíveis. São elementos muito úteis para ilustrar e explicar o que será discutido, sobretudo se a *conference call* contar com a maioria dos participantes presentes em uma mesma sala, na qual esse material possa ser utilizado. Desse modo, haverá certamente plena participação e interesse total;

- um grupo de três a seis pessoas é o ideal para realizar uma *conference call* com o objetivo de tomar uma decisão ou de resolver um problema. É mais difícil, mas não impossível, administrar grupos maiores: basta que se organize tudo com antecedência;

- pode-se também providenciar uma gravação da *conference call* para as pessoas que não puderem participar em tempo real.

Conference Calls

1. Introduction

Muitas pessoas ficam ansiosas ao saber que terão de encarar uma *conference call* e acabam participando dela com o mesmo entusiasmo de quem vai ao dentista. Isso acontece porque tiveram uma experiência medíocre ou horrível anteriormente.

Isso não me surpreende em absoluto, porque são tantas as *conference calls* medíocres e horríveis, que poderíamos discuti-las um dia inteiro! É uma pena, porque essa ferramenta é menos utilizada que o e-mail, mas é mais eficaz por proporcionar à equipe de trabalho a colaboração direta e imediata.

O objetivo dessas dicas sobre as *conference calls* é ajudar você a entender quais podem ser os aspectos negativos e positivos da ferramenta, o que deve ser evitado, mas, sobretudo, eu gostaria de oferecer dicas específicas para tornar a sua *conference call* convidativa, eficaz e bem-sucedida, fazendo, assim, bom uso do tempo disponível.

2. How it is done

Aí vão algumas dicas de como agir da maneira correta e evitar alguns erros. Ou seja, o que fazer e o que não fazer!

Procure um ambiente tranquilo

As *conference calls* podem ser muito barulhentas e ruídos de fundo podem distrair os participantes. Feche a porta, fale ao telefone em um lugar tranquilo (se necessário, cubra-o com o paletó!) ou faça algo para afastar o barulho. Além disso, tente não folhear papéis, mastigar alto, sorver o café, roncar, digitar, mascar chiclete ou produzir qualquer outro som ou ruído! Se possível, desligue o toque das chamadas em espera, para que pequenas interferências como essas não provoquem interrupções.

Nomeie um moderador

Toda reunião deve ter um *leader* e uma conferência por telefone não é diferente. Uma pessoa deve administrar a chamada. Geralmente cabe ao escolhido manter tudo sob controle e evitar o caos.

Conference Calls

Use a voz, e não os olhos
Trata-se de uma *conference call!* Em uma reunião presencial, é fácil olhar nos olhos da outra pessoa e sentir a conversa, para responder da maneira mais conveniente, baseando-se nos indícios que podem ser obtidos com a pessoa ali na sua frente. Em uma *conference call*, no entanto, não existe essa possibilidade. Você tem apenas a voz, por isso deve sempre perguntar a opinião do seu interlocutor. Com voz forte, fale devagar e use palavras comuns e bem articuladas. Dite o ritmo da chamada e os demais acompanharão você.

Espere sua vez
Não se esqueça do que aprendeu com sua mãe ou com os professores: mesmo que tenha vontade de dizer algo, espere sua vez e resista à tentação de começar a falar. Há duas razões para isso: em primeiro lugar, é uma simples questão de gentileza, de respeito pelo bom andamento da reunião e também pelos próprios colegas. Em segundo lugar, alguns telefones, alto-falantes ou microfones permitem que apenas uma pessoa fale por vez: se você falar sobre a voz de outra pessoa, estará inconscientemente correndo o risco de cortar parte de sua própria exposição/explicação/frase.

Respeite a pauta
Siga a pauta, que deve ser preparada com antecedência. Para todas as *conference calls*, prepara-se um *checklist* que deve ser respeitado, para garantir que todos os itens programados sejam discutidos. E não se esqueça de enviar a pauta a todos os participantes, antes da reunião, por fax ou e-mail. Até mesmo uma pauta de *last minute* é melhor que nada.

Presentations
Começa o espetáculo

2.1.7

Sendo ator, estou ciente de que minha formação teatral é muito importante na hora de ajudar os executivos a prepararem suas *presentations*. Como em um espetáculo, você precisa se comunicar com todos de modo claro, elegante e divertido.
Aí vão dez dicas para ajudar você a obter bons resultados em uma apresentação:

1. Não faça uso excessivo do **material visual** à disposição, como cartazes, gráficos e *slides*. Quaisquer que sejam as imagens disponíveis, elas devem ser simples, com pouco texto. O público não está ali para ler os *slides*, mas para escutar sua apresentação.

2. Olhe para o **público**. Se alguém perguntar para onde se deve olhar durante uma apresentação, a solução estará bem diante de seus olhos. Não se concentre apenas em uma pessoa, procure estabelecer contato visual com várias pessoas no ambiente. Fazendo isso, você não vai isolar os demais e não correrá o risco de perder a atenção de parte da plateia.

3. Mostre sua **personalidade**. Não importa se você está diante de um bando de executivos ou de alguns idosos: é preciso mostrar um pouco de caráter durante a apresentação.

4. Faça-os **rir**. Mesmo que esteja ali para ensinar ou explicar algo (importante) ao público, é necessário fazer que a plateia se divirta. Desse modo, você terá sempre a atenção deles e os conceitos transmitidos em sua apresentação serão mais facilmente assimilados e memorizados.

5. Fale com o público, e não para o público. **Interaja** com as pessoas, estabeleça um diálogo: uma maneira simples de conseguir isso é fazer perguntas e também estimular a plateia a fazê-las.

6. Seja honesto(a). Diga sempre o que deve dizer, e não o que o público precisa ouvir. Assegure-se de dizer a **verdade**: vão respeitar e confiar mais em você por conta disso.

7. Não exagere na **preparação**. Não há dúvida que você terá de se preparar bastante para saber exatamente o que dizer, mas, ao mesmo tempo, faça de tudo para sua apresentação soar natural, e não recitada ou decorada.

8. Movimente-se. Ao falar, **gesticule** e imponha um certo **ritmo** (sem exageros). Lembre-se de que ninguém gosta de ficar olhando para uma estátua: as pessoas se comprometem e se envolvem mais com um *speaker* "animado".

Presentations

9. Fique atento(a) às **reações** do público. Geralmente não se notam expressões do tipo "uhm!", "ah!" ou outras manifestações inúteis, mas a plateia as produz. Às vezes são irritantes. Não desanime e prossiga.

10. Seja único. Se não fizer algo de **único** em comparação com outros palestrantes, o público não vai se lembrar de você. Tente fazer algo único e inesquecível.

1. A funny start

Quando começar uma apresentação, **sorria**. Sorrisos transmitem simpatia. Não tenha medo de começar com uma piada para deixar o público à vontade. Assisti a *presentations* de alguns dos melhores e mais importantes executivos do mercado, e os mais lembrados são aqueles que começam fazendo o público rir. Fazendo espetáculos de *stand-up comedy*, aprendi que as pessoas apreciam muito a ironia e a autoironia.

No que diz respeito ao inglês, procure usá-lo do modo mais simples e coloquial possível (o público irá agradecer!).

Aí vão alguns exemplos de piadas que podem ser usadas para quebrar o gelo. São todas minhas, mas você tem autorização para usá-las:

- Hello everyone, my presentation today is clear and well organized. Unlike my English! (Olá a todos. Minha apresentação de hoje será clara e bem organizada. Diferente do meu inglês!)

- If you have any questions, please ask at the end, I don't guarantee I can answer them, but ask anyway. (Se vocês tiverem dúvidas, por favor, perguntem no final. Não garanto que eu consiga respondê-las, mas perguntem mesmo assim.)

Para os corajosos, esta é de arrebentar a boca do balão:

- Somebody advised me to take a theatre course to improve my presentation skills so I did. The problem is it specialized in musicals... I don't think it helped much with my presentation, but I can sing you a song at the end. (Alguém me aconselhou a fazer um curso de teatro para melhorar minhas apresentações. O problema é que a especialidade do curso eram os musicais... Não sei se ajudou muito, mas posso cantar para vocês no final.)

Going abroad

2.2.1 **Bookings**
Flights
Trains
Hotels
Restaurants

2.2.2 **Places and Directions**

2.2.3 **Travel**

2.2.4 **Eating out**

Se você for ao exterior a trabalho, de férias ou simplesmente para praticar seu inglês, estas dicas certamente serão úteis.

Bookings   2.2.1
Começando bem...

Ao planejar ou programar uma viagem ao exterior, é muito importante começar com o pé direito ou pelo menos saber o básico para cuidar do transporte e da hospedagem, pedir o jantar, não correr o risco de dormir no ônibus, de reservar uma mesa na área de fumantes se você não suporta cigarro ou de passar a lua de mel em um quarto de albergue com vinte beliches, você e sua cara-metade...

1. Flights
O melhor método para saber como se deve reservar um voo é simular uma conversa com o funcionário da companhia aérea. Preste atenção ao diálogo que preparei para você!

Y = *you*
TA = *travel agency* (agência de viagem)

Y: Hello, I'd like to know if there are any flights to London this Tuesday.
Olá, gostaria de saber se há algum voo para Londres nesta terça.

TA: Yes, there is one at 10,00 a.m. and one at 3 p.m.
Sim, há um às 10h e outro às 15h.

Y: And how much are they?
E quanto custam?

TA: They both cost the same: 200 Euros one way or 300 Euros return (or round trip).
Ambos custam o mesmo: 200 euros só a ida ou 300 euros ida e volta.

Y: Okay, I'd like to book two seats on the 10.00 a.m. flight, please.
Ok, eu gostaria de reservar dois lugares no voo das 10h, por favor.

TA: Sorry, but there are no seats available on that flight.
Desculpe, mas não há assentos disponíveis nesse voo.

Y: So why did you mention it?! Ok, two tickets on the later flight.
Então por que você o mencionou?! Ok, duas passagens para o outro voo.

Bookings

TA: Hey, relax!
Ei, calma!

Y: You relax!
Calma, você!

TA: Thank you for choosing Hooligan Airlines.
Obrigado por ter escolhido a Hooligan Airlines.

By

Ao viajar, para dizer qual é o meio de transporte que está utilizando, use sempre a preposição *by* + o transporte.
By car, *by ship*, *by train*... (de carro, de navio, de trem).

Bokings

2. Trains

Proponho outro diálogo, desta vez para reservar uma viagem de trem: imagine que você tem de partir e precisa de um bilhete para Londres.

Y = *you*
C = *clerk* (atendente)

Y: What time does the next train to London leave?
A que hora parte o próximo trem para Londres?

C: At 4 p.m., from platform 8.
Às 16h, da plataforma 8.

Y: Is it a direct train to London?
É direto para Londres?

C: No, you have to change trains at Birmingham.
Não, você tem de trocar de trem em Birmingham.

Y: I see. One ticket to London, please.
Entendi. Um bilhete para Londres, por favor.

C: One way or return, sir?
Só ida ou ida e volta, senhor?

Y: One way, please.
Só ida, por favor.

C: 64 pounds, please.
64 libras, por favor.

Y: Here you are.
Aqui está.

Bookings

3. Hotels

Para reservar um quarto de hotel, é necessário estar bem preparado: muitas vezes, os recepcionistas podem deixar você confuso, não ser muito gentis ou até mesmo, em vez de ajudar, tentar enganar você! Por isso, darei dois exemplos que podem ser úteis, pois incluem coisas fundamentais das quais talvez você precise.

Y = *you*
R = *receptionist*

Y: Hello, is this the King George Hotel?
Olá, este é o hotel King George?

R: Yes, sir, how can I help you?
Sim, senhor, como posso ajudá-lo?

Y: I'd like to know if you have a double room available for one week from Friday the 13th to Friday the 20th.
Eu gostaria de saber se vocês têm um quarto de casal disponível para uma semana, de sexta-feira, dia 13, até sexta-feira, dia 20.

R: Just a minute, let me check...
Só um minuto, deixe-me ver...

(pausa)

R: Yes, we do have a room available, Sir.
Sim, nós temos um quarto disponível, senhor.

Y: Great, and how much does it cost per night?
Ótimo, e quanto é a diária?

R: 200 pounds, Sir.
200 libras, senhor.

Bookings

Y: Are you crazy?
Você pirou?

R: You are Brazilian, aren't you?
O senhor é brasileiro, não é?

Y: Does the room have a shower or a bath tub/minibar/balcony?
O quarto tem chuveiro ou banheira/frigobar/sacada?

R: It has a shower and a minibar, but no balcony.
Tem chuveiro e um frigobar, mas não tem sacada.

Darei agora o exemplo de uma conversa telefônica, para o caso de você precisar reservar o hotel antes de partir. Assim você não corre o risco de ter uma surpresa desagradável e não encontrar um lugar para dormir!

R: Good afternoon, Sunny London Hotel. May I help you?
Boa tarde, hotel Sunny London. Posso ajudar?

Y: Yes. I'd like to book a room, please.
Sim. Eu gostaria de reservar um quarto, por favor.

R: Certainly. When for, madam?
Certamente. Para quando, senhora?

Y: March the 23rd, 24th and 25th.
Para os dias 23, 24 e 25 de março.

R: How long will you be staying?
Vai ficar por quanto tempo?

Y: Three nights.
Três noites.

R: What kind of room would you like, madam?

Bookings

Gostaria de qual tipo de quarto, senhora?

Y: Er... double with a bath tub, please.
Hum... de casal e com banheira, por favor.
R: Certainly, madam. I'll just check what we have available... Yes, we have a room on the 4th floor with a really splendid view.
Claro, senhora. Vou verificar o que temos disponível... Sim, temos um quarto no quarto andar com uma vista magnífica.

Y: Fine. How much does it cost per night?
Ótimo. Quanto é a diária?

R: Would you like breakfast?
Gostaria de incluir o café da manhã?

Y: No, thanks.
Não, obrigada.

R: It's 84 pounds per night, excluding VAT.
São 84 libras por noite, sem IVA.

Y: That's fine.
Tudo bem.

R: Who's the booking for, please, madam?
Faço a reserva em nome de quem, senhora?

Y: BARROS, that's B-A-R-R-O-S.
BARROS, é B-A-R-R-O-S.

R: Okay, so, a double with bath tub for March the 23rd, 24th and 25th. Is that correct?
Ok, então, um quarto de casal com banheira para os dias 23, 24 e 25 de março. Correto?

Y: Yes, it is. Thank you.
Sim, obrigada.

R: Let me give you your booking number. It's: 7576385. I'll repeat that: 7-5-7-6-3-8-5. Thank you for choosing Sunny London Hotel and have a nice day. Bye.
Deixe-me dar o seu número de reserva. É 7576385. Vou repetir: 7-5-7-6-3-8-5.

Bookings

Obrigada por escolher o hotel Sunny London e tenha um ótimo dia. Tchau.

Y: Bye.
Tchau.

4. Restaurants
E depois de ter reservado o hotel, tendo assegurado um teto e uma cama confortável, você pode pensar tranquilamente em encher a pança...

Y = *you*
MPP = *Mario's Pizza Palace*

Y: Hello? Is that Mario's Pizza Palace?
Alô? É do Mario's Pizza Palace?

MPP: Yes, Sir, good evening.
Sim, senhor, boa noite.

Y: Good evening. I'd like to book a table for one, please.
Boa noite. Eu gostaria de reservar uma mesa para uma pessoa, por favor.

MPP: Certainly, Sir, for what time?
Claro, senhor, para que horário?

Y: For 8 o'clock, please.
Para as 20h, por favor.

MPP: Ok, that's fine, and your name, please?
Ok, tudo bem, e o seu nome, por favor?

Y: Popular, Mr. Popular. That's P-O-P-U-L-A-R.
Popular, sr. Popular. É P-O-P-U-L-A-R.

MPP: Ok, your table for only one person will be ready at 8, Mr. Popular.
Ok, sua mesa para apenas uma pessoa estará pronta às 20h, sr. Popular.

Bookings

M.U.Q.

More Useful Questions

Excuse me, where is the…?
Com licença, onde é/fica…?

How far is the "x" from here…?
Qual é a distância daqui até "x"…?

At what time does the "x" close/open?
A que hora "x" fecha/abre?

Places
and Directions

2.2.2

Como chegar ao seu destino

Y: Thank you. Bye.
Obrigado. Tchau.

MPP: Bye, Sir.
Até logo, senhor.

Se você está no exterior e precisa chegar a um determinado lugar, certamente vai ter de pedir informações para poder seguir na direção correta. Lembre-se de que essa é uma ótima maneira de testar seu conhecimento da língua inglesa.

T = *tourist*
P = *policeman*

T: Excuse me! Where is Buckingham Palace, please?/How do I get to Buckingham Palace, please?
Com licença! Onde fica o Palácio de Buckingham, por favor?/Como faço para chegar ao Palácio de Buckingham, por favor?

P: Go straight on, turn left at the traffic lights, straight on for about 50 meters, then turn right and you can't miss it.
Siga em frente, vire à esquerda no semáforo, continue em frente por cerca de cinquenta metros, depois vire à direita e você vai vê-lo.

Em seguida, vejamos como seria se eu tivesse de pedir orientações a um transeunte, e não a um policial ou servidor público.

T = *tourist*
E = *Englishman*

T: Excuse me, where can I find a post office?
Com licença, onde posso encontrar uma agência dos correios?

E: It is far from here; you need to take a bus.
É longe daqui: você precisa pegar um ônibus.

T: Which bus and where can I take it?
Qual é o ônibus e onde posso pegá-lo?

E: The 33, the bus stop is at the end of the road.
O 33, o ponto de ônibus fica no final da rua.

T: And how much is the ticket?
E quanto é o bilhete?

Places and Directions

E: About 1 pound.
Cerca de 1 libra.

T: And where can I buy the ticket?
E onde posso comprar o bilhete?

E: You pay on the bus.
Você paga no ônibus.

T: Why?
Por quê?

E: *Stop!* No more questions! I am very late for work!
Pare! Chega de perguntas! Estou muito atrasado para o trabalho!

T: What is your job?
Qual é o seu trabalho?

E: AAaaaggrhhhhrr!

O exemplo que acabamos de ver reproduz uma situação quo podoria aconte-cer com você, mas tenho certeza de que já presenciou ao menos uma vez as circunstâncias do exemplo que veremos a seguir. Talvez não só já tenha ouvido como também participado de um diálogo como este...

T: Excuse me, where can I find a post office?
Com licença, onde posso encontrar uma agência dos correios?

E: Sorry, I'm not from around here.
Desculpe-me, eu não sou daqui.

Places and Directions

Lugares

agência dos correios	post office
museu	museum
banco	bank
delegacia de polícia	police station
hospital	hospital
farmácia	chemist's
loja	shop
restaurante	restaurant
escola	school
igreja	church
banheiro	bathroom
rua	street
praça	square
montanha	mountain
colina, morro	hill
vale	valley
lago	lake
rio	river
piscina	swimming pool
torre	tower
ponte	bridge

Places and Directions

Vamos traduzir!

Words

		Verbs	
second	segundo(a)	to take	pegar
until	até	to turn	virar
traffic lights	semáforo	to go straight on	ir/seguir em frente
roundabout	rotatória	to drive	dirigir
island	ilha		
first	primeiro(a)		

Diálogo entre um turista e um inglês

T: Com licença! Onde fica o Palácio de Buckingham, por favor?

E: Daqui?

(É irritante, mas em Londres fazem realmente essa pergunta. Incrível... Resista à tentação de responder: "Não, da minha casa lá no Brasil!".)

T: Sim, daqui.

E: Ok, siga em frente, depois pegue a segunda rua a direita, vá em frente até ver um semáforo, no semáforo vire à esquerda e vá direto até chegar a uma rotatória. Dali, pegue a primeira à esquerda, depois pergunte de novo.

T: Perfeito, obrigado!

E sempre tem o velhinho simpático que, à sua pergunta, responderá:

It's where it has always been! Ah Ah Ah! Está onde sempre esteve! Rá, rá, rá!

Não diga que eu não avisei.

Travel

2.2.3

Segredos de viagem

Take

Quando indicamos quanto tempo dura uma viagem, seja curta ou longa, usamos o verbo *to take*.

Leva uma hora para chegar a Londres.
It takes one hour to get to London.
O voo durou duas horas.
The flight took two hours.
Levamos vinte minutos para chegar.
We took twenty minutes to arrive.
O navio levou duas semanas para chegar aqui.
The ship took two weeks to get here.

Travel

Vamos traduzir!

Words

air	ar
airport	aeroporto
check-in	check-in
flight	voo
landing	aterrissagem
plane	avião
destination	destino
journey	viagem
passenger	passageiro
route	rota
captain	capitão
crew	tripulação
trip	viagem curta
luggage	bagagem
land	terra
bike	bicicleta
bus	ônibus
car	carro
motorbike	motocicleta
train	trem
motorway	autoestrada
train station	estação de trem
underground/tube	metrô
road	estrada; rua
traffic	tráfego
traffic lights	semáforo
boat	barco
coast	costa
ferry	balsa
port	porto
sea	mar
ship	navio

Verbs

to board	embarcar
to check in	fazer o check-in
to fly	voar
to land	aterrissar
to take off	decolar
to travel	viajar
to stop	parar

Phrasal verbs

to get ready	preparar-se; aprontar-
to get on	subir
to get off	descer

Travel

Os belíssimos homens de Birmingham (Diário de Alice)

Às seis da manhã, estávamos prontos e chamamos o táxi.
Havia muito trânsito na estrada e levamos [it took us] vinte minutos para chegar à estação de trem.
Pegamos os bilhetes e o trem chegou dez minutos depois.
O trem parou em sete estações antes de chegar à estação central.
Dali, pegamos o ônibus para o aeroporto.
Levamos três minutos para entrar no ônibus com toda a nossa bagagem.
Depois de trinta e cinco minutos, descemos do ônibus em frente ao aeroporto.
Levamos quinze minutos para fazer o check-in.
Nosso avião aterrissou em Londres às onze horas.
Em Londres, pegamos o metrô para irmos ao hotel.
Na recepção, eu perguntei:
"Bom dia, há um quarto de casal, por favor?"
"Com certeza. Quanto tempo ficarão?"
"Só esta noite, obrigada."
"Ok, temos um quarto com chuveiro por cem libras a diária."
"Ok, tudo bem, obrigada."
No dia seguinte, pegamos um trem para o destino do meu coração, Birmingham. A cidade de Birmingham fica no centro da Inglaterra e é famosa por seus homens, que são todos bonitos e inteligentes... e por seu fantástico time de futebol.
Depois do paraíso de Birmingham, pegamos um trem para a costa. Próximo destino: Irlanda.
No litoral pegamos uma balsa para a Irlanda.
O mar estava calmo e bonito.
No porto, descemos da balsa e passeamos o dia todo.
Naquela noite, voltamos para o continente e eu dormi no avião, sonhando com os belíssimos homens de Birmingham.

Eating **Out** 2.2.4
E não só pizza!

Como se sabe, nós ingleses somos famosos em todo o mundo por três coisas:
- the Beatles,
- os belíssimos homens de Birmingham,
- nossa deliciosa culinária.

Sendo assim, é muito importante saber pedir uma refeição...
Vamos simular uma situação em que você e um convidado entram em um restaurante.

Y = you
P = your partner
W = waiter (garçom)

Y: Good evening, a table for two, please.
Boa noite, uma mesa para dois, por favor.
(ou, se já tiver uma reserva: Good evening. I reserved a table for two, under the name Bezerra/Boa noite. Eu reservei uma mesa para dois, em nome de Bezerra.)

W: Of course, I'll show you to your table.
Claro, vou mostrar a vocês sua mesa.

W: Can I get you something to drink, while you read the menu?
Posso lhes trazer algo para beber enquanto olham o cardápio?

Y: Yes, thank you. I'll have a glass of white wine.
Sim, obrigado. Eu vou querer uma taça de vinho branco.

W: Sweet or dry?
Suave ou seco?

Y: Dry, thank you.
Seco, obrigado.

P: And I'll just have a glass of mineral water, please.
E eu vou querer um copo de água mineral, por favor.

W: Sparkling or still?
Com gás ou sem gás?

P: Still, thank you.
Sem gás, obrigada.

E agora vocês estão prontos para fazer o pedido...

Eating Out

Starter (entrada)

W: What will you have for your starter, Sir?
O que vai querer como entrada, senhor?

Y: I'll have the prawn cocktail, please.
Vou querer o coquetel de camarão, por favor.

P: Just a salad for me, please.
Para mim só uma salada, por favor.

Main course (prato principal)

W: And for your main course?
E como prato principal?

Y: What do you recommend?
O que você sugere?

W: I recommend a different restaurant!
Eu sugiro outro restaurante!

Y: Ah Ah Ah! No, but seriously…
Rá, rá, rá! Não, falando sério...

W: The fish, it is very fresh, today.
O peixe está superfresco hoje.

Y: Then I will have the fish and chips!
Então vou querer peixe e batata frita!

W: Very good, Sir!
Muito bom, senhor!

P: I'll have a steak with vegetables, please.
Eu vou querer filé com legumes, por favor.

W: Certainly, and how would you like your steak cooked? Rare, medium or well done?
Claro, e como vai querer o filé? Malpassado, no ponto ou bem passado?

Eating **Out**

P: Rare, please.
Malpassado, por favor.

(Nós, ingleses, usamos *please* com muita frequência, mesmo para coisas banais. É importante inseri-lo em todo e qualquer pedido, para não parecer mal-educado.)

Dessert (sobremesa)

W: Dessert?
Sobremesa?

Y: I'll have a slice of cheesecake.
Eu vou querer uma fatia de torta gelada/cheesecake.

P: And I'll have the apple pie with cream.
E eu vou querer torta de maçã com chantilly.

W: Enjoy your meal!
Bom apetite!

Por fim...

Y: Excuse me, could I have the bill, please?
Com licença, poderia trazer a conta, por favor?

W: Certainly, Sir. How would you like to pay?
Claro, senhor. Como gostaria de pagar?

Y: Credit card? Cash?
Cartão de crédito? Dinheiro?

W: That's fine.
Está bem.

Y: Could I have a receipt?
Você poderia me dar o recibo?

W: Certainly, Sir.
Com certeza, senhor.

Eating Out

Food and drink

comida	food
pão	bread
café	coffee
chá	tea
suco	juice
sal	salt
pimenta	pepper
bife	beef
carne de porco	pork
peixe	fish
frango	chicken
legumes; verduras	vegetables
batatas	potatoes
cenouras	carrots
ervilhas	peas
batatas fritas	chips
salada	salad
fruta	fruit
maçã	apple
laranja	orange
pera	pear
abacaxi	pineapple
morango	strawberry
banana	banana
toranja	grapefruit
melancia	water melon
melão	melon
sobremesas	desserts
sorvete	ice cream
torta de maçã	apple pie
bolo de chocolate	chocolate cake
torta gelada/cheesecake	cheesecake
pavê inglês	trifle
pudim	pudding

INSTANTENGLISH

Situations and Words

Real life

Idioms

Real
Life

3.1.1 **Shopping**
Grocery
Clothes
3.1.2 **Jobs**
3.1.3 **Money**
3.1.4 **Weather**
3.1.5 **Places**

Já mostrei os macetes para você usar o inglês no trabalho e se virar no exterior por um breve período, durante viagens de lazer ou negócios. Mas você acha que está pronto(a) para realizar suas atividades cotidianas em inglês? Saberia comprar o jornal ou um par de calças? Conseguiria fazer compras no supermercado ou conversar sobre o tempo? Vejamos...

Shopping   3.1.1
O "esporte preferido" de toda mulher!

No tempo das cavernas, o homem saía para caçar enquanto as mulheres saíam em grupos para procurar frutas, verduras e objetos para decorar a caverna. As coisas não mudaram muito. Mas a mulher, quando sai para fazer compras, nunca deve levar o marido! Para a moça começar com o pé direito, vamos ver primeiro os nomes das lojas e os produtos que elas vendem!

'S

Para dizer que se vai comprar pão na padaria, podemos usar o substantivo *bakery*, que é a loja em si, ou *baker's* ([a loja] "do padeiro"). É um dos vários usos do **genitivo**, que, quando se segue a uma profissão, faz que ela adquira o significado de loja ou lugar onde a profissão geralmente é desenvolvida ou exercida.

Different shops

chemist's/[loja do] farmacêutico; farmácia
I buy my medicine AT the chemist's. (Compro meu remédio na farmácia.)

clothes shop/loja de roupas
My wife can walk around in the clothes shop for five hours and she doesn't get tired! (Minha esposa pode circular em uma loja de roupas por cinco horas e não ficar cansada!)

laundrette/lavanderia
When my wife is angry, I have to wash my clothes in the local laundrette. (Quando minha esposa está brava, eu tenho de lavar minhas roupas na lavanderia mais próxima.)

newsagent's/jornaleiro; banca de jornal
I buy my newspapers and sweets AT the local newsagent's. (Compro jornais e doces no jornaleiro mais próximo.)

hairdresser's/cabeleireiro(a); salão de cabeleireiro
My Mom goes to the hairdresser's every Saturday afternoon, so she looks nice in the evening. (Minha mãe vai ao cabeleireiro todos os sábados à tarde, por isso ela está bonita à noite.)

Shopping

greengrocer's/verdureiro; quitanda; sacolão
I get my greens from the greengrocer's; they don't cost much, there. (Compro verduras no verdureiro: não custam muito lá.)

post office/agência dos correios
There are always many people waiting to send letters in the post office. Há sempre muitas pessoas esperando para enviar cartas na agência dos correios.)

barber's/barbeiro; barbearia
I go to the barber's to talk about football and to have my hair cut. (Vou ao barbeiro para falar de futebol e cortar o cabelo.)

off license/adega comercial
In the off license, you can buy beer all day! (Na adega comercial, pode-se comprar cerveja o dia inteiro!)

bookshop/livraria
I bought a book in the bookshop about how to have a nice garden with minimum effort. (Comprei um livro em uma livraria sobre como ter um jardim bacana com o mínimo de esforço.)

hardware store/loja de ferragens; loja de ferramentas
I need to go to the hardware store to buy a drill. (Preciso ir à loja de ferramentas para comprar uma furadeira.)

general store/empório
The general store has practically everything! (O empório tem praticamente tudo!)

shoe shop/loja de sapatos
I have nothing to say about the shoe shop; it is a terrible place! (Não tenho nada a dizer sobre a loja de sapatos: é um lugar horrível!)

sports shop/loja de artigos esportivos
I buy my trainers here. (Compro os meus tênis aqui.)

butcher's/açougueiro; açougue
My wife likes to go to the butcher's because she imagines that it's me hanging from the ceiling. (Minha mulher gosta de ir ao açougue porque ela imagina que sou eu pendurado no teto.)

baker's/padeiro; padaria
I love the smell of fresh bread in the baker's! (Adoro o cheiro de pão recém-saído do forno na padaria!)

Shopping

Shopping centre

cash point	caixa eletrônico
money	dinheiro
bank account	conta bancária
shop	loja
customer	cliente
cashier	operador(a) de caixa
shop assistant	vendedor
till	caixa (o balcão onde se paga)
wallet	carteira masculina
purse	bolsa; carteira feminina
shelf/shelves	prateleira(s)
trolley	carrinho
parking lot	estacionamento
lift	elevador
bag	bolsa; sacola
changing room	provador
cheque/check	cheque
cash	dinheiro (em espécie)
coin	moeda
credit card	cartão de crédito
clothes	roupas
tear	lágrima
by the time	quando; no momento em que
full	cheio

Verbs

to withdraw	sacar
to pay	pagar
to push	empurrar
to fill	encher
to empty	esvaziar

Shopping

1. Grocery

Vamos fazer compras...

Vamos traduzir!

Words		Verbs	
supermarket	supermercado	to show	mostrar; exibir
since	desde	to find	achar; encontrar; procurar
shopping list	lista de compras		
salad	salada	to laugh	rir
vegetables	verduras	to suffer	sofrer
fruit	frutas	to queue	fazer fila
apples	maçãs		
bananas	bananas		
the only thing	a única coisa		
food	comida		
detergent	detergente		
soap	sabão; sabonete		
queue	fila		
torture	tortura		
beef	bife		
sausages	linguiça		
fish	peixe		
cake	bolo		

Shopping

Grocery shopping

Desde que começaram a exibir *Dr. House* à tarde, eu tenho de fazer compras.
Peguei a lista de compras e fui ao supermercado.
Enquanto eu estava pegando o carrinho, olhei a lista. "Ok, a primeira coisa é a salada, depois as verduras."
Eu não conseguia encontrar as frutas, então perguntei a outro homem. Ele riu.
Quando achei as frutas, peguei duas maçãs e duas bananas.
Em seguida, peguei carne, bife, linguiça e peixe.
Em seguida, a única coisa que me interessava: um bolo.
Não havia mais comida na lista.
Agora eu tinha de procurar o detergente e o sabão. Sem problema.
Quando o carrinho estava cheio, eu entrei na fila do caixa.
Onde moro, eles não gostam muito de fazer fila. Eles realmente sofrem (com isso). É uma tortura para eles.
Para mim, fazer compras é que é uma tortura. Fico feliz quando estou na fila porque acabei de fazer compras.

Wearing

Em inglês se diz *I am wearing a shirt*, exatamente como em português, "estou vestindo uma camisa", porque, nesse contexto, o verbo *to wear* é usado no *presente continuous*, mesmo que, na verdade, nenhuma ação esteja acontecendo no momento em que se fala!

Shopping

2. Clothes

Vamos voltar ao guarda-roupa...

Dressing		Verbs	
clothes	roupas	to put on	vestir; pôr (roupa ou acessório); calçar
lingerie	lingerie, roupa íntima	to take off	tirar
bikini	biquíni	to wear	vestir; usar; calçar
socks	meias	to get dressed	vestir-se; arrumar-se
blouse	blusa	to get undressed	despir-se
hat	chapéu	to try on	provar (uma roupa)
shirt	camisa	to decide	decidir
coat	casaco		
cardigan	cardigã		
tights	meia-calça		
suit	terno		
tie	gravata		
jacket	paletó; jaqueta		
skirt	saia		
jeans	calça jeans		
jumper	suéter		
t-shirt	camiseta		
underpants	cueca		
knickers	calcinha		
trousers	calças		
bra	sutiã		
dress	vestido		
wardrobe mistress	figurinista		
except	exceto		
ready	pronto		
enormous	enorme		

Shopping

Examples:

Jane is wearing a red hat. (Jane está usando um chapéu vermelho.)

He wore black trousers at the wedding. (Ele usou calças pretas no casamento.)

I will wear my best shirt for the party. (Vou vestir minha melhor camisa para a festa.)

John is putting on his shoes. (John está calçando os sapatos.)

It was cold, so we put on our coats. (Estava frio, então vestimos nossos casacos.)

They will put on their hats at the funeral. (Eles vão usar os chapéus no funeral.)

Take off your tie! You're not in the office! (Tire a gravata! Você não está no escritório.)

Did she take off her bra on the beach? (Ela tirou o sutiã na praia?)

I will take off my shoes in the new house. (Vou tirar meus sapatos na casa nova.)

I will be there in ten minutes. I am still getting dressed. (Estarei lá em dez minutos. Eu ainda estou me arrumando.)

I got dressed in five minutes; she got dressed in thirty five minutes! (Eu me vesti em cinco minutos; ela se vestiu em trinta e cinco minutos!)

Will you get dressed to answer the door, please? (Quer se vestir para atender a porta, por favor?)

She tried on every pair of trousers in the shop! (Ela provou todas as calças na loja!)

I am trying on a new coat. (Estou provando um casaco novo.)

Will you try on this new shirt I bought for you? It might be too long. (Quer provar esta camisa nova que comprei para você? Pode ser que fique muito comprida.)

Jobs 3.1.2
O que você vai ser quando crescer?

Em primeiro lugar, quero explicar a diferença entre *work* e *job*. *Job* é o emprego, a atividade que você exerce em troca de um salário. Por *work* entende-se o trabalho que se realiza, ou seja, as tarefas das quais você se ocupa no decorrer de seu *job*.

Examples:
What do you do?
I am a policeman; that is my job.

What do you do in your job?
I work with other policemen to keep public order.

Different Jobs

accountant/contador(a)
An accountant sorts out my money and taxes. He works in an office. (Um contador se ocupa do meu dinheiro e dos impostos. Ele trabalha em um escritório.)

baker/padeiro
The baker makes bread and we buy it in the morning. He works in a bakery. (O padeiro faz o pão que compramos de manhã. Ele trabalha em uma padaria.)

barman **or** barmaid/a(o) bartender ou a(o) barista
The barman serves drinks in the pub. - He is my hero! - He works in a pub. (O barman serve drinques no bar. Ele é meu herói! Ele trabalha em um bar.)

builder/pedreiro
The builder builds buildings and houses. He works on a building site. (O pedreiro constrói prédios e casas. Ele trabalha em um canteiro de obras.)

butcher/açougueiro(a)
The butcher prepares and sells meat. She works in a butcher's. (A açougueira prepara e vende carne. Ela trabalha em um açougue.)

chef/chef de cozinha
The chef prepares and cooks food. She works in a kitchen. (A chef prepara e cozinha os alimentos. Ela trabalha em uma cozinha.)

cleaner/faxineiro(a)
The cleaner cleans. He/She works in offices, bars and houses. (O faxineiro limpa. Ele(a) trabalha em escritórios, bares e casas.)

Jobs

dentist/dentista
The dentist looks after people's teeth. He works in a dentist's. (O dentista cuida dos dentes das pessoas. Ele trabalha em um consultório odontológico.)

doctor/médico
The doctor looks after people's health. She works in a hospital or surgery. (A médica cuida da saúde das pessoas. Ela trabalha em um hospital ou consultório médico.)

fireman/bombeiro
The fireman extinguishes fire. He works in a fire station and in buildings. (O bombeiro apaga o fogo. Ele trabalha em um posto de bombeiros e em edificações.)

hairdresser/cabeleireiro(a)
The hairdresser cuts and styles people's hair. He works in a hairdresser's. (O cabeleireiro corta e arruma o cabelo das pessoas. Ele trabalha em um salão.)

judge/juiz; juíza
The judge judges and sentences people. She works in a court. (A juíza julga e sentencia as pessoas. Ela trabalha em um tribunal.)

lawyer/advogado(a)
The lawyer defends and prosecutes people. He works in a court and in his office. (O advogado defende e processa pessoas. Ele trabalha em um tribunal e em seu escritório.)

nurse/enfermeiro(a)
The nurse looks after patients. She/He works in a hospital. (A(O) enfermeira(o) cuida dos pacientes. Ele(a) trabalha em um hospital.)

policeman/policial
The policeman keeps public order. He works in the police station and in the city. (O policial mantém a ordem pública. Ele trabalha na delegacia de polícia e na cidade.)

plumber/encanador(a)
The plumber sorts out problems with the water system. He works in all types of buildings. (O encanador resolve problemas com o sistema hidráulico. Ele trabalha em todos os tipos de edificações.)

postman or postwoman/carteiro(a)
The postman delivers letters. He works on the streets. (O carteiro entrega cartas. Ele trabalha nas ruas.)

Jobs

receptionist/recepcionista
The receptionist receives visitors. He/She works in a reception. (O(A) recepcionista recebe os visitantes. Ele(a) trabalha em uma recepção.)

shop assistant/vendedor(a)
The shop assistant sells products and helps customers. He/she works in a shop. (O(A) vendedor(a) vende produtos e ajuda os clientes. Ele(a) trabalha em uma loja.)

secretary/secretário(a)
The secretary sorts out appointments, meetings and writes e-mails. She works in an office. (O(a) secretário organiza compromissos, reuniões e envia e-mails. Ele(a) trabalha em um escritório.)

vet/veterinário(a)
The vet looks after animals. He works in a veterinary. (O veterinário cuida dos animais. Ele trabalha em uma clínica veterinária.)

waiter **or** waitress/garçom **ou** garçonete
The waiter takes orders and brings food. He/She works in restaurants. (O garçom/A garçonete anota os pedidos e traz a comida. Ele(a) trabalha em restaurantes.)

Jobs

Vamos traduzir!

Words		Verbs	
letters	cartas	to daydream	sonhar acordado; devanear
good smell	cheiro bom; aroma	to start	começar
newspaper	jornal	to pass	passar
court	tribunal	to take on	dar trabalho a; empregar
stolen	roubado		
understandable	compreensível	to introduce	introduzir; apresentar
thief	ladrão	to escape	escapar; fugir
interview	entrevista		
system	sistema		
quote	orçamento		
sum	soma; quantia; valor		
immediately	imediatamente		
pain	dor		
compliment	cumprimento; elogio		
to pay a compliment	elogiar		
in trouble	em apuros		
fire	fogo		
hero	herói		
stairs	escada; degraus		
kind	gentil		
coward	covarde		
flames	chamas		
loser	perdedor; fracassado(a)		
tale	história; conto		

Jobs

A day out

Às sete da manhã, o carteiro chegou com três cartas.
Eram todas para minha esposa.
Às sete e meia, fui buscar pão na padaria. Gosto do cheiro de pão de manhã.
Depois, fui buscar o jornal, mas, quando entrei na banca, a vendedora não estava lá.
Peguei um jornal e estava saindo quando vi um policial.
Naquele momento, comecei a devanear.
Eu estava no tribunal, meu advogado mostrava o jornal roubado ao juiz e eu estava no meio de dois policiais.
Em seguida, meu contador falou: "Pode ser que vocês pensem que é estúpido roubar um jornal que custa só uma libra, mas é compreensível... porque o dinheiro dele acabou! E por que ele não tem dinheiro? Porque ele precisa de um emprego... E por que ele não tem um emprego?".
"Porque ele é um ladrão!", gritou o juiz.
Decidi pagar pelo jornal.
À uma da tarde, eu tinha uma entrevista para um novo emprego, por isso fui ao cabeleireiro.
Sim! Leva duas horas para arrumar meu cabelo.
Enquanto estava indo ao cabeleireiro, vi alguns pedreiros em um canteiro de obras e perguntei o que estavam construindo.
"Uma clínica veterinária", disse um pedreiro.
"E o que você faz?", perguntei.
"Sou encanador", ele me disse, "eu me ocupo de todo o sistema hidráulico."
Depois de vinte minutos, senti dor de dente, então fui ao dentista para fazer um orçamento. Ele me disse o valor e a dor passou imediatamente.

Jobs

Depois do salão do cabeleireiro, era hora do almoço e fui ao bar para uma cerveja rápida, em seguida ao restaurante.
O garçom me trouxe um prato de massa e elogiou meu cabelo.
Depois eu elogiei o chef de cozinha e fui à minha entrevista.
Enquanto entrava no prédio onde tinha a entrevista, chegou um SMS. Era meu contador.
"Se não empregam você, você está em apuros!"
Na recepção dei o meu nome e o secretário do chefe veio me receber.
No escritório do chefe eu me apresentei e ele elogiou meu cabelo.
Eu estava conversando com o chefe quando ouvi uma mulher gritar "fogo!".
O chefe chamou os bombeiros e eu, tentando ser um herói, fugi.
Quando corria escada abaixo, caí.
No hospital, a enfermeira me trouxe um jornal. Ela foi muito gentil.
Inacreditavelmente, eu estava na primeira página!
"Covarde quebra uma perna ao fugir de um prédio em chamas!"
O médico disse que eu tinha de ficar quatro dias no hospital.
Depois chegou a faxineira.
"Você é um fracassado!", ela me disse.
"Havia fogo!", respondi.
"Não porque você fugiu!", ela disse. "Porque não conseguiu colocar o açougueiro na sua historinha estúpida!".

Money 3.1.3

Dependendo do país, qual moeda vai encontrar?

Depois de escolhida a loja certa para comprar frutas, verduras, calças ou um par de sapatos, agora você vai precisar de dinheiro!

Moeda da União Europeia €
cents   centavos
euro   euro

Moeda da Grã-Bretanha
pence   centavos de libra
pound   libra (100 pence)

Moeda dos Estados Unidos
cents   centavos
dollar   dólar (100 cents)

About money

account/conta
I have nothing in my bank account. (Não tenho nada na minha conta bancária.)

bank/banco
The bank opens at five. (O banco abre às cinco.)

banknote/cédula; nota
I keep my banknotes in my wallet. (Eu guardo minhas notas na carteira.)

cash/dinheiro vivo; em espécie
I always pay in cash. (Eu sempre pago em dinheiro.)

change/troco
I gave the shop assistant one pound for the chewing gum and she only gave me four pence change! (Eu dei à vendedora uma libra pelo chiclete e ela só me deu quatro centavos de troco!)

Money

cheque **or** check/cheque
I will write a cheque/check for the new car. (Vou preencher um cheque para [pagar] o carro novo.)

cheque **or** check book/talão de cheques
I need a new cheque/check book; is the bank open? (Preciso de um novo talão de cheques. O banco está aberto?)

credit card/cartão de crédito
I need to block my credit card; I can't find it! (Preciso bloquear meu cartão de crédito: não consigo encontrá-lo!)

cash point/caixa eletrônico
Is there a cash point near the hotel? (Tem um caixa eletrônico perto do hotel?)

coin/moeda
Every English coin has the Queen's head on it. (Toda moeda inglesa tem nela a cabeça da rainha.)

PIN number/código PIN
I can never remember my PIN number! (Nunca lembro meu código PIN.)

Weather 3.1.4
Bom ou mau tempo

Agora que comprou bolsa e sapatos novos, e talvez já tenha até ido ao cabeleireiro, você deve se informar sobre a previsão do tempo, para que um pé-d'água não pegue você de surpresa...

Qual é a única coisa no mundo mais imprevisível que uma mulher? O clima na Grã-Bretanha, claro!

Meteoro- logia

Em inglês, deve-se referir ao *weather*, o tempo atmosférico, com *it*:
- It's raining, it's snowing, it's sunny;
- It rained, it snowed, it was sunny;
- It will rain, it will snow, it will be sunny.

Weather

Vamos traduzir!

Words		Temperatura	
cloud	nuvem	chilly	"friozinho"; fresco
cloudy	nublado	cold	frio
damp	úmido	freezing	enregelante
fog	névoa; neblina	hot	muito quente; muito calor
foggy	nevoento		
rain	chuva	warm	morno
rainy	chuvoso	very warm	quente
snow	neve		
snowy	nevoso; com neve		
storm	tempestade		
stormy	tempestuoso		
sun	sol		
sunny	ensolarado		
thunder	trovão		
wind	vento		
windy	ventoso; com vento		

A weekend in Great Britain

O tempo atmosférico na Grã-Bretanha é realmente maluco!
Chegamos a Londres, estava muito nublado e fazia um friozinho.
Não havia a famosa névoa de Londres.
Apenas trinta minutos depois estava chovendo, e nós estávamos sem guarda-chuva.
Mas isso não foi um problema, porque cinco minutos depois, o sol estava no céu.
Duas horas depois, chegamos a Manchester e lá nevava (estava nevoso)!
No dia seguinte, fomos à Escócia e lá estava congelante!
Nós dormimos nas montanhas e naquela noite houve uma tempestade de neve.
O dia seguinte estava muito bonito. Todas as árvores estavam cobertas de neve e estava quente. Depois do almoço chegou um vento inacreditável e vimos que todas as árvores estavam de novo verdes.
Vimos todas as quatro estações em dois dias!

Places 3.1.5

Aonde você vai?

Agora você é capaz de se deslocar livremente, comprar roupas novas, sapatos e comida, pedir informações sobre o tempo atmosférico e dar uma volta pela cidade... mas para onde?

Vamos traduzir!

Words

car park	estacionamento	milk	leite
castle	castelo	cheese	queijo
cathedral	catedral	blackberry	amora
church	igreja	vast	vasto
park	parque	at least	pelo menos
railway station	estação de trem	difficult	difícil
town hall	prefeitura	historic	histórico/a
city	cidade	soul	alma
capital	capital	sometimes	às vezes; de vez em quando
village	vilarejo		
centre	centro		
city centre	centro da cidade	**Verbs**	
suburbs	periferia; subúrbios	to live	viver; morar
beach	praia	to wash	lavar
cliff	penhasco; falésia	to win	vencer
coast	costa	to flow	fluir; correr
countryside	campo	to pick	apanhar; colher
forest	floresta		
hill	colina; morro		
lake	lago		
river	rio		
sea	mar		
seaside	litoral		
shore	orla		
stream	riacho		
woods	bosque		
near	perto		
waves	ondas		
so much	tanto; muito		
noise	barulho		

Places

Near my heart

Na Inglaterra, eu moro no campo.
Perto da minha casa há um riacho onde me lavo de manhã.
Se você seguir o riacho chegará a um rio. O rio corre por uma floresta e chega ao mar.
Gosto de ir ao litoral. Gosto de caminhar na orla com minha esposa.
As ondas fazem tanto barulho que não consigo ouvir a voz dela.
É realmente bonito.
Se olhar para cima a partir da praia, você verá o velho castelo na colina.
Perto da praia, há um pequeno vilarejo.
Atrás do vilarejo, há um bosque onde apanho amoras.
Quando era criança, eu adorava observar o mar. Tão grande, tão vasto.
Em Milão, moro na periferia, mas trabalho no centro da cidade.
Em frente ao meu escritório fica a prefeitura.
Da janela posso ver apenas carros e caos, mas pelo menos tem um parque perto da minha casa.
Em Milão, é difícil encontrar estacionamento para o carro, então vou trabalhar de trem elétrico.
Milão é uma cidade importante da Itália, mas a capital é Roma.
Roma é uma cidade histórica, porque é lá que o Liverpool venceu a Champions League.
Eu amo a Itália, mas sempre digo aos meus amigos que moram em Milão: "Vá de vez em quando ao campo, sem seu computador, sem seu celular, e viva um pouco com sua alma. Só por um fim de semana".
Mas eles nunca têm tempo.

Idioms

A
B
C
D
F-G
H
I
K-L
M
N
O
P
Q-R
S
T
U
W-Y

American english

Antes de partir para as *idioms* (expressões idiomáticas), eu gostaria de "desfazer" um mito.

É comum que me perguntem nas minhas aulas: "Mas é assim também em americano?".
Atenção, por favor:
Não existe uma língua americana!
Muitos norte-americanos talvez prefiram que as pessoas pensem que sim, mas não é verdade. Os norte-americanos certamente têm suas gírias ou maneiras peculiares de dizer algumas coisas. Por exemplo, "elevador" é *lift* no inglês britânico, mas, nos Estados Unidos, se diz *elevator*. Contudo, *elevator* é "algo que eleva", **e** isso **ainda é inglês.**

Cada região da Grã-Bretanha tem sua *slang* – assim como cada região do Brasil tem sua própria maneira de se expressar –, e o que acontece nos Estados Unidos é uma extensão desse fenômeno.
Nós, ingleses, crescemos assistindo aos desenhos animados e filmes norte-americanos, e nenhuma criança inglesa teve ou tem dificuldade para entendê-los, porque o idioma é o inglês!
Aliás, para mim é mais complicado entender o que diz um morador de Liverpool do que o dialeto de Nova York!

Essa falsa ideia de que existe uma "língua americana" ganhou tanta força que já fizeram até mesmo um dicionário de americano, que, obviamente, nada mais é que um dicionário de inglês! Repito: eles usam algumas palavras diferentes (não muitas, na verdade) e a ortografia de algumas delas diverge um pouco do padrão britânico, mas, nos Estados Unidos, fala-se a língua que estou ensinando a vocês: **o inglês feito de *idioms!***
Nós, ingleses, adoramos nossas *idioms* e as usamos com frequência. É muito importante aprender as mais conhecidas, tanto para empregá-las quanto para entender os ingleses e sua língua. Farei agora uma lista das mais relevantes!

Idioms

A

All ears

(todo ouvidos)
Equivale a: todo(a) ouvidos

Se alguém é *all ears*, quer dizer que essa pessoa está muito atenta e concentrada naquilo que outra está para dizer, porque considera o assunto muito importante.

Bob: Your idea was stupid! Sua ideia era idiota!
Kevin: Well, if you have a better idea, I'm all ears! Bom, se você tiver uma ideia melhor, sou todo ouvidos!

All hell broke loose

(todo o inferno se libertou)
Equivale a: foi um pandemônio; foi um deus nos acuda

All hell broke loose quer dizer que os demônios do inferno estão à solta, que algo realmente grave e horrível aconteceu.

Pino: What's wrong? Há algo errado?
Oliver: My wife found lipstick on my shirt and all hell broke loose. Minha esposa achou (marcas de) batom na minha camisa e foi um deus nos acuda.

Apple of one's eyes

(maçã dos olhos de alguém)
Equivale a: menina dos olhos

Se digo a alguém que ele ou ela é *a apple of my eye*, quero dizer que adoro essa pessoa.

Don't criticise Angela in front of the boss: she is the apple of his eye. Não critique a Ângela na frente do chefe: ela é a menina dos olhos dele.

Ask for trouble

(pedir para [ter] problemas)
Equivale a: caçar sarna para se coçar

IDIOMS

É usada para se referir a alguém que faz coisas arriscadas ou a quem praticamente procura confusão e problemas.

If you go out with Lucy tonight, you're asking for trouble. She's married! Se sair com a Lucy hoje à noite, você estará caçando sarna para se coçar: ela é casada!

A bad egg

(um ovo podre)
Equivale a: mau caráter

His accountant was a bad egg and he lost all his money. O contador dele era um mau caráter, e ele perdeu todo o dinheiro.

A piece of cake

(um pedaço de bolo)
Equivale a: mamão com açúcar; brincadeira de criança

Quando se diz isso em referência a alguma coisa, significa que essa coisa é realmente muito simples, como comer um pedaço de bolo!

James: I don't know how to finish with Suzy. Não sei como terminar com a Suzy.
Joe: Just say "Goodbye!"; it's a piece of cake. Simplesmente diga "adeus!": é mamão com açúcar.

A cash cow

(uma vaca de dinheiro)
Equivale a: galinha dos ovos de ouro

Quando se diz isso a respeito de algo ou alguém é porque se pensa que essa coisa ou pessoa rende dinheiro continuamente, como a vaca que dá leite todos os dias. É usada sobretudo no mundo dos negócios e do marketing.

Arabian countries export coal and plastic, but their cash cow remains their oil. Os países árabes exportam carvão e plástico, mas sua galinha dos ovos de ouro continua a ser o petróleo.

Idioms

A flash in the pan

(uma faísca na panela)
Equivale a: sucesso passageiro; fogo de palha

É usada para indicar alguém que teve um momento de glória, mas logo sumiu do mapa.

That man had one good idea, but nothing after that. He was a flash in the pan.
Aquele homem teve uma boa ideia, mas nada mais depois disso. Foi fogo de palha.

A pain in the neck

(uma dor no pescoço)
Equivale a: chato; mala; pé no saco

Indica uma pessoa ou uma situação que é incômoda, maçante ou insistente, ou seja, que enche o saco.

Lenny: How is your boss with you, now? Como o seu chefe está tratando você agora?
David: He's a pain in the neck! He's always telling me to do this or to do that... Ele é um pé no saco! Está sempre me dizendo para fazer isto ou aquilo...

Idioms

Vamos traduzir!

Words

dangerous	perigoso(a)
drastic	drástico(a)
ago	há (tanto tempo); (tanto tempo) atrás
shut up!	cale a boca!
thank goodness	graças a Deus

Verbs

to kill	matar
to forget	esquecer
to do on purpose	fazer de propósito
to suffocate	sufocar
to know	saber; conhecer
to find out	descobrir

Paul, Liam and Gary (the lethal plan)

Liam e Paul estão tramando contra Gary.
L: Temos que matar Gary, ele é um pé no saco.
P: Mas isso não é um pouco drástico?
L: Ele fez de propósito, caçou sarna para se coçar.
P: E como vamos matá-lo? Sou todo ouvidos.
L: Muito fácil: enquanto ele estiver dormindo, vou sufocá-lo.
P: Mas é perigoso, todo mundo o conhece.
L: Conheciam: ele era famoso, mas muitos anos atrás. Ele foi fogo de palha.
P: Hein?
L: Nada.
P: Quando a mãe dele descobrir, vai ser um deus nos acuda!
L: E daí?
P: A mãe dele nos ajudou, ela é nossa galinha dos ovos de ouro!
L: Aquela mulher é mau caráter, vamos matá-la também!
P: Não encoste na mãe do Gary: ela é a menina dos meus olhos!
L: Cale a boca!
P: Graças a Deus as expressões idiomáticas acabaram... Caso contrário você teria me matado também!

Idioms

B

Back to square one

(de volta ao quadrado um)
Equivale a: de volta à estaca zero

Esta expressão tem origem nos jogos de tabuleiro, nos quais é preciso sair da primeira casa (o quadrado um) e chegar à última para vencer. Em muitos desses jogos, quando se erra, deve-se voltar ao início e começar tudo de novo. Como na vida!

Our plan didn't work and so it's back to square one. Nosso plano não funcionou, portanto, de volta à estaca zero.

Below the belt

(abaixo do cinto)
Equivale a: golpe baixo

Nós, homens, temos um ponto "abaixo da linha da cintura" que é muito delicado e sensível: digamos que levar uma pancada ali provoca muitas lágrimas...
Em inglês, quando se diz algo cruel, sobretudo se for um insulto pessoal e gratuito, dizemos que esse comentário pegou "abaixo do cinto", ou seja, foi considerado um golpe baixo. Apesar de sua origem, a expressão é muito usada e pode se referir a homens e mulheres.

Toby: I will never forgive Ali. Nunca vou perdoar o Ali.
Carl: Why not? Por que não?
Toby: He insulted me and that was Ok, but he also insulted my mother, which was totally below the belt. Ele me xingou, até aí tudo bem, mas ele também xingou minha mãe, o que foi um golpe baixo.

Between the devil and the deep blue sea

(entre o demônio e o profundo mar azul)
Equivale a: entre a cruz e a espada

A expressão descreve uma situação em que é difícil fazer uma escolha e a pessoa encontra-se exatamente entre duas opções.

Idioms

Laura: So, are you taking the job in Glasgow or Baghdad? Então você vai aceitar o emprego em Glasgow ou Bagdá?
Tom: I don't know; it's between the devil and the deep blue sea. Não sei, estou entre a cruz e a espada.

Bend the truth

(dobrar a verdade)
Equivale a: dizer uma meia verdade; não contar toda a verdade

É usada naquelas ocasiões em que se diz a verdade, mas apenas em parte (portanto, diz-se uma meia verdade).

Anna: Why did you tell John that you are a natural blonde? Por que você disse ao John que você era loira natural?
Antonietta: Because I am a natural blonde. I just didn't tell him that my hairdresser helps me to keep my hair natural blonde! Porque eu sou loira natural. Eu só não disse a ele que meu cabeleireiro me ajuda a manter meu cabelo loiro natural!
Anna: So, you bent the truth? Então você disse uma meia verdade?
Antonietta: A little. Ligeiramente.

Benefit of the doubt

(benefício da dúvida)
Equivale a: benefício da dúvida

Concede-se o benefício da dúvida quando se dá à pessoa a possibilidade de demonstrar que as coisas não são como parecem, quando se permite que o outro forneça sua versão dos fatos.

John: So, what did my wife say? Então, o que minha esposa disse?
Olive: She thinks you are not going to the gym, but I think she will give you the benefit of the doubt. Ela acha que você não está indo à academia, mas creio que ela vai conceder a você o benefício da dúvida.
John: If she finds out about us, we're dead! Se ela descobrir sobre nós, estaremos mortos!
Violin music. Som de violinos.
The end. Fim.

Idioms

Beyond me

(além de mim)
Equivale a: não faço a mínima ideia; está além da minha compreensão.

Esta expressão é usada para indicar que não fazemos ideia de como uma coisa funciona ou por que aconteceu, que o que está em jogo vai muito além da nossa capacidade de compreensão, não sendo, portanto, equivalente a um simples *I don't know*.

Earl: How does a computer work? Como um computador funciona?
Johnny: Don't ask me, it's beyond me! Não me pergunte, eu não faço a mínima ideia!

Bite your tongue

(morda a língua)
Equivale a: segure a língua; fique de boca fechada

É usada quando uma pessoa gostaria muito de dizer algo, mas decide que o melhor é ficar calada.

She will insult you, but, please, just bite your tongue! Ela vai xingar você, mas, por favor, segure a língua.

Idioms

Vamos traduzir!

Words

against	contra
bonnet	capô
imbecile	imbecil
ugly	feio(a)
honest	honesto(a)
dangerous	perigoso(a)

Verbs

to pay	pagar
to save	economizar
to stop	parar; deixar de

The accident

Três amigos vão de carro a uma festa. Simon está ao volante, mas os outros não fazem ideia de que ele não sabe dirigir. Eles estão no campo, o carro sai da estrada e bate em uma árvore.
Joe: Por que você bateu na árvore?
Simon: Não sei.
Joe: Gnnnnnff!
Simon: O que ele disse?
Terry: Não faço a mínima ideia... Espere, ah, sim... Ele está segurando a língua.
(Terry olha debaixo do capô.)
Terry: Quanto você pagou por este carro?
Simon: Cinquenta euros.
Terry: Ok, vou conceder a você o benefício da dúvida.
Simon: Caras, pode ser que eu não tenha contado toda a verdade a vocês.
Joe: O quê?
Simon: Eu não sei dirigir.
Joe: Nós vimos! Você é um imbecil, não apenas feio, mas também estúpido!
Simon: Espere! Isso foi golpe baixo! Eu queria vir com vocês porque, se ficasse em casa, teria que dar banho no cachorro, portanto eu estava entre a cruz e a espada.
Terry: Entendo.
Simon: Economizei tanto para comprar este carro e agora estou de volta à estaca zero.
Joe: De qualquer maneira, você é um imbecil.
Terry: Deixe de ser chato, Joe!

Idioms

C

Can't make an omelette without breaking a few eggs

(não se pode fazer uma omelete sem quebrar alguns ovos)
Equivale a: tudo tem seu preço; nada se consegue sem pequenos sacrifícios

Esta expressão, na prática, quer dizer que às vezes é necessário fazer coisas desagradáveis para se obter um bom resultado. Lembre-se da filosofia de Maquiavel: "os fins justificam os meios".

John: In order to have my book published, I had to kiss everybody in the publishing house! Para ter meu livro publicado, eu tive de beijar todo mundo na editora!
Terry: I know, John, but your book is horrible! And you can't make an omelette without breaking a few eggs! Eu sei, John, mas seu livro é horrível! E tudo tem seu preço.

Clear the air

(limpar o ar)
Equivale a: esclarecer as coisas; desanuviar o ambiente

Depois de uma briga, o ar fica pesado. Para colocar tudo em ordem (sort out), o melhor é conversar, desabafar o esclarecer as coisas.

I shouted a lot, she shouted a lot, but at least we cleared the air. Eu gritei muito, ela gritou muito, mas pelo menos esclarecemos as coisas.

Come what may

(venha o que possa...)
Equivale a: venha o que vier; haja o que houver

Quer dizer que você vai fazer uma determinada coisa, apesar de ter consciência dos riscos envolvidos, porque acha que vai valer a pena.

Tracy: I want to get a tattoo. Quero fazer uma tatuagem.
Cheryl: But you're only 16; your father will kill you! Mas você só tem dezesseis anos: seu pai vai matar você!
Tracy: I don't care! I'm doing it, come what may. Não me importo! Vou fazer, haja o que houver.

Idioms

Cough up
(escarrar)
Equivale a: soltar; cuspir

A expressão é muito feia, mas nós, ingleses, a usamos bastante!
To cough significa "tossir". *To cough up* descreve a ação de tossir para expelir o catarro, ou seja, escarrar. Também é usada quando se fala de abrir a mão e soltar o dinheiro ou dar informações a contragosto.

During the war, the Germans tortured English soldiers to make them cough up information. Durante a guerra, os alemães torturaram soldados ingleses para fazê--los cuspir informações.

To Make +

Você se lembra de que o verbo *to make* significa, em geral, "fazer", mas, quando se usa:
to make + **pronome pessoal oblíquo,** ele passa a significar "obrigar", "forçar"?

Em inglês, **quase nunca** se usa o verbo *to oblige*. Prefere-se usar o verbo *to make* seguido do pronome pessoal oblíquo com esse mesmo sentido.

I will make you stay here. Eu obrigarei você a ficar aqui.

Idioms

Cream of the crop

(nata da safra)
Equivale a: o melhor; a nata

Simplesmente o melhor ou os melhores de todos, o melhor que existe.
O termo *the crop* (a safra) refere-se ao trigo que os camponeses produzem anualmente.

Real Madrid bought the best players in the world, the cream of the crop, but Birmingham City is still a better team. O Real Madrid comprou os melhores jogadores do mundo, a nata, mas o Birmingham City ainda é o melhor time.

Crash course

(curso de colisão)
Equivale a: curso intensivo

Um curso intensivo é necessário quando se quer aprender algo em pouquíssimo tempo, então se opta pela rota mais rápida.

Yuri: I got a job with Microsoft. Consegui um emprego na Microsoft.
Dylan: Great, aren't you happy? Ótimo! Você não está feliz?
Yuri: Yes, but I bent the truth. I told them that I could program an operating system. Sim, mas eu não contei toda a verdade a eles. Eu disse que sabia programar um sistema operacional.
Dylan: Are you crazy? Você está louco?
Yuri: Don't worry. I'm taking a crash course in operating systems tonight! Não se preocupe. Hoje à noite farei um curso intensivo de sistemas operacionais.

Idioms

Vamos traduzir!

Words
dead — morto(a)
it is worth it — vale a pena
mess — bagunça; confusão
ridiculous — ridículo(a)

Verbs
to happen — acontecer

Falling in love

Dois adolescentes, Steve e Billy, conversam sobre o fato de Billy estar apaixonado por sua professora de literatura.
Billy: Quero dizer a ela que a amo e que quero levá-la comigo para os Estados Unidos.
Steve: Você está louco? Se sua mãe descobrir, vai matar você.
Billy: E quem vai contar a ela?
Steve: Eu, se você não soltar cem euros!
Billy: Cale a boca! De qualquer maneira, ela é a melhor, a nata, então vale a pena.
Steve: Vai ser uma confusão.
Billy: Haja o que houver, eu a amo, e nada se consegue sem pequenos sacrifícios.
Steve: Você é realmente ridículo, sabe?
Billy: Steve, escute...
Steve: Sou todo ouvidos!
Billy: Temos de esclarecer as coisas, eu e você. Desculpe-me por ter deixado você na mão ano passado.
Steve: Acho que você deveria fazer um curso intensivo sobre a vida, meu amigo!

Idioms

D

Deliver the goods

(entregar a mercadoria)
Equivale a: satisfazer as expectativas; cumprir o que promete

Naturalmente, esta expressão é muito usada no comércio, mas não apenas nesse contexto. *To deliver the goods* quer dizer fazer aquilo que esperam que você faça ou satisfazer as expectativas.

The boss wants us to increase sales by 50% this year, but with the global crisis it will be difficult to deliver the goods! O chefe quer que aumentemos as vendas em 50% este ano, mas, com a crise global, será difícil satisfazer essa expectativa!

Nós, ingleses, usamos tanto essa expressão idiomática, que costumamos utilizar apenas o verbo *to deliver*:

My husband promised me a nice holiday for our anniversary. I hope he delivers. Meu marido me prometeu férias excelentes no nosso aniversário de casamento. Espero que ele cumpra a promessa.

Die is cast, the

(o dado foi lançado)
Equivale a: a sorte foi lançada; não há mais volta

Eu gosto muito desta expressão! Um exemplo da grande sabedoria de Júlio César, da qual minha tradução não é digna.

Bill: Why did you send Gianna to the London meeting? She doesn't understand English! Por que você mandou a Joana para a reunião em Londres? Ela não entende inglês!
Colin: Too late! The die is cast. Tarde demais! A sorte foi lançada!

Dog eat dog

(cão come cão)
Equivale a: cada um por si; competição feroz

Esta expressão é usada quando alguém passa por cima de outra pessoa para obter vantagens. É uma justificativa para o comportamento deplorável que leva

IDIOMS

o indivíduo a favorecer a própria posição, é a sobrevivência e a lei do mais forte. Naturalmente, a expressão é muito usada no mundo dos negócios.

Ian: David, you sacked Toby? But he has a family! David, você demitiu o Toby? Mas ele tem família!
Joe: I know and I'm sorry, but it's a dog eat dog world, Ian. Eu sei e sinto muito, mas neste mundo é cada um por si, Ian.

Doghouse (in the)

(no casinha do cachorro)
Equivale a: de castigo; mal na fita

Em inglês, quando alguém faz uma coisa que deixa outra pessoa brava, dizemos que o traquinas "está no canil". É uma expressão que uso bastante, porque vocês sabem como são as mulheres, né? Quando os homens fazem besteira, elas ficam um dia inteiro sem falar com a gente e, quando perguntamos qual é o problema, elas respondem: "Nada!". Não demorei a sacar que era mentira. Agora se uma mulher me diz que não é nada, já sei que estou muito mal na fita!

Olive: Jessica, your little boy looks sad, is he ok? Jessica, seu filho parece triste, ele está bem?
Jessica: He ate all my biscuits, so he's in the doghouse. Ele comeu todos os meus biscoitos, por isso está de castigo.

Down to Earth

(descer para a Terra)
Equivale a: pé no chão

Diz-se de uma pessoa realista, prática, ponderada e direta.

I like my boss. He doesn't make empty promises; he is very down to earth. Gosto do meu chefe. Ele não faz promessas vazias: ele é muito pé no chão.

Dressed to kill

(vestido/a para matar)
Equivale a: vestido(a) para matar

Idioms

Geralmente, quando quer deixar todo mundo de boca aberta, a mulher veste sua melhor roupa, os acessórios mais bonitos e vistosos e o par de sapatos novinho em folha. Quando a mulher se veste dessa maneira, para ser vista e admirada, dizemos tanto em inglês quanto em português que ela está "vestida para matar".

Há um verso de uma canção da banda Roxy Music que eu acho genial. A música é Dance away, e o protagonista chora por uma mulher que perdeu. Um dia ele a vê com outro e canta: You dressed to kill, and guess who is dying? (você está vestida para matar, e adivinhe quem está morrendo?). Uau!

Dying for something, to be

(estar morrendo por alguma coisa)
Equivale a: morrendo de vontade de; louco(a) para

Como em português, é usada quando a pessoa não vê a hora de uma coisa acontecer.

So, what did he say? I'm dying to know! Então, o que ele disse? Estou louca para saber!

Idioms

Vamos traduzir!

Words
without — sem
doubt — dúvida

Verbs
to happen — acontecer
to promise — prometer
to keep — manter; segurar

The lying game

Dois meninos de dez anos, Freddy e Johnny, estão brincando, mas Freddy está um pouco triste.

Jonny: O que aconteceu?
Freddy: Estou de castigo.
Jonny: Por quê?
Freddy: Porque prometi à minha mãe que iria arrumar meu quarto, mas não cumpri a promessa.
Jonny: Ela não vai deixar você ir ao cinema sábado?
Freddy: Não sei, a sorte foi lançada.
Jonny: Diga a ela que não arrumou o quarto porque Paul ligou e segurou você ao telefone por uma hora.
Freddy: Mas aí Paul vai ficar mal na fita com a mãe dele.
Jonny: E daí? É cada um por si! Vamos! Você não pode perder o filme. Estou morrendo de vontade de vê-lo! Lilly também estará lá, portanto tenho de estar vestido para matar.
Freddy: Uau, Lilly? Aquela menina pé no chão da escola?
Jonny: Esta é, sem dúvida, a pior história que John já escreveu!
Freddy: Eu sei, ele deveria falar com um profissional.

Idioms

F-G

Face the music

(encarar a música)
Equivale a: encarar as consequências

Quando a pessoa erra e o erro tem consequências, cedo ou tarde chegará o momento de assumir a responsabilidade pelo que houve. "A música", no caso, representa as acusações, as explicações e os problemas resultantes.

My wife found Lucy's telephone number in my jeans, so I'm in the doghouse. I'll have some more beer, then I'll go home and face the music. Minha esposa achou o número de telefone da Lucy nas minhas calças jeans, por isso estou mal na fita. Vou tomar mais algumas cervejas, em seguida vou para casa encarar as consequências.

Find your feet

(achar seus pés)
Equivale a: ambientar-se

No começo de uma nova experiência, há sempre algo a aprender. E é justamente aí que aparece a maioria dos contratempos. Em um novo emprego, em uma nova atividade ou mesmo ao aprender um novo idioma, é como se andássemos sobre o gelo: no início, os pés escorregam, depois, quando se consegue firmá-los, é possível seguir adiante sem tantos problemas.

He is still finding his feet with the new team, but he's a great player! Ele ainda está se ambientando com o novo time, mas ele é um grande jogador!

Flog a dead horse

(chicotear um cavalo morto)
Equivale a: muito esforço por nada; esforçar-se à toa

Antes de mais nada, "chicotear um cavalo", em inglês, é *to whip a horse*, e não *to flog*, que é usado excepcionalmente neste caso. A expressão refere-se ao ato de gastar muita energia à toa, porque aquilo que se deseja já não é mais possível, não há nada a fazer, não há esperança, ou seja, é como chicotear um cavalo morto.

Idioms

Erica: Joe said he doesn't love me anymore, but tonight I will wait for him with roses and wine. Joe disse que não me ama mais, mas esta noite vou esperá-lo com rosas e vinho.
Janet: You're flogging a dead horse, Erica, he doesn't want you! Você está se esforçando à toa, Erica, ele não quer você!

Full of hot air

(cheio de ar quente)
Equivale a: papo furado; só gogó

Esta expressão descreve uma situação que nada tem de verdadeira ou uma pessoa "cheia de ar quente", ou seja, que fala um monte de coisas, mas não faz nada do que diz...

You promised me a promotion, you promised me an increase in my salary, but nothing... it was all hot air! Você me prometeu uma promoção, você me prometeu um aumento de salário, mas nada... Era tudo papo furado!

Kylie: Samuel is taking me to Venice this summer! Samuel vai me levar a Veneza este verão!
Yasmin: Samuel is full of hot air, Kylie. Please: be more down to earth. Samuel é só gogó, Kylie. Por favor, seja mais pé no chão.

Get the message

(entender a mensagem)
Equivale a: "estamos entendidos?"

A diferença entre o verbo *to get* e o verbo *to understand* é que o primeiro significa mais exatamente "entender ou compreender um conceito", mesmo que este não tenha ficado explícito.
A expressão que estamos analisando refere-se às ocasiões em que se capta uma mensagem, não diretamente, mas nas entrelinhas.

Antonio: David, I heard that you are going out with my daughter. I hope you don't hurt her, because I don't want to hurt you... do you get the message? David, fiquei sabendo que você vai sair com minha filha. Espero que você não a magoe, porque

Idioms

eu não quero machucar você... Estamos entendidos?
David: Yes, I get the message. Sim, estamos entendidos.

Go bananas

(ficar bananas)
Equivale a: ficar louco(a); perder a cabeça

Significa ficar completamente fora de si, seja de raiva ou de alegria.

Oh my God! I have broken my mother's favourite vase… she will go bananas!
Oh, meu Deus! Quebrei o vaso favorito da minha mãe… Ela vai ficar louca da vida!

Idioms

Go down well

(descer bem)
Equivale a: ser bem aceito(a); cair bem

Esta expressão é usada para se referir à aceitação de uma ideia ou proposta.

Mike: So, did you ask the boss if you can work less for more money? And did your idea go down well? Então, você perguntou ao chefe se pode trabalhar menos por mais dinheiro? E sua ideia foi bem aceita?
Bob: No, it didn't go down well. He sacked me! Não, não foi bem aceita. Ele me despediu!

Vamos traduzir!

Words		Verbs	
disaster	desastre	to convince	convencer
pointless	inútil	to offer	oferecer
less	menos		
rent	aluguel		

Time to pay

Jim e Ken dividem um apartamento e estão conversando: Ken perdeu o emprego e não tem como pagar o aluguel.

Jim: O que aconteceu?
Ken: Para conseguir aquele emprego, eu não disse toda a verdade. De qualquer maneira, era tudo difícil e eu não conseguia me ambientar. Aí eu causei um desastre e o chefe me chamou. Entrei no escritório dele para encarar as consequências. Tentei convencê-lo de que aprenderia bem o trabalho, mas foi como se eu me esforçasse à toa. Ele me disse que eu era só gogó. Então me ofereci para trabalhar por menos dinheiro, mas a proposta não foi bem aceita.
Jim: Mas você é incrivelmente estúpido!
Ken: Vamos, Jim, não perca a cabeça!
Jim: Escute-me, se você não pagar o aluguel, terei de procurar alguém que possa (pagá-lo), estamos entendidos?
Ken: Sim, entendi.

Idioms

H

Hand in glove

(mão na luva)
Equivale a: unha e carne

Esta expressão é usada para descrever duas pessoas que estão sempre juntas, portanto são muito unidas e, às vezes, cúmplices.

Be careful what you say, when Judy is here. She is hand in glove with the boss.
Cuidado com o que diz quando Judy está aqui. Ela é unha e carne com o chefe.

Hard up

(duro para cima)
Equivale a: pobre; sem dinheiro; duro

Descrever uma pessoa usando a expressão *hard up* significa dizer que ela tem pouquíssimo dinheiro. Também se diz que uma empresa, quando não tem muito dinheiro, está *hard up*: na verdade, as empresas sempre têm grana, mas geralmente afirmam o contrário!

I would like to come with you to Paris, but I'm hard up at the moment!
Eu gostaria de ir com você a Paris, mas estou sem dinheiro agora!

Head in the clouds

(cabeça nas nuvens)
Equivale a: cabeça nas nuvens

Se uma pessoa está com a cabeça nas nuvens, isso quer dizer que ela é sonhadora, anda distraída e não tem os pés no chão.

She's a dreamer. When I talk to her, I feel she isn't there. She has her head in the clouds. Ela é uma sonhadora. Quando falo com ela, tenho a impressão de que não está lá. Tem a cabeça nas nuvens.
Get your head out of the clouds and listen! Desça das nuvens e escute!

Idioms

Heart in the right place

(coração no lugar certo)
Equivale a: ter boas intenções; estar bem-intencionado/a

É o que se diz quando alguém erra, mas com boas e sinceras intenções; quando uma pessoa age convicta de estar certa e motivada por uma boa causa.

Olive: My little Tommy tried to cook dinner and he burned the whole kitchen! Meu pequeno Tommy tentou fazer o jantar e queimou a cozinha inteira!
Anna: Ah, poor little boy, at least his heart was in the right place. Ah, coitadinho, pelo menos estava bem-intencionado.

Heart on one's sleeve, to wear one's

(usar seu coração em sua manga)
Sem um equivalente exato em português, esta expressão é usada para se referir a uma pessoa que tem o coração aberto, que não esconde os sentimentos, é emotiva, transparente e espontânea.

He gets very emotional at weddings. He has always worn his heart on his sleeve. Ele fica muito emocionado em casamentos. Ele sempre foi muito transparente.

Hot potato

(batata quente)
Equivale em português a: tabu; assunto polêmico

Atenção: não confunda esta *idiom* com a expressão "batata quente", muito usada em português, mas com outro significado (problema, coisa difícil de resolver).

Nobody talked about the reduction in staff at the meeting. I think it's still a hot potato for everybody. Ninguém falou sobre o corte de funcionários na reunião. Acho que ainda é um tabu para todo mundo.

Idioms

Vamos traduzir!

Words

actor	ator
famous	famoso/a
director	diretor/a
affair	caso (relacionamento íntimo)
way	modo; maneira
favour	favor

Verbs

to think	pensar
to buy	comprar
to work	trabalhar
to explain	explicar
to understand	entender

Conversation near the lake

Toby e seu amigo Gerry conversam perto do lago.

Toby: Gerry? Gerry?!
Gerry: Hã? O quê?
Toby: Desculpe-me, mas você estava com a cabeça nas nuvens. Em que estava pensando?
Gerry: Estava pensando em quando serei um ator famoso. Fiz um teste hoje.
Toby: Como foi?
Gerry: Não sei, um dos atores era unha e carne com o diretor, e ele usava um terno muito bonito. Se eu não estivesse tão duro, eu também compraria um.
Toby: Por que você não trabalha de novo com o Mr. Jennings?
Gerry: Porque, depois daquele caso com a namorada dele, ele não quer me ver nunca mais.
Toby: Você teve um caso com a namorada dele?
Gerry: Sim, mas eu estava bem-intencionado!
Toby: O quê?
Gerry: Ela não era boa para ele, de certo modo eu lhe fiz um favor.
Toby: Por que não explica isso a ele?
Gerry: Não posso, é um assunto polêmico para ele.
Toby: Vá até lá, não esconda o que sente e você verá!

Idioms

I

If it isn't broke, don't fix it!

(se não está quebrado, não conserte)
Atenção: nesta expressão, o verbo *break* não é usado da maneira gramaticalmente correta. A forma correta seria *broken*, mas esta *idiom* é assim mesmo! Gosto tanto da expressão que eu sempre a usava quando trabalhava nas empresas norte-americanas. Em muitas ocasiões, as pessoas são obrigadas a mudar algo e não entendem por quê: em suma, se tudo está indo bem, por que mudar? Se não está quebrado, por que consertar? Lembra a expressão "em time que está ganhando não se mexe".

Writer (escritor): I am going to change the story. Vou mudar a história.
Fan: But the story is wonderful! Please, if it isn't broke, don't fix it! Mas a história é maravilhosa! Por favor, ela está ótima, deixe-a como está!

Ignorance is bliss

(ignorância é uma bênção)
Equivale a: é melhor não saber; a ignorância é uma bênção

Às vezes pode ser melhor não tomarmos conhecimento de algo ruim. Continuar na ignorância sobre certas coisas pode ser menos doloroso.

I didn't know the neighbour was a hooligan, until the police arrived. Ignorance is bliss! Eu não sabia que o vizinho era um *hooligan* até a polícia chegar. Às vezes é melhor não saber!

In a nutshell

(em uma casca de noz)
Equivale a: em poucas palavras; em suma

Esta expressão é usada quando se quer fazer um breve relato, comunicar "a essência", dar poucas informações para resumir um discurso longo.

Boss (Chefe): Did you send the e-mail? Você enviou o e-mail?
Linda: I wanted to, but I was out of the office. Eu queria enviá-lo, mas não estava no escritório.

Idioms

Boss (Chefe): So, in a nutshell, no! Então, em suma, não!
Linda: Exactly. Exatamente.

In the long run

(na longa corrida)
Equivale a: em longo prazo

É usada para falar de algo que no momento é difícil, mas que em longo prazo terá resultados positivos.

I am buying a house, which is killing me financially, but in the long run it is worth it. Estou comprando uma casa, o que está acabando financeiramente comigo, mas em longo prazo vai valer a pena.

In the bag

(no saco)
Equivale a: no papo; garantido

Esta *idiom* é uma beleza. Imagine que você tem de capturar um rato. O rato é seu objetivo. Você o pega e o coloca em um saco: *it's in the bag!*

Simon: Did you ask Judy to go out with you? Você pediu a Judy para sair com você?
Len: Yes. It's in the bag! Sim. Está no papo!

IDIOMS

Vamos traduzir!

Words

		Verbs	
share	ação (da bolsa de valores)	to sell	vender
		to see	ver
sure	certo; seguro	to leave alone	deixar estar
rich	rico(a)		
sand	areia		
happy	feliz; contente		

The price of the sand

Três amigos, Danny, Benny e Kenny, estão conversando. Danny comprou algumas ações de uma nova empresa que quer vender areia aos países árabes!

Benny: Quantas ações você comprou?
Danny: Duzentas! Ficarei rico!
Benny: Está seguro?
Danny: Muito seguro! Está no papo!
Benny: Mas por que as comprou?
Danny: Em suma, eles vendem areia aos árabes por quase nada. Seguramente venderão bastante! Não verei o dinheiro imediatamente, mas em longo prazo, vocês vão ver!
(Danny sai dançando)
Benny: Mas os árabes já têm muita areia, Kenny!
Kenny: Eu sei, mas ele está feliz. Às vezes é melhor não saber.
Benny: Não, tenho que dizer algo ao Danny.
Kenny: Escute! Ele está feliz, para que mudar? Deixe estar!

Idioms

K-L

Kill two birds with one stone

(matar dois pássaros com uma pedra)
Equivale a: matar dois coelhos com uma cajadada só

I am going to the supermarket near David's house because I need to speak to him. That way, I can kill two birds with one stone. Vou ao supermercado perto da casa do David porque preciso falar com ele. Assim, mato dois coelhos com uma cajadada só.

Last resort

(último recurso)
Equivale a: último caso; último recurso

Esta *idiom* informa que, quando já se esgotaram todas as possibilidades e não se tem mais escolha, é necessário se contentar com a última opção.

William: Would you work as a Funeral director? Você trabalharia como agente funerário?
Jonathan: Only as a last resort. Só em último caso.

Learn the ropes

(aprender as cordas)
Equivale a: aprender o caminho das pedras; ganhar experiência

Também gosto muito desta *idiom*: vem do universo náutico. Refere-se ao fato de o marinheiro novato ter de conhecer bem as cordas a serem utilizadas para poder conduzir a embarcação e navegar. É usada para fazer referência ao período que a pessoa passa aprendendo algo novo, quando está em início de carreira.

My job was difficult at the beginning because I was learning the ropes. It is easy, now. Meu trabalho era difícil no começo porque eu estava aprendendo o caminho das pedras. Agora é fácil.

Idioms

Let sleeping dogs lie

(deixe deitados os cães adormecidos)
Equivale a: deixar para lá; não mexer em vespeiro

É um convite para não tocar em assuntos delicados, aproveitar a paz e ignorar as coisas que podem causar conflitos.

Robert: I will never forgive Bill for telling the Boss I am lazy. I must tell him what I think of him! Nunca vou perdoar o Bill por ter dito ao chefe que sou preguiçoso. Eu tenho de dizer o que penso dele!
Jody: Oh, come on Robert, let sleeping dogs lie, please. Ah, qual é, Robert, deixe isso para lá, por favor.

Light at the end of the tunnel

(luz no fim do túnel)
Equivale a: uma luz no fim do túnel

Mesmo em ocasiões difíceis e desesperadoras, sempre há uma esperança: uma luz no fim do túnel, uma maneira de sair de uma situação complicada, uma solução.

Boss (Chefe): The crisis is very bad; this time I can't see the light at the end of the tunnel. A crise está muito ruim: desta vez não consigo ver uma luz no fim do túnel.

Lights are on, but nobody is at home; the

(as luzes estão acesas, mas não há ninguém em casa)
Equivale a: estar perdido em pensamentos; estar em outro planeta; estar no mundo da lua

É minha expressão favorita! *I love it!* Eu a uso sempre.
Quando vemos uma casa com as luzes acesas, logo imaginamos que há alguém dentro dela, certo? Vamos supor que a cabeça seja a casa e os olhos, as janelas. Esta expressão é usada quando alguém está perdido em pensamentos ou muito, muito cansado: os olhos estão abertos, as luzes estão acesas... mas não há ninguém em casa, o cérebro está em outro lugar.

Idioms

Laura: Are you coming to the party, Sarah? Você irá à festa, Sarah?
Sarah: Huh? Hã?
Laura: The party, tonight! A festa, hoje à noite!
Sarah: What? O quê?
Laura: Oh dear, the lights are on, but nobody is at home! Ó, céus, você está em outro planeta!

Lick someone's boots

(lamber as botas de alguém)
Equivale a: lamber as botas de alguém; puxar o saco

I worked in that company for twenty years and I never licked the manager's boots. That is why he respected me! Eu trabalhei naquela empresa por vinte anos e nunca puxei o saco do gerente. É por isso que ele me respeitava!

Look on the bright side

(olhar para o lado iluminado)
Equivale a: ver o lado bom

Esta expressão nos convida a ver o lado brilhante e positivo de todas as coisas, pessoas ou situações.

Lenny: I have lost all my hair! Perdi todo o meu cabelo!
Charles: Well, look on the bright side… you will save money on shampoo! Bem, veja o lado bom… Você vai economizar no xampu!

Idioms

Vamos traduzir!

Words
wrong — errado(a)
confused — confuso(a)
hope — esperança
car — carro

Verbs
to sack — despedir; demitir
to send — enviar
to need — precisar
to break — quebrar

Looking for a job

Brad e Fred conversam sobre o fato de Brad ter perdido o emprego.

Fred: Por que despediram você?
Brad: Enviei os arquivos errados para as pessoas erradas.
Fred: Por quê?
Brad: Eu estava confuso, ainda estava aprendendo o caminho das pedras!
Fred: Por que não puxou o saco do chefe? Como um último recurso?
Brad: Não!
Fred: Ok, mas veja pelo lado positivo, você terá mais tempo para o Playstation.
Brad: Preciso de dinheiro!
Fred: Talvez haja um emprego na padaria.
Brad: Sério? Graças a Deus! Há uma luz no fim do túnel!
Fred: Sim, mas o Ross também trabalha lá.
Brad: Ross? Mas eu quebrei o carro dele. Ele não fala comigo.
Fred: Seria melhor deixar pra lá.
Brad: Hã?
Fred: O carro de Ross... que você quebrou!
Brad: Quando?
Fred: Você está no mundo da lua hoje, hein?
Brad: Hã?
Fred: Escute, você poderia ser mecânico! Desse modo, você trabalha, pode consertar o carro do Ross e mata dois coelhos com uma paulada só!

Idioms

M

made of money
(feito/a de dinheiro)
Equivale a: rico(a); endinheirado(a); cheio(a) da grana

Esta expressão é usada para descrever uma pessoa que tem muito dinheiro.

Little boy (menininho): Mom, I want a new bike and a new pair of tennis shoes and a new toy car! Mamãe, eu quero uma bicicleta nova, um novo par de tênis e um novo carrinho de brinquedo!
Mother (mãe): Steven, I'm not made of money! Steven, eu não sou rica!

Afford

Depois de vermos essa última expressão, eu gostaria de ensinar uma coisa importante: to be able to afford (arcar com as despesas; dar-se o luxo).

Um exemplo:
I am going to America for a holiday. I can afford it, now.
Vou para os Estados Unidos de férias. Agora posso arcar com essa despesa.

I love the jacket, but I can't afford it.
Adoro o paletó, mas não posso me dar esse luxo.

John: Why didn't you come to the pub with us, last night? Por que você não foi ao bar conosco ontem à noite?

Jack: I couldn't afford it; I am not working. Eu não podia arcar com a despesa: não estou trabalhando.

Idioms

Make a killing

(cometer um homicídio)
Equivale a: fazer fortuna; ganhar muito dinheiro

Esta expressão significa ganhar muito, muito dinheiro com alguma coisa.

Gary had an idea. He sold hamburgers outside the discos at night. He made a killing! Ele vendia hambúrgueres do lado de fora das discotecas à noite. Ele fez fortuna!

Make a mountain of a mole hill

(fazer uma montanha com uma toca de toupeira)
Equivale a: fazer tempestade em copo d'água

Esta expressão é usada quando alguém tem uma reação exagerada a alguma coisa. Um problema pequeno, como o montinho de terra que a toupeira faz, é percebido como uma montanha.

Timothy: I didn't go to work, today, because I was ill. My wife called my doctor and asked him to come immediately with an ambulance! I only had a cold!... She always makes a mountain out of a mole hill! Eu não fui trabalhar hoje porque estava doente. Minha esposa ligou para o meu médico e pediu que ele viesse imediatamente com uma ambulância! Eu estava apenas resfriado!... Ela sempre faz tempestade em copo d'água!

Make up for lost time

(recuperar o tempo perdido)
Equivale a: recuperar o tempo perdido

Esta expressão refere-se simplesmente à ação de recuperar o tempo perdido. Se você chegar ao trabalho uma hora atrasado, talvez fique uma hora a mais depois do expediente, para compensar o tempo que perdeu.

Andrew: I'm going to America next week with my daughter. We are staying there for three months. Vou para os Estados Unidos com minha filha na semana que vem. Vamos ficar lá três meses.
Bert: Three months? Just you and your daughter? Três meses? Só você e sua filha?

Idioms

Andrew: Yes, I was never around in recent years because of my job. I want to make up for lost time with her. Sim, eu nunca estava por perto nos últimos anos, por causa do trabalho. Quero recuperar o tempo que perdemos.

Miss the boat

(perder o barco)
Equivale a: perder uma oportunidade

Refere-se simplesmente ao fato de alguém perder uma oportunidade, que talvez nunca mais surgirá.

Charles: Boss, I heard that there is a chance to work in the American branch of our company. I talked to my wife and she understands that it's a great opportunity for me. Chefe, ouvi dizer que há uma chance de trabalhar na filial norte-americana da nossa empresa. Conversei com minha esposa e ela entende que é uma grande oportunidade para mim.
Boss (Chefe): Well, it isn't really a problem because the opportunity is for Mr. Smith, not for you. Bom, isso não é realmente um problema porque a oportunidade é para o sr. Smith, não para você!
Charles: Oh no, so have I missed the boat? Ah, não, então perdi essa oportunidade?
Boss (Chefe): No, Charles, there was no boat to miss for you! And, stop making a mountain out of a mole hill! Não, Charles, não havia nenhuma oportunidade a ser perdida por você! E pare de fazer tempestade em copo d'água!

Mixed feelings

(sentimentos misturados)
Equivale a: estar dividido(a) (emocionalmente)

Coisas que são boas e ruins ao mesmo tempo deixam as pessoas divididas, tomadas por emoções ambíguas ou sentimentos contraditórios.

Mark: Sally is going to work in America. Well, on the one hand I am happy for her, but on the other hand I will miss her enormously. I have mixed feelings about it... Sally vai trabalhar nos Estados Unidos. Bem, por um lado, fico feliz por ela, mas por outro, vou sentir muitas saudades. Estou dividido...

Idioms

More than meets the eye
(mais do que encontra o olho)
Equivale a: nesse mato tem coelho

Esta expressão é usada quando desconfiamos que uma situação esconde alguma outra coisa, é mais do que aparenta ser ou não é só o que estão dizendo que é.

Alan: At work, nobody is talking to me. What did I do wrong? No trabalho, ninguém está falando comigo. O que eu fiz de errado?
William: Nothing, everything is fine. Nada, está tudo bem.
Alan: No, William, everything is calm, but there is more than meets the eye. Não, William, está tudo tranquilo, mas nesse mato tem coelho.

Idioms

Vamos traduzir!

Words

rich	rico(a)
loser	perdedor(a); fracassado(a)
relationship	relacionamento; relação
sometimes	às vezes; de vez em quando
scooter	lambreta

Verbs

to invest	iinvestir
to lose	perder
to change	mudar
to die	morrer
to exaggerate	exagerar

From rags to riches

Thomas deixa seu vilarejo. Leva apenas algumas roupas e pouco dinheiro. Depois de um ano, volta dirigindo uma Mercedes, vestindo Armani e acompanhado de uma supermodelo. Vai tomar algo no bar do vilarejo pela primeira vez depois de um ano.

Bill: Veja o Thomas! Está cheio da grana.
Bob: Eu sei, fez fortuna em Wall Street.
Bill: Eu não tenho dinheiro para comprar nem uma lambreta e ele chega em uma Mercedes!
Thomas: Olá, rapazes! Eu disse a vocês para investir em Wall Street... Vocês perderam uma grande oportunidade.
Bill: Eu vou a Wall Street! Tenho que recuperar o tempo perdido... Você vem, Bob?
Bob: Não sei, estou dividido... Por um lado, gosto da ideia de ficar rico, mas por outro, não quero mudar.
Bill: Você é um fracassado! E vai morrer aqui com todos os outros fracassados!
Bob: Não faça uma tempestade em copo d'água, por favor. Vá você, eu fico aqui com a sua namorada.
Bill: Por quê? Que tipo de relação você tem com minha namorada? Tem coelho nesse mato?
Bob: Não diga besteiras (coisas estúpidas)... Somos apenas amigos, amigos muito próximos e, de vez em quando, nos beijamos à noite perto do lago.
Bill: Ah, ok.

Idioms

N

Nest egg

(ovo no ninho)
Equivale a: pé-de-meia; reserva (de dinheiro).

Você guardou um pouco de dinheiro, fez um pé-de-meia? Um investimento que vai render dividendos no futuro? Esse é seu "ovo no ninho". Uma segurança para o futuro.

Samuel: I want to buy a new motorbike, but I can't afford it, now. Quero comprar uma moto nova, mas não posso arcar com essa despesa agora.
Tom: Sell your stamp collection! Venda a sua coleção de selos!
Samuel: Are you crazy? That collection is my nest egg for when I get old. Está maluco? Aquela coleção é o meu pé-de-meia para quando eu ficar velho.

Next to nothing

(perto de nada)
Esta expressão quer dizer "muito pouco", "quase nada".

Hey, there are holidays to Cuba that cost next to nothing! I love Cuba... the beaches are full of girls wearing next to nothing! Ei, existem pacotes de férias em Cuba que custam muito pouco! Eu adoro Cuba... As praias estão cheias de garotas vestindo quase nada!

Not for all the tea in china

(nem por todo o chá na China)
Equivale a: por nada neste mundo; de jeito nenhum; nem a pau

É o que você diz quando não se vê fazendo uma coisa de modo algum.

Terry: Suzie, will you please go out with me for one evening? Please. Suzie, por favor, saia comigo só uma noite. Por favor.
Suzie: Not for all the tea in China! Por nada neste mundo!

Idioms

Nothing doing

(nada a fazer)
Equivale a: nada feito

Esta expressão representa a rejeição absoluta de uma oferta.

John: Please, darling, the World Cup is only every four years! And it's the final! Por favor, querida, a Copa do Mundo só acontece de quatro em quatro anos! E é a final!
Wife: Big Brother is on now, nothing doing! Está passando o Big Brother agora, nada feito!

Idioms

Vamos traduzir!

Words
only/just   apenas; só
come on!   vamos!; qual é?
reason   motivo; razão

On holiday

O verão está chegando, e a esposa quer pensar nas férias.

Esposa: Veja! Espanha por apenas 800 euros para dois, hotel cinco estrelas! A Espanha custa quase nada agora.
John: Não podemos.
Esposa: Por que não? Temos 5 mil euros no banco!
John: Esse é o nosso pé-de-meia!
Esposa: Vamos!
John: Não, por nada neste mundo.
Esposa: Por favor...
John: Nada feito.
Esposa: Então irei sozinha!
John: Perfeito!

Idioms

O

Out of order

(fora de ordem)

Out of order tem dois significados em inglês:

quebrado; com defeito
Se o elevador estiver quebrado, você verá nele um cartaz com os dizeres *"out of order"*.

pessoa inconveniente
Quando alguém passa dos limites, é "sem noção". A pessoa que ofende com palavras fortes, faz piadas constrangedoras ou humilha os outros age "fora de ordem".

That man asked my wife to go to dinner with him in front of me! He was totally out of order! Who is he?! Aquele homem convidou minha esposa para jantar com ele na minha frente! Ele passou completamente dos limites! Quem é ele?!

Out of the question

(fora de questão)
Equivale a: fora de cogitação

Exatamente como em português, avalia-se que alguma coisa esteja fora de questão quando não é possível levá-la em consideração de maneira alguma, quando não é uma opção.

Boss: I want you to work on Saturdays from now on. Quero que você trabalhe aos sábados a partir de agora.
Sally: I'm sorry, but that is out of the question; that is my shopping day! Desculpe-me, mas isso está fora de questão: é o dia em que faço compras!

On the map

(no mapa)
Poderia ser traduzida pela expressão "na boca do povo", mas não existe uma frase que possa substituir esta *idiom*.

Idioms

As informações do mapa geralmente são importantes. São visíveis, conhecidas. Se você e o seu negócio estão no mapa, quer dizer que estão ficando famosos.

Pino: Hey, Sara, everybody is talking about your banana and fish sandwiches. Ei, Sarah, estão todos falando dos seus sanduíches de peixe e banana.
Sara: See, I am putting us on the map. Viu, estamos na boca do povo.
Pino: Yes, but they are saying that they are horrible! Sim, mas estão dizendo que os sanduíches são horríveis!

Out of this world

(fora deste mundo)
Equivale a: fora de série; uma coisa de outro mundo

Quando se diz que alguém ou alguma coisa é *out of this world*, significa que se considera essa pessoa ou coisa especial, imperdível.

You have to see the new Spielberg movie. It is out of this world! Você tem que ver o novo filme do Spielberg. É fora de série!

Idioms

Vamos traduzir!

Words

everywhere — em todos os lugares; em toda parte

The film

Um estúdio de cinema quer rodar um filme em um barzinho no interior. O jovem Benny entende a importância disso para o bar da família, mas seu pai não.

Benny: Vão fazer o filme aqui, papai, vamos cair na boca do povo!
Papai: Não, está fora de questão.
Benny: Mas por quê? Como oportunidade, é fora de série! Está maluco?
Papai: Você está realmente passando dos limites, Benny.

Idioms

P

Pay peanuts

(pagar com amendoins)
Equivale a: pagar uma merreca/mixaria.

Quando alguém é "pago com amendoins", quer dizer que a pessoa recebe muito pouco.

Tony: I like my job, but they pay peanuts where I work, so it's difficult to pay for the house. I need an extra job. Gosto do meu emprego, mas eles pagam uma mixaria onde trabalho, então é difícil pagar a casa. Preciso de mais um emprego.

Play your cards right

(jogar bem as cartas)
Equivale a: agir com inteligência; fazer tudo direito

A vida é um jogo, não é mesmo? No trabalho, no amor, em quase tudo. Na verdade, meu pai dizia que o xadrez era um bom jogo, porque a vida é como o tabuleiro: aprende-se a criar estratégias e a adivinhar as intenções dos adversários. No carteado, é a mesma coisa: não escolhemos as cartas que a vida nos dá, mas é importante jogá-las bem e não deixar que ninguém as veja!

You have a great business idea. If you play your cards right, you could make a killing and then you will be made of money! Você tem uma grande ideia para um negócio. Se fizer tudo direito, poderá fazer fortuna e ficar cheio da grana!

Penny for your thoughts, a

(um centavo por seus pensamentos)
Equivale a: uma moeda/um doce por seus pensamentos

Uma pessoa querida está pensativa e, no caso, seu desejo é que ela divida com você o que está pensando. Em inglês, há uma frase belíssima: *a penny for your thoughts*.
Mostra que você se dispõe até mesmo a pagar para que a pessoa se abra.

Não darei exemplos porque o significado da expressão já ficou bastante claro!

Idioms

Pigs will fly

(porcos voarão)
Equivale a: quando as galinhas criarem dentes; no dia de São Nunca

Esta expressão é usada para falar de uma coisa que, de tão impossível, só acontecerá no dia em que os porcos criarem asas e saírem voando.

John: I think Birmingham City is strong enough to win the Champions League next year. Acho que o Birmingham City está forte o suficiente para vencer a Champions League ano que vem.
Paul: Yes, and pigs will fly! Sim, quando as galinhas criarem dentes.

Idioms

Plan B

(plano B)
Equivale a: plano B

Esta expressão é magnífica! É muito usada, como todas as *idioms* que vimos até agora. Quando se traça um plano, é sempre bom ter outro na manga, certo? No caso de o plano original não funcionar, há sempre um plano B.

Ok, I will try to fix the broken toilet, but plan B is to call the plumber! Ok, vou tentar consertar a privada quebrada, mas o plano B é chamar o encanador!

Play with fire

(brincar com fogo)
Equivale a: brincar com fogo

Refere-se a qualquer pessoa que se mete em uma situação perigosa.

You shouldn't send romantic messages to Lucy via Facebook; you are really playing with fire. Her boyfriend is enormous and very jealous! Você não deveria mandar mensagens românticas para Lucy no Facebook: você está mesmo brincando com fogo. O namorado dela é enorme e muito ciumento!

Pull someone's leg

(puxar a perna de alguém)
Equivale a: zoar; tirar sarro

Esta expressão indica uma maneira divertida e brincalhona de caçoar de alguém.

Carl: I told Sally that she has passed her exams, but she doesn't believe me! Eu falei para a Sally que ela passou nos exames, mas ela não acredita em mim!
Anna: Of course she doesn't believe you; you are always pulling her leg! I will tell her. Claro que não acredita: você está sempre zoando com ela! Eu vou contar para ela.

Idioms

Vamos traduzir!

Words
tired of	cansado/a de
factory	fábrica
well	bem
pregnant	grávida

Friends

Bruce está cansado do trabalho e Lenny tenta dar alguns conselhos ao amigo para mudar a situação.

Bruce: Estou cansado do meu emprego. Quero procurar outra coisa.
Lenny: Escute, se você fizer tudo direito, vou encontrar um trabalho para você na minha fábrica.
Bruce: Pagam bem?
Lenny: Pagam muito bem.
(Bruce fica em silêncio, pensando.)
Lenny: Um doce por seus pensamentos.
Bruce: Você está me zoando? Porque, se estiver, está brincando com fogo.
Lenny: Não, Bruce, eu posso ajudar você.
Bruce: Obrigado.
Lenny: Um dia, pode ser que você se torne um gerente importante.
Bruce: Sim, no dia de São Nunca!
Lenny: Escute, se não o contratarem na minha fábrica, há o plano B... Você pode ser babá... Lucy está grávida!

Idioms

Q-R

Quick fix

(conserto rápido)
Equivale a: solução rápida/imediata
Refere-se a uma solução de emergência, improvisada, provisória.

There is no quick fix solution to this problem. We need time. Não há uma solução imediata para esse problema. Precisamos de tempo.

Quiet as a mouse, as

(tão quieto/a quanto um rato)
Não existe, em português, uma expressão com equivalência exata para esta *idiom*, que se refere a alguém que está em silêncio total, que não faz barulho.

Mary: Is your new baby letting you sleep? O novo bebê está deixando você dormir?
Olive: Oh, yes, we are very lucky, she is as quiet as a mouse. Ah, sim, temos muita sorte: ela é bem quietinha.

Rain cats and dogs

(chover gatos e cachorros)
Equivale a: chover a cântaros; chover canivetes

Can you believe it? We finally had our holiday in Spain and it rained cats and dogs for two weeks! Você acredita nisso? Nós finalmente conseguimos nossas férias na Espanha e choveu a cântaros por duas semanas!

Red tape

(fita vermelha)
Não existe uma expressão similar em português para esta *idiom*, que, em suma, quer dizer "burocracia", "papelada".

Idioms

Shelley: My husband had an accident in America and nobody helped him. Meu marido sofreu um acidente nos Estados Unidos e ninguém o ajudou.
Diana: Why not? Por que não?
Shelley: Red tape. Burocracia.
Diana: Red tape? Burocracia?
Shelley: Yes, he didn't have insurance. Sim, ele não tinha seguro.

Rock the boat

(sacudir o barco)
Equivale a: entornar o caldo; complicar/piorar as coisas

Dizer que alguém "sacode o barco" significa que a pessoa causa problemas em uma situação que, até então e bem ou mal, era absolutamente estável.

Glen: The boss doesn't pay enough. I want to tell him that I want more money! O chefe não paga o suficiente. Quero dizer a ele que quero mais dinheiro!
Dave: Don't rock the boat, please! The situation is already bad, Glen. Não entorne o caldo, por favor! A situação já está ruim, Glen.

Run out of steam

(ficar sem vapor)
Equivale a: ficar sem gás/sem energia

Os trens antigos eram movidos a vapor. Se o vapor acabava, o trem desacelerava até parar completamente.
Em inglês, quando uma pessoa ou um objeto, depois de uma explosão de energia, "desacelera", diz-se que "ficou sem vapor", perdeu a energia, o ímpeto inicial, enfim, o entusiasmo.

Manchester United started very well, but then ran out of steam in the second half of the season. O Manchester United começou muito bem, mas aí ficou sem gás na segunda metade da temporada.

Idioms

Vamos traduzir!

Words
umbrella — guarda-chuva
reason — razão; motivo
weapon — arma
law — lei
alone — sozinho(a)

Verbs
to rob — roubar

Gentleman thief

Dois criminosos, cansados da pobreza, resolvem roubar um banco.

Bones: Ok, você está pronto para roubar o banco comigo?
Rocky: Agora? Está chovendo canivetes lá fora!
Bones: Tenho dois guarda-chuvas.
Rocky: Sim, mas é uma solução provisória, Bones! Onde vamos colocar os guarda-chuvas quando tivermos de entrar? Temos de ser muito silenciosos!
Bones: Você tem sempre que complicar as coisas, hein?
Rocky: Sempre?
Bones: Sim, mesmo quando estávamos no grupo. Você sempre achava um problema nos meus planos. O grupo acabou por esse motivo.
Rocky: Não, o grupo ficou sem energia no fim. De todo modo, não se pode levar guarda-chuvas para dentro do banco.
Bones: Hã?
Rocky: Um guarda-chuva poderia ser usado como arma, então, por lei, não podem ser levados para dentro de lugares públicos... Você sabe como é a burocracia dos bancos!
Bones: Vou sozinho.

Idioms

S

Salt of the earth

(sal da terra)

Há um equivalente em português, "o sal da terra", que é muito pouco usado. "Um tesouro", "um coração puro", "uma grande pessoa" são expressões que, apesar de não substituírem exatamente esta *idiom*, têm um significado mais próximo. Quando se diz que certa pessoa é "o sal da terra", significa que ela é honesta, pura, simples e tem bom coração. Uma pessoa boa, em suma. É um grande elogio para nós, ingleses.

I really miss my father. He always gave me important advice and help. He was the salt of the earth. Eu realmente sinto falta do meu pai. Ele sempre me deu conselhos importantes e me ajudou. Foi uma grande pessoa.

Sell like hot cakes

(vende como bolos quentes)
Equivale a: vende/sai como água

Algo que vende muito bem.

Danny: Yesterday, I got married for the tenth time! Ontem, casei-me pela décima vez!
Bob: If you wrote a book about your life, it would sell like hot cakes! Se você escrevesse um livro sobre sua vida, venderia como água!

Second nature

(segunda natureza)

Pode-se traduzir por "fazer naturalmente", "ser natural para", mas não há equivalente exato para esta *idiom*.
Se algo faz parte do caráter de uma pessoa, isso quer dizer que é da natureza dela ser assim. Se você faz uma coisa que é sua "segunda natureza", quer dizer que essa atividade está entranhada no seu caráter.

Idioms

Teaching English is second nature to John. He has been teaching for many years.
Ensinar inglês é algo que John faz naturalmente. Ele ensina há muitos anos.

(N)either

Antes de passarmos à próxima *idiom*, vejamos uma miniaula sobre *either + or* e *neither + nor*:

either + or é usado quando se faz uma escolha entre duas coisas; *neither + nor* quer dizer "nenhum dos dois".

Um homem vai a um bar que vende apenas café e leite.

Man: A juice, please. Um suco, por favor.
Barman: We don't sell juices. You can have either coffee or milk. Não vendemos sucos. Você pode pedir ou café ou leite.
Man: Neither coffee nor milk, I will go to a different bar. Nem café nem leite, eu vou a outro bar.

See red

(enxergar vermelho)
Equivale a: ficar louco de raiva

Significa ficar extremamente irritado(a).

When I see people on the news who hurt children, I see red and have to turn off the tv. Quando vejo no noticiário pessoas que machucam crianças, fico louco da vida e tenho que desligar a TV.

Idioms

Seeing is believing

(ver é crer)
Equivale em português a: ver para crer

Esta expressão é usada quando a pessoa só acredita em alguma coisa quando a vê com os próprios olhos.

I'm going to the pub, later, because Tony says his new girlfriend is a supermodel. Is that possible? Well, seeing is believing! Vou ao bar mais tarde porque Tony está dizendo que sua nova namorada é uma supermodelo. Será possível? Bom, só vendo para crer!

Sell one's soul

(vender a alma)
Equivale a: virar a casaca/vender a alma

Esta expressão é usada para se referir a alguém que mudou repentinamente de ideia sobre alguma coisa.

Benny: Hey, John... I saw your brother today with the Scotland football shirt on. Did he sell his soul to the devil? Ei, John... Vi seu irmão hoje com a camiseta da seleção escocesa de futebol. Ele virou a casaca?
John: Yes. Sim.

Ou a alguém que faria de tudo para obter fama, dinheiro ou êxito.

I would sell my soul to be a best-selling author. Eu venderia a alma para ser autor de um livro de sucesso.

Set in stone

(fixado em pedra)
Equivale a: gravado(a) em pedra

Na Bíblia, Deus entregou a Moisés as tábuas de pedra nas quais estavam inscritos os Dez Mandamentos. Gravadas em pedra: regras que não podem ser alteradas. Em inglês, se uma norma relativa ao trabalho ou mesmo ao âmbito doméstico está "fixada em pedra", significa que é uma regra que não se pode mudar. É assim e pronto!

Listen, the guest list isn't set in stone. You can add a person if you want! Escute, a lista de convidados não está gravada em pedra. Você pode acrescentar uma pessoa se quiser.

Idioms

Short and sweet

(curto e doce)

Pode equivaler, em português, a "foi bom enquanto durou". É usada para descrever uma experiência que, apesar de breve, foi agradável.

I had three days holiday, so we went to the coast for the weekend. It was short and sweet. I relaxed with a book. Eu tirei três dias de férias, então fomos ao litoral para passar o fim de semana. Foi bom enquanto durou. Relaxei lendo um livro.

Short and sweet também pode ser usado no sentido de "curto(a) e grosso(a)", quando alguém fala algo com toda a franqueza, sem rodeios.

John, I'm your wife and I love you, so I'll be short and sweet: you're not as funny as you think you are. John, sou sua esposa e amo você, por isso serei curta e grossa: você não é tão engraçado quanto acha que é.

Soft spot, to have a

(ter um ponto macio)
Equivale a: ter uma queda/um fraco por

Esta *idiom* refere-se aos pontos fracos que qualquer pessoa tem, coisas para as quais não se consegue dizer não e às quais não se consegue resistir.

Terry: Why is your wife so big? Por que sua esposa é tão gorda?
John: She has a soft spot for cakes. Ela tem uma queda por bolos.
Terry: Does she have a soft spot for you, too? Ela tem uma queda por você também?
John: No, just for cakes. Não, só pelos bolos.

Sweeten the pill

(adoçar a pílula)
Equivale a: dourar a pílula

Você tem uma má notícia para dar a alguém? É possível oferecer algum consolo para diminuir a dor? Dá para dizer algo, qualquer coisa que possa suavizar o golpe? Tem um pouco de açúcar para adoçar a pílula amarga que a criança deve tomar?

Idioms

He lost his job, but his boss sweetened the pill. He is giving him a few hours work in the evenings, until he finds something else. Ele perdeu o emprego, mas o chefe dourou a pílula. Vai deixar que ele trabalhe algumas horas à noite até encontrar outra coisa.

Swim against the tide
(nadar contra a maré)
Equivale a: nadar contra a corrente; estar na contramão

Quem diz ou faz o contrário do que a maioria das pessoas diz ou faz nada contra a maré. Geralmente é uma atitude que requer muita coragem.

When the fashion was mini-skirts, Harriet wore long skirts. When the fashion was long hair, she cut her hair short. She was never a sheep and always swam against the tide.
Quando a moda eram as minissaias, Harriet usava saias longas. Quando a moda era o cabelo comprido, ela cortou o cabelo curto. Ela nunca foi um cordeirinho e sempre nadou contra a corrente.

Idioms

Vamos traduzir!

Words		Verbs	
mind	mente	to give	dar
thing	coisa	to write	escrever
ridiculous	ridículo		
against	contra		
dummy	imbecil; tonto		

About madness

Theo e Brian, dois intelectuais de uma universidade, estão conversando.

Theo: Acho que Freud tinha uma mente magnífica.
Brian: Ele era louco.
Theo: Ah, é? Se ele era louco, eu venderia a alma para ser louco. Considere (pense sobre) quando os livros dele saíram. Estavam totalmente na contramão da história, mas venderam como água.
Brian: Theo, sei que você tem uma queda por Sigmund, mas ele disse muitas coisas ridículas.
Theo: Brian, nem tudo foi gravado em pedra: eram apenas ideias.
Brian: Ele era louco.
Theo: Não! Ele foi um grande homem.
Brian: Por que você tem esse fraco por Freud?
Theo: Não tenho um fraco por ele, seu imbecil!
Brian: Viu? Eu digo algo contra Freud e você fica louco da vida!
Theo: Eu sei que deixar as pessoas irritadas é natural para você, mas agora vou lhe dizer algo e, para dourar a pílula, direi que não é só você. Vou ser curto e grosso. Pronto?
Brian: Sim.
Theo: Você é um imbecil.
Brian: Ah, é?
Theo: Sim, e é ver para crer, e eu posso ver você, e você é um imbecil.

Idioms

T

Take it or leave it

(pegue-o ou largue-o)
Equivale em a: pegar ou largar

As pessoas nem sempre têm vontade de negociar ou discutir. Se alguém disser a você take it or leave it significa que o indivíduo não tem nenhuma intenção de negociar: é aceitar a oferta ou nada, é pegar ou largar!

Egyptian farmer (fazendeiro egípcio): I will give you one camel for your wife. Take it or leave it. Eu darei a você um camelo por sua esposa. É pegar ou largar.
John: I'll take it! Concettina, darling! Please go with this nice man. Aceito! Ei, querida! Por favor, vá com este bom homem.
Egyptian farmer (fazendeiro egípcio): Hey, crazy Englishman! You forgot to take your camel! Ei, inglês maluco! Você se esqueceu de pegar o camelo!

É claro que estou brincando. Nunca trocaria minha amada esposa por um camelo. Quem você está achando que eu sou, hein? Até porque não saberia onde colocar um camelo. Mas se eu tivesse um quintal maior...

Take somebody for a ride

(levar alguém para um passeio)
Equivale a: tirar uma com a cara de alguém; passar a perna

Diferente da maneira brincalhona de "caçoar" de alguém (*pull someone's leg*), esta expressão é mais maldosa.

A lot of these salesmen take you for a ride. They bend the truth so much that you don't really know what you are buying. Muitos vendedores tiram uma com a sua cara. Contam tantas meias verdades que você fica sem saber o que está comprando.

Talk shop

(falar da loja)

Não existe em português um equivalente a esta expressão, que se refere, em suma, à pessoa que sempre fala de trabalho.
Esta expressão me traz à lembrança o vício de certas pessoas que, terminado o

Idioms

expediente, não conseguem se desligar e continuam a falar de trabalho.
Shop simboliza o trabalho, não apenas uma loja, mas qualquer ambiente de trabalho.

I have a friend from Rio de Janeiro. I have known him for twenty years, but I don't know what he does, because he never talks shop. Tenho um amigo do Rio de Janeiro. Eu o conheço há vinte anos, mas não sei o que ele faz, porque ele nunca fala do trabalho.

There wasn't a soul

(não havia uma alma)
Equivale a: não havia vivalma

Exatamente como em português, esta *idiom* refere-se a um evento ao qual ninguém comparece ou a um lugar onde não se vê pessoa alguma.

We are playing really badly, in fact, on Saturday there wasn't a soul at the game. Not even the referee came! Nós estamos realmente jogando muito mal, é fato. No sábado não havia vivalma. Nem mesmo o árbitro veio!

Think again

(pense de novo)
Equivale a: pense bem; reconsidere

Se alguém diz *think again* é porque está aconselhando ou sutilmente obrigando você a mudar de ideia. É como dizer "não concordo, é melhor você repensar, porque não aceito o que você quer!".

John: Tonight, I am going to the pub. Hoje à noite, vou ao bar.
Wife (Esposa): Think again, you have to wash the dog. Pense bem, você tem de dar banho no cachorro.

Idioms

Vamos traduzir!

Words

true — verdade
come on! — vai!; qual é?
opinion — opinião

Verbs

to meet — conhecer; encontrar (pessoas)

Gossip

Anna e Lucy falam da amiga Amber pelas costas.

Anna: Você conheceu o novo namorado da Amber?
Lucy: Sim, o cara que só falava de trabalho na festa... Ela deveria pensar bem, aquela garota, ele está tirando uma com a cara dela.
Anna: Não é verdade, vai!
Lucy: Essa é minha opinião, é pegar ou largar.
Anna: Fui à casa dela ontem e não havia vivalma. Eles foram embora?

Idioms

U

Under a person's thumb
(debaixo do polegar de alguém)
Equivale a: sob o domínio/ influência de alguém; ser submisso(a)

Esta expressão é usada para indicar uma pessoa que é completamente dominada por outra.

Amber is totally under her boyfriend's thumb. When he says "jump", she jumps.
Amber é totalmente submissa ao namorado. Se ele a mandar pular, ela pula.

Up in the air
(no ar)
Equivale a: incerto; indefinido

Esta expressão é usada quando muitas coisas estão acontecendo, mas não se tem certeza alguma. Nada de concreto.

I have a chance to go to America to work, but I have to finish many things here, first, so everything is up in the air. Eu tenho a oportunidade de ir aos Estados Unidos para trabalhar, mas primeiro tenho que terminar muitas coisas por aqui, então não há nada certo ainda.

Idioms

W-Y

Waiting game

(jogo de espera)

Não há equivalente exato em português. Às vezes é melhor esperar e não fazer nada, só para ver se alguma coisa acontece e muda tudo. É uma tática.

Hannah: Did Lenny call? Lenny ligou?
Lisa: No, he's playing the waiting game. He wants to see if I will go crazy without him. Não, ele está me dando um chá de cadeira. Ele quer ver se eu fico maluca sem ele.

Walk on air

(andar no ar)
Equivale a: estar nas nuvens

Refere-se a uma situação que faz alguém tão feliz que a pessoa parece caminhar no ar, sem tocar o chão.

Jason: Hey, you got the job! How do you feel? Ei, você conseguiu o emprego! Como se sente?
Lucy: I'm walking on air! Estou nas nuvens!

Wear many hats

(usar muitos chapéus)

Esta expressão é usada para descrever uma pessoa que executa vários trabalhos, que desempenha várias funções, que se desdobra.

The school caretaker has to wear many hats. He has to be a plumber, a gardener and a security guard. O zelador da escola tem que se desdobrar. Ele tem que ser o encanador, o jardineiro e o segurança.

Idioms

You can't teach an old dog new tricks

(você não pode ensinar novos truques a um cão velho)
Equivale a "macaco velho não aprende truque novo/arte nova", mas também pode ser entendida como "velhos hábitos nunca mudam".

Em suma, esta *idiom* expressa a dificuldade de ensinar algo a uma pessoa mais velha e que, por isso mesmo, tem hábitos muito arraigados.
Há muitas comparações entre pessoas e cães. Algumas ofensivas, outras mais nobres. Em inglês, a expressão *you are an old dog*, se dirigida a uma senhora, soaria muito ofensiva. Se, no entanto, alguém dissesse *you are an old sea dog* a um marinheiro idoso, demonstraria admiração e afeto.
Esta *idiom* é usada com afeto.
Por *tricks* entendem-se ordens: ensinar um cão a dar a pata é fácil quando o animal é jovem, mas a tarefa é muito complicada, se não impossível, quando ele já está velho. Com o passar do tempo, velhos hábitos tornam-se automáticos.

My Grandmother is learning English, but she isn't making much progress. You can't teach an old dog new tricks. Minha avó está aprendendo inglês, mas não está progredindo muito. Macaco velho não aprende truque novo.

Idioms

Vamos traduzir!

Words
agitated — agitado(a)
lawyer — advogado(a)
way — modo; jeito
angry — bravo(a); nervosa(a)
positive — positivo(a)
tactic — tática

Verbs
to look — olhar
to look like/seem — parecer
to think — pensar
to wait for — esperar

The boss

Frank e Freddy falam do chefe da empresa onde trabalham.

Frank: O chefe está agitado. Está esperando uma ligação de Roma.
Freddy: Ele é o chefe? Ele não é o advogado?
Frank: Sim, ele desempenha muitas funções aqui porque a empresa é do pai dele.
Freddy: Por que ele não liga para Roma?
Frank: Porque está dando um chá de cadeira neles. É o jeito dele, e velhos hábitos nunca mudam.
Freddy: Ele parece irritado...
Frank: Acho que, se ligarem de Roma hoje com uma resposta positiva, você o verá muito feliz. Mas por enquanto ele vai dando o chá de cadeira. É a tática dele.

Final Part

Solutions and Translations

Vocabulary

Regular Verbs

Irregular Verbs

Solutions and Translations

EXERCÍCIO n. 1
1. I am thin.
2. We are old and tired.
3. They are drunk.
4. You are generous.
5. She is fat.
6. We are happy.
7. The car is fast.
8. He is generous.
9. I am fat.
10. We are sad.

EXERCÍCIO n. 2
1. She is generous because she is drunk.
2. He is tired because he is old.
3. They are fast because they are young.
4. We are slow because we are fat and drunk.
5. I am nice, but he is young and handsome.
6. She is beautiful, but she is not elegant.
7. We are fat, but we are fast.
8. You are thin and young, but you are slow.
9. They are honest and generous.
10. We are handsome and nice, but we are not elegant.

EXERCÍCIO n. 3
1. We are with you.
2. Are you with him?
3. He and she are with me.
4. Are he and she with me?
5. You are with them.
6. You are not with her.
7. I am not with them.
8. Are you with me?
9. Aren't you with him?
10. We are not with you.

EXERCÍCIO n. 4
1. We have a small garden.
2. I have a fat dog.
3. She has an ugly brother.
4. They have a thin mother.
5. He has a beautiful wife.
6. He has a beautiful, but sad sister.
7. Have you a boyfriend?
8. I am young, but I have a big car.
9. I am not beautiful, but I have a handsome boyfriend.
10. She has two brothers and a sister.

EXERCÍCIO n. 5
1. He has got a fast red car.
2. I have a big white house.
3. They have a slow black dog.
4. He has a black eye.
5. She has an orange hat.
6. We have a brown bike.
7. Have you got a black and white television?
8. Have you got a grey cat?
9. Have you got a black pen?
10. I have a green apple.
11. I haven't got time.
12. She hasn't got money for me.
13. We haven't got a beautiful house.
14. We haven't got a beautiful car.
15. You haven't got time for me!

Grammar - **Step 1**

EXERCÍCIO n. 6
1. My father is under the car in the garage.
2. My grandmother is in the bedroom with her book.
3. The black cat is in the cellar because it is cool.
4. The bedroom is near the bathroom.
5. My brother is in the living room with his friend, but without the dog.
6. My sister is in the garden.
7. My mother is in the kitchen.
8. My grandfather is in bed and the cat is under the bed.
9. My cousin is in the car in the garage.
10. My parents are in the cellar.

EXERCÍCIO n. 7
1. is
2. Is
3. Are
4. Has
5. has
6. is
7. Is
8. Have
9. is
10. have/am
11. is
12. are
13. have
14. has
15. are
16. is
17. are/are
18. has
19. are
20. are/have

EXERCÍCIO n. 8
1. She has two big ugly dogs.
2. He hasn't got a black bike.
3. Have you got four euros? I have no money.
4. No, I haven't got four euros because I haven't got a job.
5. He has two big, red eyes because he is tired.
6. We have forty chickens in our garden.
7. Have you got a big, white chicken?
8. They haven't got a big, white chicken but they have a nice grey rabbit.
9. They have seven small (o little) children because they haven't got a tv.
10. You haven't got two fast legs because you are old and drunk.

Grammar - **Step 1**

EXERCÍCIO n. 9
1. I go to my house in my yellow car.
2. My wife and her mother go shopping with my money!
3. I am in the garden with my dog and my cat, and they are old and tired.
4. Sara has my red car because her green bike is broken.
5. They are in their car with my brother and his friend.
6. My book is on the table; your book (ou yours) is in the bedroom.
7. His father is old and thin; mine is fat.
8. Our parents are old; their parents (ou theirs) are young.
9. Her bag is big and new, but yours is old and dirty.
10. Her mother is English; their mother (ou theirs) is American.

EXERCÍCIO n. 10
1. I am my mother's son.
2. He is Jennifer's husband.
3. The cooks' hat is white.
4. Peru's mountains are beautiful.
5. My grandfather's newspaper is on the table.
6. Tomorrow's newspaper.
7. I have my brother's radio.
8. He has my father's car.
9. The workers' canteen is open.
10. I am my readers' guide.

EXERCÍCIO n. 11
1. My father is under the yellow car in the garage with my sister.
2. I am in front of a drunk and stupid person in the mirror.
3. Beside the bed there is a black book on the table.
4. In front of my house there is a house with a pool and a big car.
5. I am behind you; don't go fast because I am on a bike.
6. Inside my house in the kitchen, under the table there is a mouse.
7. Grandmother is outside the house; she is in the garden reading under a tree.
8. I sleep between my brother and my sister in a small bed and under the bed sleeps my grandfather.
9. They are near Milan, but far from my house.
10. Near here there is a cinema and inside there is my friend among the 100 people inside; he went there to see a film.

Grammar - Step 1

EXERCÍCIO n. 12
1. for
2. to
3. to
4. for
5. to
6. for
7. to
8. for
9. to
10. to

EXERCÍCIO n. 13
1. Those sweets are yours.
2. These cups are big.
3. That man is nice.
4. This bar is ugly.
5. That bar is beautiful.
6. Those men are honest.
7. These children are fast.
8. This coffee is mine.
9. These cars are slow.
10. That girl is with that man with the green jacket; that one with the blue eyes is with this girl here.

EXERCÍCIO n. 14
1. Who is the woman with the red skirt and green eyes?
2. Who is that mad man in the road?
3. Who are you to ask me who I am?
4. Who are those children in the pub?
5. Who commands in this house?
6. Who are these men in black?
7. Who is the tall girl?
8. Who is fat and stupid?!
9. Who knows who those old men are in my garage?
10. Who are you to ask me who I am?

EXERCÍCIO n. 15
1. What is a "pitboy"?
2. What are these green things on my plate?
3. What do you eat in London?
4. What?
5. What are we?
6. What are you?
7. What is that?
8. What have you got?
9. What have I got in my bag?
10. What has he got that I haven't got?

Grammar - Step 1

EXERCÍCIO n. 16
1. Where is the cinema?
2. Where are my beautiful, black shoes?
3. Where is the train station?
4. Where is my money?
5. Where does he play?
6. Where are you?
7. Where am I?
8. Where is it?
9. Where is the shop?
10. Where do I go?

EXERCÍCIO n. 17
1. How are the children?
2. How can I cook without a kitchen?
3. How can you resist with him?
4. How do I look with this red hat?
5. How do you know my name?
6. How do you like your pasta?
7. How can I know?
8. How are the children where you work?
9. How are you?
10. How am I? Beautiful or ugly?

EXERCÍCIO n. 18
1. Are there two fat girls at the bar?
2. There are no men at the bar today because there is the football match.
3. That girl isn't there this evening.
4. There are those sweets in the kitchen.
5. There is no money for the holiday.
6. There is no hope with that team.
7. There are two horses in the stable.
8. There are two Indian boys in my class.
9. There is time!
10. There are two red cats on the roof of my house.

Grammar - **Step 2**

EXERCÍCIO n. 19
1. much
2. many
3. a lot of
4. a lot of
5. much
6. many
7. much
8. a lot of
9. much
10. many

EXERCÍCIO n. 20
1. There is not enough work to do.
2. There are not enough people on the bus.
3. There is not enough panic about the crisis!
4. We have not enough rabbits in the garden.
5. There is not enough interest in my sister!

EXERCÍCIO n. 21
1. Do
2. Is
3. Do
4. do
5. are
6. do
7. is
8. does
9. do
10. isn't
11. have
12. do
13. is
14. do
15. is
16. am
17. are
18. do
19. do
20. does
21. is
22. do
23. does
24. am
25. do/are

EXERCÍCIO n. 22
1. I usually swim with my brother.
2. She never sleeps.
3. I often walk.
4. I never eat pasta.
5. They usually drink white wine.
6. We always go to the cinema on Sundays.
7. My mother always does the shopping on Mondays.
8. Giorgio rarely goes to the doctor.
9. I won't answer you because you are stupid.
10. Gianna works in a restaurant.
11. I often write emails.
12. I always speak with my boss.
13. I usually answer the telephone.
14. Every week I send orders to clients.
15. I call the clients when there are problems.
16. I work in customer service.
17. I work in the reception.
18. I don't call the clients.
19. I don't understand when my boss speaks to me on the telephone.
20. I sometimes take part in the meetings.

Grammar - Step 2

EXERCÍCIO n. 23

J: Hi love, where are you?
C: In front of the tv; I'm watching a film.

C: Where are you? I am waiting for you!
J: Why are you waiting for me, my love?
C: I haven't got any money for the hairdresser.

J: Hi love, do you miss me?
C: Yes, I miss you, but who are you?
J: I am getting angry!
C: Aaah, it's you!

J: Love, what are you doing?
C: I am crying.
J: Don't cry! I'm coming home!
C: That is why I am crying.

J: Are you at home?
C: Yes, I am making a cake with a lot of love.
J: For who?

C: What are you watching on the tv?
J: I don't know; I'm not hearing it.
C: Why aren't you hearing it?
J: Because you are talking to me!

EXERCÍCIO n. 24

B: When will you send the material?
E: I am sending it, now.

B: Are you in the office?
E: Yes, I am turning on the pc.

B: Are you in the office?
E: Yes, but I'm turning off the pc, now.

B: Is Rossi there?
E: No, he's eating in the canteen.

B: And what is he eating?
E: I don't know what Rossi is eating!!

B: What are you doing?
E: I am talking with Mr. Smith; do you know him?

B: What time will the delivery arrive?
E: I am looking into it, now.

B: I am waiting.
E: Ok, they are delivering it, now.

B: Is Franco finishing the project?
E: No, but I am helping him.

B: What is he doing, now?
E: He is waiting for me.

Grammar - **Step 2**

EXERCÍCIO n. 25

1.
Mother: What is Timmy doing?
Father: He is trying to find his ball.
Mother: Is he looking under the bed? Because the ball is there.

2.
Boss: What are you doing?
Secretary: I am calling the client.
Boss: Isn't he answering?
Secretary: No, but I am waiting.
Boss: I am going.
Secretary: Bye!

3.
Karl: What is happening?
Lisa: The dog is eating, my mother is cooking, my father is cleaning his motorbike and I am talking to you.

4.
Sales Manager: What are you doing?
Lucy: I am sending an email, Tom is sleeping on his desk, Giovanni is drinking a coffee and Umberto is reading the newspaper.
Sales Manager: Ah, so all is normal!

Grammar - **Step 2**

EXERCÍCIO n. 26
1. These days, I am painting.
2. I am reading a book.
3. My wife is going to Yoga often these days.
4. I'm not going to the restaurant because I'm dieting.
5. I am studying English.
6. Where are you going? I am going to the doctor; I am ill.
7. We are studying; we aren't playing!!
8. Are you doing the French translation?
9. Hey! Hello, where are you going?
10. We are going to George Michael's concert.
11. I am working on the Star project.
12. I'm making/doing a conference call.
13. We are trying to sell to Russia.
14. Are you trying out new software?
15. I'm not going to work at seven a.m.
16. S/he is booking the hotel for the Boss.
17. I am covering for my colleague who is at home.
18. Are they buying our products?
19. We are not opening a new office.
20. We are closing the office.

EXERCÍCIO n. 27
Shop keeper: We are losing money with this crisis.
Assistant: I have an idea; let's sell for less.
Shop keeper: No!
Assistant: But everybody is selling for less now, and they are working!

EXERCÍCIO n. 28
1. work
2. is sleeping
3. is raining
4. singing/is talking
5. play
6. is writing
7. is working/cooks
8. swim
9. takes
10. eats
11. making
12. comes
13. gives
14. are giving
15. works
16. running
17. is falling
18. love
19. am studying
20. is walking

EXERCÍCIO n. 29
1. too much
2. too many
3. too much
4. too much
5. too much
6. too many
7. too much
8. too much
9. too many
10. too many

Grammar - **Step 2**

EXERCÍCIO n. 30
1. On Sunday morning, I am painting the kitchen.
2. This evening, I am seeing my mother.
3. Tonight, I am leaving for London.
4. This evening, I am sleeping at my friend's house.
5. Tomorrow, I am leaving my girlfriend.
6. I am taking a shower.
7. This afternoon, I am doing my homework with Alex.
8. Tomorrow morning, I am washing the car.
9. On Wednesday, I am buying a cat.
10. On Saturday, I am buying Christmas presents.

EXERCÍCIO n. 31
1. This evening, I am leaving the office at 8 p.m.
2. We are having a meeting at 4 p.m.
3. Tomorrow, we are meeting all our London colleagues.
4. The new Boss is arriving at 12.
5. Are we moving to a new office on Tuesday?
6. This afternoon, the Boss is making a moving speech.
7. Monday morning, they are paying us.
8. At 2 p.m., I am sending the fax.
9. Are you calling the supplier after lunch?
10. I am not going to the office with them.

EXERCÍCIO n. 32
K: What are you doing, this evening?
R: I am watching a film with Mary.
K: Mary?
R: Yes, I am taking her to the cinema.
K: I will come with you! (decidido agora)
R: Are you crazy? They are showing a violent film; you are sensitive.
K: Ok thanks, Rocco; you are kind to protect me!

W: This evening, we are celebrating my Birthday!
S: Who is coming?
W: Everybody is coming?
S: Are they bringing presents?
W: I hope so!

Grammar - Step 2

EXERCÍCIO n. 33

B: I need the X file.
P: I will send it to you, now.

J: Gianni, will you help me lift the sofa?
G: I will try!/I'll try!

B: Where is Mr. Jones?
P: I will ask Marta./I'll ask Marta.

C: I will return at 3 a.m.
J: I will not open the door after twelve!

B: Will you book me a table at the "Gambero Storto" for this evening?
P: Of course! I will call immediately!

J: Will you kiss me while I sleep?
C: No! I won't.
J: Good!

B: Is the flight booked?
P: Now I will chock.

C: I am going to Bingo.
J: I will stay here.

T: Don't eat the cake. It's for Sunday!
A: I won't.

T: Now I will book the hotel.
A: Ok, now I will tell my mother.

Grammar - **Step 2**

EXERCÍCIO n. 34
1. Milan will lose on Sunday.
2. She will leave you for this.
3. Take Julie to the cinema and she will love you.
4. John will not (won't) come with us.
5. Suzy will hate you for this.
6. The email will arrive on Monday.
7. My colleagues will be happy that they will be giving us more money now.
8. The package will arrive today.
9. I think that Mr. Baker will receive you soon (ou shortly).
10. You will get a promotion for that project.
11. The London Boss will speak during the conference call.
12. Your idea will be liked.
13. They will hate your idea.
14. They will cut expenses this year.
15. The clients will be happy with the discount.

EXERCÍCIO n. 35
B: On Saturday my husband is taking me shopping on Saturday.
C: I'm going to find a husband like yours!
S: I will give you mine, if you want him!

S: Tomorrow evening, I am eating with my sister at her house. Do you want to come, Carla?
C: Yes! Now, I will call my husband.
B: Will she make "brigadeiro"?

EXERCÍCIO n. 36
1. Yesterday evening, I cooked, ate, cleaned the house, then went to bed.
2. Today, I worked, watched a film, took my son to school, then slept.
3. This morning, I bought the milk, went home, and then returned to bed.
4. Yesterday, we finished the project, then went to celebrate.
5. I wrote a letter, then slept for 3 hours.

Grammar - Step 2

EXERCÍCIO n. 37

On Monday, I saw a handsome man.
I asked him to go out with me.
We went to the lake, and then ate.
While we were eating, he asked me to kiss him, but my mouth was full of bread.
When my mouth was empty, he was kissing another.
"You are a playboy!", I shouted.
"But she is my sister", he said.
I saw in the mirror that my face was red.
While we were finishing eating the bill arrived.
He paid for everything and afterwards we went to the bar and got a bottle of wine.
While we were drinking, he asked me for a kiss, but my mouth was full of wine.
When my mouth was empty, he was kissing another.
"Is she your sister too?", I asked.
"No, I'm a playboy", he said.
I went out, took a taxi and went home.
When I arrived home, I saw some flowers on the table with a message.
The message was "I love you".
While I was smiling because of the message, my neighbor entered.
"Suzy!", she said, "you are in my house! Did you drink wine again?".

EXERCÍCIO n. 38

1. While I was cleaning, Simon called me.
2. I was talking, when she started to cry.
3. While I was watching the game, I fell.
4. He was running, when he broke his leg.
5. While s/he was asking me a question, I forgot her/his name.
6. I was sorting out the bedroom, when I found a pound!
7. I was undressing, when your wife arrived!
8. While we were playing, we heard a scream.
9. I was falling asleep, when s/he gave me a kick.

Grammar - Step 2

EXERCÍCIO n. 39

1. presente: I am aiming my pistol.
   passado: I was aiming my pistol.
   futuro: I will be aiming my pistol.
2. presente: I allow people in my house.
   passado: I allowed people in my house.
   futuro: I will allow people in my house.
3. presente: I avoid stupid people.
   passado: I avoided stupid people.
   futuro: I will avoid stupid people.
4. presente: I am begging her to go out with me.
   passado: I was begging her to go out with me.
   futuro: I will be begging her to go out with me.
5. presente: I behave very well, when she is with me.
   passado: I behaved very well, when she was with me.
   futuro: I will behave very well, when she is with me.
6. presente: He is boiling eggs for breakfast.
   passado: He was boiling eggs for breakfast.
   futuro: He will be boiling eggs for breakfast.
7. presente: She is counting her money to see if she can buy a new dress.
   passado: She was counting her money to see if she could buy a new dress.
   futuro: She will be counting her money to see if she will be able to buy a new dress.
8. presente: I complain to the father, when the child behaves badly at school.
   passado: I complained to the father, when the child behaved badly at school.
   futuro: I will complain to the father, when the child will behave badly at school.
9. presente: I am cleaning my garage.
   passado: I was cleaning my garage.
   futuro: I will be cleaning my garage.
10. presente: I am concentrating on my work.
    passado: I was concentrating on my work.
    futuro: I will be concentrating on my work.
11. presente: The postman delivers letters to my house, sometimes.
    passado: The postman delivered letters to my house, sometimes.
    futuro: The postman will deliver letters to my house, sometimes.
12. presente: I dislike everything he says.
    passado: I disliked everything he said.
    futuro: I will dislike everything he will say.

Grammar - Step 2

13. presente: I am describing the party to Simon.
    passado: I was describing the party to Simon.
    futuro: I will be describing the party to Simon.
14. presente: She develops projects for big companies.
    passado: She developed projects for big companies.
    futuro: She will develop projects for big companies.
15. presente: I don't decide what to do in my house.
    passado: I didn't decide what to do in my house.
    futuro: I won't decide what to do in my house.
16. presente: She isn't forcing her son to study.
    passado: She wasn't forcing her son to study.
    futuro: She will not be forcing her son to study.
17. presente: They are improving conditions, finally.
    passado: They were improving conditions, finally.
    futuro: They will be improving conditions, finally.
18. presente: I am learning Russian.
    passado: I was learning Russian.
    futuro: I will be learning Russian.
19. presente: They live in a big house.
    passado: They lived in a big house.
    futuro: They will live in a big house.
20. presente: We are launching the new product in January.
    passado: We were launching the new product in January.
    futuro: We will be launching the new product in January.
21. presente: I am watching tv and opening my mail, while Tina is cleaning the room.
    passado: I was watching tv and opening my mail, while Tina was cleaning the room.
    futuro: I will be watching tv and opening my mail, while Tina will be cleaning the room.
22. presente: They shout, scream and complain about everything.
    passado: They shouted, screamed and complained about everything.
    futuro: They will shout, scream and complain about everything.
23. presente: The police arrest, the lawyers accuse and the judge sentences.
    passado: The police arrested, the lawyers accused and the judge sentenced.
    futuro: The police will arrest, the lawyers will accuse and the judge will sentence.

Grammar - **Step 2**

24. presente: I park the car, press the button, then pull out the ticket.
    passado: I parked the car, pressed the button, then pulled out the ticket.
    futuro: I will park the car, press the button, then pull out the ticket.
25. presente: I regret that I refuse to remove the offensive poster.
    passado: I regretted that I refused to remove the offensive poster.
    futuro: I will regret that I will refuse to remove the offensive poster.

EXERCÍCIO n. 40
1. Before going out, clean the bathroom and kitchen.
2. I went to school without having done my homework.
3. Why don't you speak/talk instead of crying?
4. Stop repeating always the same words.
5. Instead of playing tennis, why don't you study?
6. We are used to listening to your/his/her nonsense.
7. They are tired of repeating always the same words.
8. My mother is fond of music.
9. We are afraid of making a bad impression.
10. I'll start painting the bathroom, then I'll finish cleaning the kitchen.

Grammar - **Step 3**

EXERCÍCIO n. 41
1. The sun is above the mountain.
2. I walked against the wind.
3. I slept among the trees.
4. Behind the mountain, there is a river.
5. About 6 o'clock, we went away.
6. The temperature in the forest was 5 below zero.
7. Jane was beside (ou next to) me.
8. Between the two mountains, there was a beautiful pub.
9. Despite the cold, we swam in the river.
10. During our walk, I fell.
11. It was beautiful, except for the rain.
12. I ran like the wind.
13. There was a WC in front of the pub.
14. Unlike Mark, I found the WC without any problems.
15. After the pub we slept under a tree until dawn.

EXERCÍCIO n. 42
1. in
2. on
3. in
4. at
5. in
6. in/on
7. at
8. on
9. On
10. on/at
11. at/at
12. in/at
13. in/on
14. in
15. at/at
16. on
17. in/at/in
18. in/on
19. in
20. at

EXERCÍCIO n. 43
Aboard the plane, I asked for a drink. The hostess poured hot coffee into my cup, while the plane was going against the wind.
Through the window, I saw a bird among the clouds and when I looked down, I saw boats on the sea.
Suddenly, I smelled whiskey and when I looked around, I saw that I was sitting in between two Scots.
During the flight, I spoke with an American lady near me.
She put her coffee onto the little table and listened to my funny jokes.

Grammar - **Step 3**

EXERCÍCIO n. 44

Yesterday morning at 10.15, I was in a bar in the centre of Bologna.
In front of me, there was a lady sitting on the table, who was pouring wine into a glass.
When there was no more wine, she fell onto the floor (ou ground).
On the wall, there was a photo of a bird that was flying through the clouds.
Outside, I saw a child, who was waiting for his Mom in front of a shop.
While I was helping the woman, her boyfriend arrived.
At eleven, I went to the Hotel.
I put my hands into my pocket and I got the keys for my room.
Inside the room, there was a letter from my wife.
"Dear ex-husband, today I was shopping with Maria and we saw you molesting a woman in a bar.
Tomorrow, I will help you find a new house!"

EXERCÍCIO n. 45

1. Tom: If I find a job (ou work), I will buy a car.
   Tim: If I had known yesterday, I would have sold you mine.
   Tum: If I could drive, I would buy a beautiful, fast car.

2. Sara: If I have the money, I will go to New York this summer.
   Giulia: If I had the time, I would come with you.
   Lisa: If I had had the time and the money, I would have gone to New York last year.

3. Concetta: If you come with me, I will be happy.
   Emma: If you had asked me before, I would have said yes.
   Carmen: If you had asked me, I would have come.

4. FC: If you play like on Saturday again, we will lose.
   P: I will play well; you will see.
   FC: I'm sorry; I wanted to say, if you played today, you would not play well.
   P: Why? Am I not playing?
   FC: No!

Grammar - Step 3

EXERCÍCIO n. 46

I was walking with Carlo, when we saw a bar.
The bar was old and ugly, but I said, "that bar could be a gold mine, look at how many offices there are in the area. If I had money, I would buy that bar and I would get rich!".
Carlo, unlike me, has got a lot of money, so at lunchtime, he went to the bar and he asked the owner, "Would you sell this bar?".
The owner answered "I would sell it but I have to ask my wife; call me at 6 p.m." Afterwards in the office Carlo said, "If he sells me that bar, I'll get rich".
At 6 p.m. Carlo called the owner, but the owner said, "I'm sorry, but my wife doesn't want to sell".
One month later the council of Milan decided to open a new exhibition centre next to (or beside) that bar.
Carlo was sad. "If he had sold me that bar, I would have gotten rich", he said.

EXERCÍCIO n. 47

1. If everybody is going to the cinema, I will stay at home.
2. You have something in your eye.
3. I want to buy something for you.
4. Somebody ate my ice cream!
5. Nobody wants to come with me!
6. I have nothing to hide!
7. I would give you everything, but I have nothing!
8. Every day, I hope you arrive.
9. Everytime I go there I come back tired.
10. Sometimes s/he calls me.
11. Everything I do, I do for you.
12. Everybody needs somebody to love.
13. Nobody understands me.
14. I need somebody, sometimes.
15. If you eat something, you'll feel better.

Grammar - **Step 3**

EXERCÍCIO n. 48
1. John is a — tall, young, handsome, white man.
2. John's wife is — short, old, fat, ugly woman.
3. He had a — long, brown, wooden leg.
4. She had a — short, old, nice, glass table.
5. They were in a — new, fast, blue, metal car.
6. I have a — new, soft, white, cotton t-shirt.
7. She wears — modern, pink, plastic glasses.
8. She had — big, beautiful brown eyes.
9. He was a — tall, old, thin boy.
10. She is a — young, nice, polite girl.

EXERCÍCIO n. 49
1. He is as fast as a leopard.
2. He is as fat as a pig.
3. I am as big as an elephant.
4. She is as slow as a snail.
5. She is as busy as a bee.
6. I am as dangerous as a lion.
7. He eats as much as a horse.
8. He is as blind as a bat.
9. She is even lighter than a feather.
10. A lion eats even more than a camel.

EXERCÍCIO n. 50
1. as
2. like
3. As
4. as
5. like
6. as/as
7. like
8. as/as
9. like
10. as

EXERCÍCIO n. 51
1. hotter
2. deepest
3. livelier
4. sadder
5. ugliest
6. smallest
7. most unpleasant
8. more destructive
9. softest
10. nenhuma das anteriores. *Peguei você! Heat* não é um adjetivo, mas um substantivo!

Grammar - Step 3

EXERCÍCIO n. 52

Dear Mr. Smith,
On Monday, a fat, slow, white dog arrived.
On Tuesday, a fatter and slower dog than the first arrived.
On Wednesday, the fattest and slowest dog of all arrived.
On Thursday, a thin, slow, stupid, black dog arrived.
On Friday, a stupider dog than that of Thursday and fatter than that of Wednesday arrived.
On Saturday, the worst dog in the world arrived. A dog called "Lucky" with a wooden leg and a broken glass eye.

I want my money back!

Mr. Jones

EXERCÍCIO n. 53

Yesterday evening at 7.30, I was in a taxi with my wife.
I was sitting (or sat) behind the driver and I was looking at the photos of the new house while my wife listened to the radio.
The driver spoke with (or to) us, but I couldn't hear (did not hear) what he was saying. From behind, I saw that the driver had long black hair and big ears.
Suddenly, I heard a scream and I touched my wife's arm.
I wanted to see what had happened, so I told the taxi driver to stop.
I went towards the house, but my wife didn't want to come with me.
When I was outside the house, I couldn't see anything, so I went into the garden to see better.
Through the window, I couldn't see anything because it was all dark, so I decided to go behind the house. I entered through the back door.
Inside the house, I heard someone whisper. I wanted to run away, but I was too curious.
After five minutes, I heard somebody shout "away! away from here!".
I wanted to die.
Slowly I walked into the living room and I saw everything.
It was a television, turned on at maximum volume, with an old lady, who slept (or was sleeping) in front of it.

Grammar - **Step 4**

EXERCÍCIO n. 54

1. J: My love, you are tired. How come?
   W: Because I have been cleaning all day.
   J: I know, I have been watching you all day.
   W: You have been watching me all day? Why didn't you help me?
   J: Because I didn't want to disturb you!
2. J: Since when have they been building that house?
   L: They have been working for two years.
   J: Has it been raining until now?
   L: No, the problem is that there are only two builders!

EXERCÍCIO n. 55
1. yet
2. again
3. still
4. still
5. again
6. again
7. still
8. yet
9. yet
10. again
11. still
12. still
13. yet
14. again

Grammar - Step 4

EXERCÍCIO n. 56
1. Permissão
2. Habilidade
3. Permissão
4. Conseguir
5. Permissão
6. Habilidade/conseguir
7. Habilidade
8. Habilidade/conseguir
9. Habilidade
10. Conseguir

EXERCÍCIO n. 57
1. I can't help you, but maybe James can.
2. Can you come with us?
3. I can't listen to this music!
4. But, can you dance?
5. I can't talk to you; my wife is jealous even though she envies you because of your husband.
6. I will be able to pay you in 50 years.
7. I could speak Chinese when I was a child because we lived in China.
8. She will be able to take you to school, when she has a car.
9. Can we talk (or speak) tomorrow?
10. I can because it is mine!

EXERCÍCIO n. 58
1. She will be there; you could meet her to speak (with her).
2. If you don't feel well, you could see a doctor.
3. I'm sorry, I could have been with you.
4. Give Cinzia a kiss; she could leave tomorrow.
5. Could you buy me a book? Then tomorrow, I will bring you the money.
6. If I find time this summer, I could come to London.
7. You could have called me.
8. I could have eaten with you.
9. If I hadn't seen you, I couldn't have given you the money.
10. If I hadn't studied, I couldn't have gone to University.

EXERCÍCIO n. 59
1. If I could, I would go away with you.
2. I would do it, if I could.
3. Would you do it, if you could?
4. If we could, we would buy you a car.
5. If he could, he would marry Lucy.
6. If I had money, I would buy a house.
7. If we could, we would go to London.
8. If I could come, I would be happy.
9. If I had known you were there, I could have bought you a beer and I would have.
10. If I had known you were at home, I would have come to your home.

Grammar - **Step 4**

EXERCÍCIO n. 60
G: Do you think I should change woman?
M: You should be happy, no other woman would take you.
G: You shouldn't say that; you are my friend!
M: What should I say? It's true!

EXERCÍCIO n. 61
1. You should stay at home this evening; it might rain.
2. You should have called the office; they might have found your mobile.
3. I might stay at home and watch the film; it should be good.
4. Should I forgive her? It might be better.
5. They shouldn't cause problems; they might regret it.

EXERCÍCIO n. 62
1. I have to get the kids (or children) from school.
2. I must smoke less!
3. I have to get a license, if I want to drive here.
4. You have to pay taxes.
5. You must help me more!

EXERCÍCIO n. 63
If I can go to visit Franco in hospital, today, I will go.
I would have gone, yesterday, but I worked.
I could ask Tommy to come with me.
I would go alone, but I haven't got a car.
I must go, today, and I should take a present (or gift).
Something Franco will like.
Flowers? An apple? A blonde?
I should ask advice from his mom.
The doctor said that he has to stay in hospital for two weeks.
I couldn't stay in a hospital; I would get (or go) crazy.
I might be crazy, already.
Wouldn't it be better to go tomorrow?
I wouldn't want to go there, now; he might be sleeping.
As long as I don't go for nothing.
Should I stay, or should I go?
Would Franco be offended, if I didn't go?
I wouldn't want him to be offended.
I must go, yes! At the end of the day, it was me who pushed him down the stairs.
But if I had known that he would break his leg, I would not have done it!
I'm not going.

Grammar - **Step 5**

EXERCÍCIO n. 64

1. C: This evening, I am having a party, are you coming?
   L: Yes, but first I have to get my son from the school, take him to his grandmother, then get a bottle of wine to bring to the party.
2. C: This evening I am having a party, are you coming?
   T: No, sorry, I have to get shampoo from the supermarket, wash my hair, and then take my husband to the theatre.

EXERCÍCIO n. 65

1. Let's see what's on at the cinema, this evening.
2. Let's play football!
3. Let's ask Susan where they are going, this evening.
4. Let's sleep a little (or a bit).
5. Let's listen to a little music.

EXERCÍCIO n. 66

Anne: The crisis accounts for one million Euros less in profit this year.
Boss: But we were aiming for fifty million more! So, we have to cut back on staff by 30%.
Anne: Yes, but we must also beef up the advertising budget, if we want to build up a better relationship with our clients.
Boss: We can't spend more; if we do we will close down and I won't back down this time!
Anne: Oh no, something has cropped up and I have to answer for it! I have to run!

EXERCÍCIO n. 67

Andy: It's a bad day.
Jake: Why?
A: I didn't go to my wife's birthday party and I must sort things out because she's angry.
J: Why didn't you go?
A: Because the car ran out of petrol and by the time I arrived (or got there) the party had already finished.
J: Couldn't she wait?
A: No, I called her and said "can you put off the party for two hours. I'm arriving!".
J: Did you point out that the car had stopped?
A: Yes, but she just (or only) said "no, I will bring forward ... our divorce!". I wanted to make up for it, but nothing doing.
J: So, you have to sort out a lawyer, now.
A: I can't, I have run out of money!

English in Use
Going abroad

DIÁLOGO ENTRE UM TURISTA E UM INGLÊS
T: Excuse me! Where is Buckingham Palace, please?
E: From here?
T: Yes, from here.
E: Ok, go straight on, then take the second road on your right, go straight on until you see a traffic light, at the traffic light turn left then go straight until you get to a roundabout. From there take the first left, then ask again.
T: Perfect, thanks.

OS BELÍSSIMOS HOMENS DE BIRMINGHAM (DIÁRIO DE ALICE)
At six in the morning, we got ready and we called a taxi.
There was a lot of traffic on the road and it took us twenty minutes to get to the train station.
We got our tickets and the train arrived ten minutes later.
The train stopped at seven stations before it arrived at the central station.
From there, we took the bus to the airport.
It took us three minutes to get on the bus with all our luggage (or baggage).
After thirty-five minutes, we got off the bus in front of the airport.
The check-in took fifteen minutes.
Our plane landed in London at eleven o'clock (A.M.).
In London, we took the underground to get to the hotel.
At the reception I spoke: "Good morning, is there a double room, please?"
"Certainly. How long will you be staying?"
"Just for tonight, thank you."
"Ok, we have a room with a shower for one hundred pounds per night."
"Ok, that's fine thanks."
The next day, we took a train to the destination of my heart, Birmingham.
The city of Birmingham is in the centre of England and is famous for its men who are all really handsome and intelligent... and for its fantastic football team.
After the paradise of Birmingham, we took a train to the coast. Next destination: Ireland.
On the coast, we took a ferry to Ireland.
The sea was calm and beautiful.
At the port, we got off the ferry and we went around all day.
That evening, we returned to the continent and I slept on the plane, dreaming about the really handsome men of Birmingham.

Situations and Words
Real Life

Grocery shopping
Since they started showing *House M.D.* in the afternoon, I have to do the shopping.
I took the shopping list and went to the supermarket.
While I was taking the trolley, I looked at it. Ok, first thing salad, then vegetables. I couldn't find the fruit, so I asked another man. He laughed.
When I found the fruit, I took two apples and two bananas.
Then I took the meat, beef, sausage and fish.
Then, the only thing that interested me; a cake.
There was no more food on the list.
Now I had to find detergent and soap. No problem.
When the trolley was full, I queued at the till.
Where I live, they don't love to queue. They really suffer. It is torture for them.
For me, it is the shopping that is the torture. I am happy when I am in the queue because it has finished.

A day out
At seven o'clock in the morning, the postman arrived with three letters. They were all for my wife. At 7.30 I went to get the bread from the bakery (or baker's). I like the smell of bread in the morning.
After, I went to get the newspaper, but when I entered into the newsagent's, the shop assistant wasn't there.
I took a newspaper and was leaving when I saw a policeman.
In that moment, I started to daydream.
I was in court (or in the court room), my lawyer was showing the stolen newspaper to the judge and I was between two policemen.
Then my accountant spoke, "Maybe you think it is stupid to steal a newspaper that costs only a pound, but it's understandable… because he has run out of money! And why hasn't he got any money? Because he needs a job, and why hasn't he got a job?"
"Because he's a thief!" shouted the judge.
I decided to pay for the newspaper.
At one in the afternoon, I had an interview for a new job, so I went to the hairdresser's.
Yes! It takes two hours to sort out my hair.

Situations and Words - Real Life

While I was going to the hairdresser's, I saw some builders on a building site and I asked them what they were building.
"A vet's", said a builder.
"And what do you do?" I asked.
"I am a plumber" he said "I sort out the water system".
After twenty minutes, my tooth hurt (or I had a bad tooth), so I went to the dentist for a quote. He told me the sum and the pain passed immediately.
After the hairdresser's, it was lunchtime and I went to the pub for a quick (or fast) beer, then to the restaurant.
The waiter brought me a plate of pasta and complimented me on my hair.
After, I paid my compliments to the chef and went to my interview.
While I was entering into the building where I had my interview, an SMS arrived. It was my accountant. "If they don't take you on, you are in trouble".
At the reception, I gave my name and the secretary of the boss came to get (or receive) me.
In the boss's office, I introduced myself and he complimented me on my hair.
I was talking to the boss when I heard a woman shout "fire!".
The boss called the firemen and I, trying to be a hero, escaped.
While I was running down the stairs, I fell.
In hospital, the nurse brought me a newspaper. She was very kind.
Incredibly, I was on the front page!
"Coward breaks a leg escaping from a building in flames!"
The doctor said I had to remain (or stay) in the hospital for four days.
After, the cleaning lady arrived.
"You are a loser", she said.
"There was fire!" I answered.
"Not because you escaped!" she said. "Because you couldn't put the butcher (or get the butcher) in your stupid little story (or tale)."

A weekend in Great Britain

The weather in Great Britain is really crazy!
We arrived in London and it was very cloudy and chilly.
There was no famous London fog.
Only thirty minutes later (or after), it was raining and we were without an umbrella!
But it wasn't a problem because, five minutes later, the sun was in the sky.
Two hours later, we were in Manchester and it was snowy.

Situations and Words - **Real Life**

The day after, we went to Scotland and there it was freezing.
We slept in the mountains and that night there was a snow storm.
The day after, it was very (or really) beautiful outside. All the trees were covered in (or with) snow and it was very warm.
After lunch, an incredible wind arrived and we saw the trees were green again.
We saw all four seasons in two days!

Near my heart
In England, I live in the countryside (or in the country).
Near my house, there is a stream where I wash in the morning.
If you follow the stream, you will arrive at a river. The river flows through a forest and arrives at the sea.
I like to go to the sea (or seaside). I like to walk on the shore with my wife.
The waves make so much noise, I can't hear her voice.
It's really beautiful.
If you look up from the beach, you can see the old castle on the hill.
Near the beach, there is a small village.
Behind the village, there are woods, where I pick blackberries.
When I was a child, I loved to watch (or look at) the sea. So big, so vast.
In Milan, I live in the suburbs, but I work in the city centro.
In front of my office, there is the town hall.
From my window, I can see only cars and chaos, but at least there is a park near my house.
In Milan it is difficult to find a parking lot for the car, so I go to work by tram.
Milan is an important city in Italy, but the capital is Rome.
Rome is an historical city because it is there that Liverpool won the Champions League's cup.
I love Italy, but I always say to my friends who live in Milan: "go to the countryside sometimes, without your PC, without your cell phone, and live a little with your soul. Just for a weekend".
But they never have time.

Situations and Words
Idioms

Paul, Liam and Gary (the lethal plan)
L: We have to kill Gary, he's a pain in the neck.
P: But isn't that a little drastic?
L: He did it on purpose; he asked for trouble.
P: And how are we going to kill him? I'm all ears.
L: Very easy, while he's sleeping, I will suffocate him.
P: But it's dangerous, everybody knows him.
L: They knew him, he was famous, but many years ago. He was a flash in the pan.
P: Eh?
L: Nothing.
P: When his mom finds out, all hell will break loose!
L: So?
P: His mom helped us, she's our cash cow!
L: That woman is a bad egg; let's kill her, too!
P: Don't touch Gary's mom, she is the apple of my eye!
L: Shut up!
P: Thank goodness the idioms have finished… otherwise you would have killed me too!

The accident
Joe: Why did you hit a tree?
Simon: I don't know.
Joe: Gnnnnnff!
Simon: What did he say?
Terry: It's beyond me… wait, oh yes… he's biting his tongue.
(Terry looks under the bonnet.)
Terry: How much did you pay for this car?
Simon: Fifty euros.
Terry: Ok, I'll give you the benefit of the doubt.
Simon: Guys, maybe I bent the truth with you.
Joe: What?
Simon: I can't drive.
Joe: We saw that! You are an imbecile, not only ugly, but also stupid.
Simon: Wait! That is below the belt!… I wanted to come with you because, if I stayed home, I would have to wash the dog, so I was between the devil and the deep blue sea.

Situations and Words - **Idioms**

Terry: I get it [entender o conceito].
Simon: I saved a lot of money to buy this car and now I'm back to square one.
Joe: Anyway, you're an imbecile.
Terry: Stop being a pain in the neck, Joe!

Falling in love
Billy: I want to tell her that I love her and I want to take her to America with me.
Steve: Are you crazy? If your mom finds out, she will kill you.
Billy: And who will tell her?
Steve: Me, if you don't cough up one hundred euros.
Billy: You shut up! Anyway, she is the best, the cream of the crop, so it's worth it.
Steve: There will be a mess.
Billy: Come what may, I love her and you can't make an omelette without breaking a few eggs.
Steve: You are really ridiculous, do you know that?
Billy: Steve, listen…
Steve: I'm all ears.
Billy: We have to clear the air, you and me. I'm sorry I let you down last year.
Steve: I think you have to take a crash course in life, my friend!

The lying game
Jonny: What happened?
Freddy: I'm in the doghouse.
Jonny: Why?
Freddy: Because I promised my mother I'd sort out my bedroom, but I didn't deliver.
Jonny: Won't she let you come to the cinema on Saturday?
Freddy: I don't know; the die is cast.
Jonny: Tell her you didn't sort out your bedroom because Paul called you and he kept you on the telephone for an hour.
Freddy: But then Paul will be in the doghouse with his mom.
Jonny: So? It's dog eat dog. Come on! You can't miss the film. I'm dying to see it. Lilly will be there too, so I have to be dressed to kill.
Freddy: Wow, Lilly? The down to earth girl at school?
Jonny: This is, without doubt, the worst tale (or story) John ever wrote.
Freddy: I know, he should speak to a professional.

Situations and Words - Idioms

Time to pay

Jim: What happened?
Ken: To get that job, I bent the truth. Anyway, everything was difficult and I couldn't find my feet. Then I caused a disaster and the boss called me. I went into his office to face the music. I tried to convince him that I would learn the job well, but it was like flogging a dead horse. He said I was full of hot air. So, I offered to work for less money, but that didn't go down well.
Jim: But you are incredibly stupid!
Ken: Come on, Jim, don't go bananas!
Jim: Listen to me, if you don't pay the rent, I'll have to find somebody who can, get the message?
Ken: Yes, I got it.

Conversation near the lake

Toby: Gerry? Gerry?!
Gerry: Huh? What?
Toby: Sorry, but you had your head in the clouds. What were you thinking about?
Gerry: I was thinking about when I will be a famous actor. I had an audition today.
Toby: How did it go?
Gerry: I don't know, one of the actors was hand in glove with the director and he had a beautiful suit. If I wasn't so hard up, I would buy one too.
Toby: Why don't you work with Mr. Jennings again?
Gerry: Because after that affair with his girlfriend, he doesn't want to see me anymore.
Toby: You had an affair with his girlfriend?!
Gerry: Yes, but my heart was in the right place!
Toby: What?
Gerry: She wasn't good for him, in some way I did him a favour.
Toby: Why don't you explain this to him?
Gerry: I can't, it's a hot potato with him.
Toby: Go there with your heart on your sleeve and you will see!

Situations and Words - **Idioms**

The price of the sand
Benny: How many shares did you buy?
Danny: Two hundred! I will be rich!
Benny: Are you sure?
Danny: Very sure. It's in the bag!
Benny: But why did you buy them?
Danny: In a nutshell, they sell sand to the Arabs for next to nothing. Surely they will sell a lot! I won't see the money immediately, but in the long run, you'll see!
Benny: But the Arabs already have a lot of sand, Kenny!
Kenny: I know, but he's happy. Sometimes ignorance is bliss.
Benny: No, I have to say something to Danny.
Kenny: Listen! He's happy, if it isn't broke, don't fix it. Leave it alone!

Looking for a job
Fred: Why did they sack you?
Brad: I sent the wrong files to the wrong people.
Fred: Why?
Brad: I was confused, I was still learning the ropes!
Fred: Why didn't you lick the boss's boots? As a last resort?
Brad: No!
Fred: Ok, but look on the bright side, you'll have more time for Playstation.
Brad: I need money!
Fred: Maybe there is a job at the baker's.
Brad: Really? Thank goodness! There is light at the end of the tunnel!
Fred: Yes, but Ross works there too.
Brad: Ross? But I broke his car. He doesn't speak (or talk) to me.
Fred: It would be better to let sleeping dogs lie.
Brad: Eh?
Fred: Ross's car... that you broke!
Brad: When?
Fred: The lights are on, but nobody is at home today, eh?
Brad: Eh?
Fred: Listen, you could be a mechanic! That way, you work and you could sort out Ross's car and kill two birds with one stone!

Situations and Words - Idioms

From rags to riches
Bill: Look at Thomas! He's made of money.
Bob: I know, he made a killing on Wall Street.
Bill: I can't afford a scooter and he arrives in a Mercedes!
Thomas: Hi guys! I told you to invest on Wall Street...You missed the boat.
Bill: I'm going to Wall Street! I have to make up for lost time. Are you coming, Bob?
Bob: I don't know, I have mixed feelings... On the one hand, I like the idea of getting rich, but on the other hand I don't want to change.
Bill: You are a loser! And you will die here with all the other losers!
Bob: Don't make a mountain out of a mole hill, please. You go, I'll stay here with your girlfriend.
Bill: Why? What kind of relationship have you got with my girlfriend? There is more than meets the eye?
Bob: Don't say stupid things... We are just friends, very close friends, and sometimes we kiss near the lake at night.
Bill: Ah, ok.

On holiday
Wife: Look! Spain for only 800 euros for two, five star hotel! Spain costs next to nothing now.
John: We can't.
Wife: Why not? We have 5,000 euros in the bank!
John: That is our nest egg!
Wife: Come on!
John: No, not for all the tea in China.
Wife: Please...
John: Nothing doing.
Wife: Then I will go alone.
John: Perfect!

Situations and Words - **Idioms**

The film
Benny: They are making the film here dad, we will be on the map!
Father: No, it's out of the question.
Benny: But why? As an opportunity, it's out of this world! You're crazy!
Father: You are really out of order, Benny.

Friends
Bruce: I am tired of my job. I want to find something else.
Lenny: Listen, if you play your cards right, I'll find you a job in my factory.
Bruce: Do they pay well?
Lenny: They pay very well.
Lenny: A penny for your thoughts.
Bruce: Are you pulling my leg? Because if you are, you are playing with fire.
Lenny: No, Bruce, I can help you.
Bruce: Thank you.
Lenny: One day, you could become (or get to be) an important manager.
Bruce: Yes, and pigs will fly.
Lenny: Listen, if they don't take you on at my factory there is Plan B. You can be a babysitter... Lucy is pregnant!!

Gentleman thief
Bones: Ok, are you ready to rob the bank with me?
Rocky: Now? It's raining cats and dogs outside!
Bones: I have two umbrellas.
Rocky: Yes, but that's a quick fix, Bones! Where will we put the umbrellas when we have to enter? We have to be as quiet as a mouse!
Bones: You always have to rock the boat, eh?
Rocky: Always?
Bones: Yes, even when we were in the group. You always found problems with my plans. The group ended for that reason.
Rocky: No, the group ran out of steam in the end. Anyway, you can't take umbrellas into the bank.
Bones: Eh?
Rocky: An umbrella could be used as a weapon, so by law they can't be taken into public places... You know how the red tape is for banks.
Bones: I'm going alone.

Situations and Words - **Idioms**

About madness
Theo: I think that Freud had a great mind.
Brian: He was crazy.
Theo: Oh yes? If he was crazy, then I would sell my soul to be crazy. Think about when his books came out. They totally swam against the tide, but they sold like hot cakes.
Brian: Theo, I know you have a soft spot for Sigmund, but he said a lot of ridiculous things.
Theo: Brian, it wasn't all set in stone; they were just ideas.
Brian: He was crazy.
Theo: No! He was the salt of the earth.
Brian: Why have you got a soft spot for Freud?
Theo: I haven't got a soft spot for him, you dummy!
Brian: See? I say something against Freud and you see red!
Theo: I know that for you it is second nature to get people angry, but now I'll tell you something and, to sweeten the pill, I will tell you that it's not only (or just) you. I'll make it short and sweet. Ready?
Brian: Yes.
Theo: You are a dummy.
Brian: Oh yes?
Theo: Yes, and seeing is believing and I can see you, and you're a dummy.

Gossip
Anna: Have you met Amber's new boyfriend?
Lucy: Yes, the guy who talked shop at the party... She should think again, that girl, he is taking her for a ride.
Anna: It's not true, come on!
Lucy: That's my opinion, take it or leave it.
Anna: I went to her house yesterday, and there wasn't a soul. Have they gone away?

The boss
Frank: The boss is agitated. He's waiting for a call from Rome.
Freddy: Is he the boss? Isn't he the lawyer?
Frank: Yes, he wears many hats here because it's his father's company.

Situations and Words - **Idioms**

Freddy: Why doesn't he call Rome?
Frank: Because he's playing the waiting game. It's his way, and you can't teach an old dog new tricks.
Freddy: He seems angry...
Frank: I think that, if Rome calls today with a positive answer, you'll see him very happy. But for now he is playing the waiting game. It's his tactic.

Vocabulary

A
aboard a bordo
about a respeito de; sobre
above sobre (sem contato); acima de
across através de
actor ator
address endereço
advice conselho; dica
affair caso (relacionamento íntimo)
after depois
afternoon tarde
against contra
agitated agitado(a)
ago há (tanto tempo); (tanto tempo) atrás
air ar
airport aeroporto
alone sozinho(a); só
already já
always sempre
among entre; em meio a (mais de duas coisas)
angry bravo(a); irritado(a)
apple maçã
apple pie torta de maçã
April abril
area área; zona
arm braço
around em torno de; por volta de
as long as contanto que
at least pelo menos; ao menos
attic sótão
August agosto
aunt tia
autumn outono
awful horrível

B
back costas
back door porta dos fundos
bad mau/má; ruim
bad day dia ruim
bad impression má impressão
bag bolsa; sacola
ball bola
banana banana
bank banco
bank account conta bancária
bat morcego
bathroom banheiro
beach praia
beautiful bonito(a)
bed cama
bedroom quarto
bee abelha
beef bife
before antes
behind atrás
belly barriga
below debaixo de
beside ao lado de
between entre (duas coisas)
beyond além
big grande; gordo(a)
bike bicicleta
bikini biquíni
bill conta
bird pássaro
birthday aniversário
black preto
blackberry amora
blind cego(a)
blouse blusa
blue azul
boat barco
bonnet capô
book livro

Vocabulary

boss chefe
bottom traseiro; bunda
boyfriend namorado
bra sutiã
bread pão
breakfast café da manhã
breasts seios
bridge ponte
brother irmão
brown marrom; castanho
builders pedreiros
bus ônibus
busy ocupado(a); atarefado(a)
buttocks nádegas
by por volta de; perto de; por
by the time quando; no momento em que

C
cake bolo
camel camelo
canteen refeitório; cantina
capital capital
captain capitão
car carro
car park estacionamento
cardigan cardigã
carrot cenoura
cash dinheiro
cash point caixa eletrônico
cashier operador(a) de caixa
castle castelo
cat gato
cathedral catedral
cellar porão
centre centro
changing room provador
check-in check-in

cheek bochecha
cheese queijo
cheesecake torta gelada; cheesecake
chemist's farmácia
cheque/check cheque
chest peito
chicken frango
child (plural children) criança; filho (neutro)
chilly fresco
chin queixo
chips batatas fritas
chocolate cake bolo de chocolate
church igreja
city cidade
city centre centro da cidade
clean limpo
client cliente
cliff penhasco; falésia
cloth tecido
clothes roupas
cloud nuvem
cloudy nublado
coast costa
coat casaco
coffee café
coin moeda
cold frio
collaboration colaboração
colleague colega
come on! vamos!; vai!, qual é?
compliment cumprimento; elogio
confused confuso(a)
cook cozinheiro
cool fresco
cotton algodão
could be poderia ser
countryside campo
court tribunal

Vocabulary

cousin primo(a)
coward covarde
credit card cartão de crédito
crew tripulação
crisis crise
cup xícara
customer cliente
customer service atendimento ao cliente

D
dad papai
damp úmido(a)
dangerous perigoso(a)
dark escuro(a)
daughter filha
dawn aurora; amanhecer
day (all) dia (todo)
dead morto(a)
December dezembro
deep profundo(a)
delicious delicioso(a)
delivery entrega
desk escrivaninha
despite apesar de
dessert sobremesa
destination destino
detergent detergente
difficult difícil
dinner jantar
director diretor(a)
disaster desastre
discount desconto
doctor doutor(a)
dog cachorro
door porta
doubt dúvida
down para baixo
drastic drástico(a)

dress vestido
driver motorista
drunk bêbado(a)
dummy imbecil
during durante

E
ear orelha
eight oito
eighteen dezoito
eighty oitenta
elegant elegante
elephant elefante
eleven onze
employee funcionário(a); empregado(a)
enormous enorme
equipment equipamento
essential essencial
evening noite
every todo(a); cada
everybody todos(as) (pessoas); todo mundo
everything tudo
everywhere todos os lugares; toda parte
except exceto
exhibition exposição
expenses gastos; despesas
eye olho

F
face face; rosto
factory fábrica
famous famoso(a)
fantastic fantástico(a)
far longe de
fast rápido(a)
fat gordo(a)

VOCABULARY | 379

Vocabulary

father pai
favour favor
fax fax
feather pena
February fevereiro
ferry balsa
fifteen quinze
fifty cinquenta
finance finança
finger dedo
fire fogo
first primeiro(a)
fish peixe
five cinco
flames chamas
flight voo
fog neblina
foggy nebuloso
food comida
foot pé
for para; por
for less por menos
forest floresta
four quatro
fourteen quatorze
fourty quarenta
freezing congelante
Friday sexta-feira
friend amigo(a)
from de (procedência)
fruit fruta
full cheio
funny engraçado(a); divertido(a)
furniture mobília

G
garage garagem
garden jardim

generous generoso(a)
genitals genitais
gift presente
glass copo
gold mine mina de ouro
good bom/boa
good smell cheiro bom; aroma
grandchild neto(a)
grandfather avô
grandmother avó
grapefruit toranja
grateful grato(a); agradecido(a)
great grande; grandioso(a); magnífico(a); ótimo
green verde
grey cinzento
ground chão
guide guia

H
hairdresser cabeleireiro(a)
hand mão
handsome bonito
happy feliz; contente
hat chapéu
head cabeça
health saúde
hero herói
high alto(a)
high volume volume alto
hill colina; morro
historic histórico(a)
holiday férias; feriado
home lar; casa (mais afetivo)
homework lição de casa
honest honesto(a); sincero(a)
hope esperança

Vocabulary

horse cavalo
hospital hospital
hot quente; calor
hotel hotel
house casa
hundred cem
husband marido

I
ice cream sorvete
idea ideia
imbecile imbecil
immediately imediatamente
impolite grosseiro(a); rude
in dentro de; em
in a loud voice em voz alta
in front of em frente de; diante de
information informação
inside dentro de; do lado de dentro
instead of em vez de
intelligence inteligência
interview entrevista
invoice fatura
island ilha
it is worth it vale a pena

J
jacket jaqueta; paletó
January janeiro
jealous ciumento(a)
jeans calças jeans
job emprego; trabalho
joke piada; brincadeira
journey viagem
juice suco
July julho
jumper suéter
June junho

jungle selva
just só; apenas
justice justiça

K
keys chaves
kick chute
kind gentil
kitchen cozinha
knee joelho
knickers calcinhas

L
lake lago
land terra
landing aterrissagem
last year ano passado
law lei
lawyer advogado(a)
leg perna
leopard leopardo
less menos
letter carta
lift elevador
light leve
light blue azul-claro
like como; igual a
lingerie lingerie
lion leão
living room sala de estar
long longo(a); comprido(a)
loser perdedor(a); fracassado(a)
low baixo(a)
lucky sortudo(a)
luggage bagagem
lunch almoço

Vocabulary

M
mad louco(a)
man homem
March março
marvellous maravilhoso(a)
match partida; jogo
material material
May maio
maybe talvez
meeting reunião; encontro
melon melão
mess bagunça
metal metal
midday meio-dia
midnight meia-noite
milk leite
mind mente
mirror espelho
mom mamãe
Monday segunda-feira
money dinheiro
morning manhã
mother mãe
motorbike moto
motorway estrada
mountain montanha
mouse rato
mouth boca
museum museu
music música

N
name nome
narrow estreito(a)
nature natureza
near perto de; ao lado de
neck pescoço
neighbour vizinho(a)

nephew sobrinho
never nunca
new novo(a)
news notícias
newspaper jornal
nice bom; legal; bacana; gostoso; simpático
niece sobrinha
night noite
nine nove
nineteen dezenove
ninety noventa
nobody ninguém
noise barulho
nonsense bobagem; tolice
noon meio-dia
nose nariz
nothing nada
November novembro

O
October outubro
odour odor; cheiro
of de
off fora
offended ofendido(a)
office escritório
often frequentemente; com frequência
old velho(a)
on em; sobre (com contato); em cima de
one um
only só; apenas
open aberto(a)
opinion opinião
opposite em frente a; oposto
orange laranja

Vocabulary

order ordem; pedido
out (of) fora (de)
outside fora de; do lado de fora
owner proprietário

P
package pacote
pain dor
palm palma
parents pais
park parque
parking lot estacionamento
passenger passageiro(a)
peace paz
pear pera
peas ervilhas
pen caneta
pepper pimenta
perfect perfeito(a)
photo foto
pig porco
pineapple abacaxi
pink rosa
plane avião
plastic plástico
playboy conquistador; safado
pleasant agradável
plus mais; a mais
pocket bolso
pointless inútil
police station delegacia de polícia
polite educado(a)
pollution poluição
pool piscina
poor pobre
pork carne de porco
port porto
positive positivo(a)

potato batata
power poder
pregnant grávida
present presente
private parts partes íntimas
problem problema
product produto
profit lucro
progress progresso
project projeto
promise promessa
promotion promoção
pudding pudim
purple roxo
purse bolsa; carteira feminina

Q
question pergunta
queue fila
quote cotação

R
rabbit coelho
railway station estação de trem
rain chuva
rainy chuvoso
rarely raramente
reader leitor(a)
ready pronto
reason motivo; razão
reception recepção
red vermelho
regarding com respeito a; referente a
relationship relacionamento; relação
relatives parentes; familiares
rent aluguel
restaurant restaurante

Vocabulary

rich rico(a)
ridiculous ridículo(a)
river rio
road estrada; rua
roof teto; telhado
room cômodo
roundabout rotatória
route rota

S
sad triste
safe seguro(a); salvo(a)
safely com segurança
salad salada
salt sal
same mesmo(a)
sand areia
Saturday sábado
sausage linguiça
school escola
scooter lambreta
scorpion escorpião
Scots escoceses(as)
scream grito
sea mar
seaside beira-mar
second segundo(a)
secret segredo; secreto(a)
sensitive sensível
September setembro
serious sério(a)
seven sete
seventeen dezessete
seventy setenta
shallow raso(a); superficial
share ação financeira
shelf prateleira

ship navio
shirt camisa
shop loja
shop assistant vendedor(a)
shopping list lista de compras
shore orla
short curto(a); baixo(a) (para pessoas)
shut up! cale a boca!
since desde
sister irmã
six seis
sixteen dezesseis
sixty sessenta
skirt saia
slow lento(a)
small pequeno(a)
snail caracol
snow neve
snowy nevoso; nevado
so então; portanto
so much tanto; muito
soap sabão; sabonete
socks meias
sofa sofá
somebody alguém
something algo; alguma coisa
sometimes às vezes; de vez em quando
son filho
soon logo
sorry desculpe-me
soul alma
speech discurso
spring primavera
square praça
stable estábulo
stairs escada; degraus
steel aço
stolen roubado(a)

Vocabulary

storm tempestade
stormy tempestuoso
story história; estória
strawberry morango
stream riacho
street rua
suburbs periferia; subúrbios
suddenly repentinamente
suit terno
sum soma
summer verão
sun sol
Sunday domingo
sunny ensolarado
supermarket supermercado
supplier fornecedor(a)
sure certo(a); seguro(a)
swimming pool piscina
system sistema

T
table mesa
tactic tática
tale lenda; estória
tall alto(a) (para pessoas)
tea chá
team time
tear lágrima
telephone telefone
television televisão
temperature temperatura
ten dez
than do que; a
thank goodness graças a Deus
that que; aquele(a)
the only thing a única coisa
there lá

these esses(as); estes(as)
thief ladrão
thin magro(a)
thing coisa
thirteen treze
thirty trinta
this esse(a); esse(a)
those aqueles(as)
three três
throat garganta
through através de; por meio de
thumb polegar
thunder trovão
Thursday quinta-feira
tie gravata
tights meia-calça
till caixa (balcão onde se paga)
time tempo
tired (of) cansado(a) (de)
to a; para
toe dedão do pé
toilet WC
torture tortura
towards em direção a; para
tower torre
town hall prefeitura
toy brinquedo
traffic tráfego
traffic lights semáforo
train trem
train station estação do trem
translation tradução
transport transporte
tree árvore
trifle pavê inglês
trip viagem curta
trolley carrinho
trouble (in) encrencado(a)

Vocabulary

trousers calças
true verdade
t-shirt camiseta
Tuesday terça-feira
turned off desligado(a); apagado(a)
turned on ligado(a); aceso(a)
TV televisão
twelve doze
twenty vinte
two dois

U
ugly feio(a)
uncle tio
under sob; debaixo de
underground/tube metrô
underpants cueca
understandable compreensível
ungrateful ingrato(a)
unlike ao contrário de; diferente de
unlucky azarado(a)
until até
up para cima
usually geralmente

V
valley vale
vampire vampiro
vast vasto(a)
vegetables verduras
village vilarejo
violent violento(a)

W
walk caminhada
wall parede; muro
wallet carteira masculina
wardrobe mistress figurinista
warm quente
water água
watermelon melancia
waves ondas
way modo; jeito; caminho
weapon arma
wedding casamento
Wednesday quarta-feira
well bem
white branco
wide largo(a)
wife esposa
wind vento
window janela
windy ventoso(a)
wine vinho
winter inverno
with com
within dentro
without sem
wonderful maravilhoso(a)
wooden de madeira
woods bosque
work trabalho
wrong errado(a)

Y
yellow amarelo
young jovem

Regular Verbs

infinitive	past simple	past participle	significado
to accept	accepted	accepted	aceitar
to add	added	added	somar; acrescenta
to admire	admired	admired	admirar
to admit	admitted	admitted	admitir
to allow	allowed	allowed	permiti
to advise	advised	advised	aconselhar
to afford	afforded	afforded	arcar; dar-se o luxo
to agree	agreed	agreed	concordar
to analyse	analysed	analysed	analisar
to announce	announced	announced	anunciar
to annoy	annoyed	annoyed	incomodar; perturbar
to answer	answered	answered	responder
to applaud	applauded	applauded	aplaudir
to appreciate	appreciated	appreciated	agradecer; apreciar
to approve	approved	approved	aprovar
to argue	argued	argued	argumentar; discutir
to arrest	arrested	arrested	prender
to arrive	arrived	arrived	chegar
to ask	asked	asked	perguntar; pedir
to attach	attached	attached	anexar
to attack	attacked	attacked	atacar
to attend	attended	attended	comparecer; assistir; participar
to attract	attracted	attracted	atrair
to avoid	avoided	avoided	evitar
to bake	baked	baked	assar
to behave	behaved	behaved	comportar-se
to belong	belonged	belonged	pertencer
to bless	blessed	blessed	abençoar
to boil	boiled	boiled	ferver
to bomb	bombed	bombed	bombardear
to book	booked	booked	reservar
to bore	bored	bored	entediar; chatear
to borrow	borrowed	borrowed	emprestar
to bounce	bounced	bounced	saltar; pular
to breathe	breathed	breathed	respirar
to burn	burned	burned	queimar
to bury	buried	buried	enterrar

Regular Verbs

to call	called	called	chamar; ligar
to care	cared	cared	cuidar; importar-se
to cause	caused	caused	causar
to challenge	challenged	challenged	desafiar
to change	changed	changed	mudar
to charge	charged	charged	carregar (pilha; bateria); cobrar
to chase	chased	chased	caçar; perseguir
to cheat	cheated	cheated	enganar; trair
to check	checked	checked	checar; verificar
to chew	chewed	chewed	mastigar
to claim	claimed	claimed	alegar; afirmar
to clean	cleaned	cleaned	limpar
to clear	cleared	cleared	remover; clarear
to close	closed	closed	fechar
to collect	collected	collected	colecionar; juntar
to command	commanded	commanded	comandar
to communicate	communicated	communicated	comunicar
to compare	compared	compared	comparar
to compete	competed	competed	competir
to complain	complained	complained	reclamar
to complete	completed	completed	completar
to concentrate	concentrated	concentrated	concentrar
to confess	confessed	confessed	confessar
to confuse	confused	confused	confundir
to connect	connected	connected	conectar
to consider	considered	considered	considerar
to contain	contained	contained	contor
to continue	continued	continued	continuar
to copy	copied	copied	copiar
to correct	corrected	corrected	corrigir
to count	counted	counted	contar; enumerar
to cover	covered	covered	cobrir
to crash	crashed	crashed	quebrar; colidir
to cross	crossed	crossed	atravessar
to cry	cried	cried	chorar
to damage	damaged	damaged	danificar; ferir
to dance	danced	danced	dançar
to dare	dared	dared	desafiar
to decide	decided	decided	decidir
to delay	delayed	delayed	atrasar

Regular Verbs

to deliver	delivered	delivered	entregar
to describe	described	described	descrever
to deserve	deserved	deserved	merecer
to destroy	destroyed	destroyed	destruir
to develop	developed	developed	desenvolver
to discover	discovered	discovered	descobrir
to dislike	disliked	disliked	desgostar; ter aversão por
to divide	divided	divided	dividir
to double	doubled	doubled	duplicar; dobrar
to doubt	doubted	doubted	duvida
to dress	dressed	dressed	vestir
to earn	earned	earned	receber; ganhar
to embarrass	embarrassed	embarrassed	envergonhar
to employ	employed	employed	empregar
to enjoy	enjoyed	enjoyed	aproveitar; curtir
to enter	entered	entered	entrar
to excite	excited	excited	excitar; provocar
to excuse	excused	excused	desculpar(-se)
to expand	expanded	expanded	expandir; estender-se
to explain	explained	explained	explicar
to expect	expected	expected	esperar; ter a expectativa
to fail	failed	failed	falhar
to fear	feared	feared	temer
to fill	filled	filled	preencher; encher
to fix	fixed	fixed	consertar; estabelecer
to fold	folded	folded	dobrar
to follow	followed	followed	seguir
to glue	glued	glued	colar
to guarantee	guaranteed	guaranteed	garantir
to guess	guessed	guessed	adivinhar
to guide	guided	guided	guiar
to happen	happened	happened	acontecer
to hate	hated	hated	odiar; detestar
to heat	heated	heated	esquentar; aquecer
to help	helped	helped	ajudar
to hope	hoped	hoped	esperar; ter esperança
to hug	hugged	hugged	abraçar

Regular Verbs

to hunt	hunted	hunted	caçar
to ignore	ignored	ignored	ignorar
to imagine	imagined	imagined	imaginar
to improve	improved	improved	melhorar
to include	included	included	incluir
to increase	increased	increased	aumentar
to influence	influenced	influenced	influenciar
to inform	informed	informed	informar
to intend	intended	intended	pretender
to interfere	interfered	interfered	interferir
to interrupt	interrupted	interrupted	interromper
to introduce	introduced	introduced	introduzir; apresentar
to invite	invited	invited	convidar
to irritate	irritated	irritated	irritar
to join	joined	joined	unir; juntar
to joke	joked	joked	caçoar; brincar (fazer piada)
to judge	judged	judged	julgar
to jump	jumped	jumped	saltar
to kick	kicked	kicked	chutar
to kill	killed	killed	matar
to kiss	kissed	kissed	beijar
to knock	knocked	knocked	bater
to land	landed	landed	aterrissar
to last	lasted	lasted	durar
to laugh	laughed	laughed	rir
to launch	launched	launched	lançar
to learn	learned	learned	aprender
to lie	lied	lied	mentir
to like	liked	liked	gostar
to listen	listened	listened	ouvir
to live	lived	lived	viver; morar
to load	loaded	loaded	carregar
to lock	locked	locked	trancar
to look	looked	looked	olhar
to love	loved	loved	amar

Regular Verbs

to manage	managed	managed	gerenciar; administrar
to marry	married	married	casar(-se)
to match	matched	matched	combinar; unir
to miss	missed	missed	sentir falta; perder
to mix	mixed	mixed	misturar
to move	moved	moved	mover; comover
to multiply	multiplied	multiplied	multiplicar
to need	needed	needed	precisar
to notice	noticed	noticed	notar
to observe	observed	observed	observar
to offend	offended	offended	ofender
to offer	offered	offered	oferecer
to open	opened	opened	abrir
to order	ordered	ordered	pedir; ordenar
to own	owned	owned	possuir
to paint	painted	painted	pintar
to park	parked	parked	estacionar
to pass	passed	passed	passar
to pick	picked	picked	escolher; apanhar; colher
to plan	planned	planned	planejar
to play	played	played	brincar; jogar; tocar (instrumento musical)
to please	pleased	pleased	agradar
to pour	poured	poured	verter; despejar
to practise	practised	practised	praticar
to pray	prayed	prayed	rezar
to prefer	preferred	preferred	preferir
to prepare	prepared	prepared	preparar
to present	presented	presented	apresentar
to press	pressed	pressed	pressionar; apertar
to pretend	pretended	pretended	fingir
to print	printed	printed	imprimir
to produce	produced	produced	produzir
to promise	promised	promised	prometer
to protect	protected	protected	proteger
to provide	provided	provided	providenciar; fornecer
to pull	pulled	pulled	puxar
to punish	punished	punished	punir

Regular Verbs

to push	pushed	pushed	empurrar
to queue	queued	queued	fazer fila
to reach	reached	reached	atingir; alcançar; entrar em contato
to receive	received	received	receber
to recognise	recognised	recognised	reconhecer
to reduce	reduced	reduced	reduzir
to refuse	refused	refused	recusar
to regret	regretted	regretted	arrepender-se; lamentar
to relax	relaxed	relaxed	relaxar
to remember	remembered	remembered	lembrar-se
to remove	removed	removed	remover; tirar
to repeat	repeated	repeated	repetir
to request	requested	requested	solicitar; pedir
to return	returned	returned	retornar
to risk	risked	risked	arriscar
to rob	robbed	robbed	roubar
to satisfy	satisfied	satisfied	satisfazer
to save	saved	saved	salvar; economizar
to scream	screamed	screamed	gritar
to search	searched	searched	procurar
to separate	separated	separated	separar
to serve	served	served	servir; atender
to share	shared	shared	dividir
to sign	signed	signed	assinar
to smell	smelled	smelled	cheirar
to smile	smiled	smiled	sorrir
to smoke	smoked	smoked	fumar
to spell	spelled	spelled	soletrar
to spill	spilled	spilled	derramar
to spoil	spoiled	spoiled	estragar; mimar
to start	started	started	começar
to stay	stayed	stayed	ficar
to stop	stopped	stopped	parar; deixar de
to suffer	suffered	suffered	sofrer
to suggest	suggested	suggested	sugerir
to suit	suited	suited	adaptar
to support	supported	supported	apoiar; sustentar

Regular **Verbs**

to suppose	supposed	supposed	supor
to surprise	surprised	surprised	surpreender
to surround	surrounded	surrounded	cercar; rodear
to switch	switched	switched	trocar; mudar
to talk	talked	talked	falar; conversar
to taste	tasted	tasted	provar; experimentar
to tempt	tempted	tempted	tentar (tentação)
to test	tested	tested	provar; testar
to thank	thanked	thanked	agradecer
to tie	tied	tied	amarrar
to touch	touched	touched	tocar
to travel	travelled	travelled	viajar
to treat	treated	treated	tratar
to trust	trusted	trusted	confiar
to try	tried	tried	tentar; experimentar
to turn	turned	turned	virar; girar
to type	typed	typed	digitar
to undress	undressed	undressed	despir-se
to unite	united	united	unir
to unlock	unlocked	unlocked	destrancar
to use	used	used	usar
to vanish	vanished	vanished	desaparecer
to visit	visited	visited	visitar
to wait	waited	waited	esperar; aguardar
to walk	walked	walked	caminhar
to want	wanted	wanted	querer
to warn	warned	warned	avisar; advertir
to wash	washed	washed	lavar
to waste	wasted	wasted	desperdiçar; gastar
to welcome	welcomed	welcomed	saudar; dar as boas-vindas
to wish	wished	wished	desejar
to work	worked	worked	trabalhar
to worry	worried	worried	preocupar-se
to yawn	yawned	yawned	bocejar

Irregular **Verbs**

infinitive	past simple	past participle	significado
to be	was, were	been	ser; estar
to beat	beat	beaten	bater; derrotar
to become	became	become	tornar-se
to begin	began	begun	começar
to bend	bent	bent	curvar; dobrar
to bet	bet	bet	apostar
to bite	bit	bitten	morder
to blow	blew	blown	assoprar
to break	broke	broken	quebrar
to bring	brought	brought	trazer
to build	built	built	construir
to burn	burnt (burned)	burnt (burned)	queimar
to buy	bought	bought	comprar
to catch	caught	caught	agarrar; pegar
to choose	chose	chosen	escolher
to come	came	come	vir
to cost	cost	cost	custar
to cut	cut	cut	cortar
to dig	dug	dug	cavar
to do	did	done	fazer
to draw	drew	drawn	desenhar
to drive	drove	driven	dirigir
to drink	drank	drunk	beber
to eat	ate	eaten	comer
to fall	fell	fallen	cair
to feel	felt	felt	sentir
to fight	fought	fought	lutar
to find	found	found	achar, encontrar; procurar
to fly	flew	flown	voar
to forget	forgot	forgotten	esquecer(-se)
to forgive	forgave	forgiven	perdoar
to freeze	froze	frozen	congelar
to get	got	got	conseguir; obter
to give	gave	given	dar

Irregular Verbs

to go	went	gone	ir
to grow	grew	grown	crescer
to hang	hung	hung	pendurar
to have	had	had	ter
to hear	heard	heard	escutar
to hide	hid	hidden	esconder
to hit	hit	hit	acertar; golpear
to hold	held	held	segurar
to hurt	hurt	hurt	machucar
to keep	kept	kept	manter; segurar
to know	knew	known	saber; conhecer
to lay	laid	laid	pôr; botar
to lead	led	led	conduzir; guiar
to leave	left	left	deixar; partir
to lend	lent	lent	emprestar
to let	let	let	deixar; permitir
to lose	lost	lost	perder
tto make	made	made	fazer
to mean	meant	meant	significar; querer dizer
to meet	met	met	conhecer; encontrar (pessoas)
to pay	paid	paid	pagar
to put	put	put	colocar; pôr
to read	read	read	ler
to ride	rode	ridden	cavalgar; pedalar
to ring	rang	rung	soar
to rise	rose	risen	aumentar; subir
to run	ran	run	correr
to say	said	said	dizer
to see	saw	seen	ver
to sell	sold	sold	vender
to send	sent	sent	enviar
to show	showed	shown	mostrar; exibir
to shut	shut	shut	fechar

Irregular **Verbs**

to sing	sang	sung	cantar
to sit	sat	sat	sentar
to sleep	slept	slept	dormir
to speak	spoke	spoken	falar
to spend	spent	spent	gastar
to stand	stood	stood	levantar-se
to swim	swam	swum	nadar
to take	took	taken	pegar; levar
to teach	taught	taught	ensinar
to tear	tore	torn	rasgar
to tell	told	told	contar
to think	thought	thought	pensar
to throw	threw	thrown	atirar; arremessar
to understand	understood	understood	entender
to wake	woke	woken	acordar; despertar
to wear	wore	worn	vestir; usar; calçar
to win	won	won	vencer
to write	wrote	written	escrever

Índice

Instructions 6
Introduction 7

Grammar

Step 1
1.1.1	Verbo ser/estar *(to be)*
	frase afirmativa
	frase negativa
	frase interrogativa
1.1.2	Artigos
1.1.3	O plural
1.1.4	Pronomes oblíquos
1.1.5	Verbo ter *(to have)*
	frase afirmativa
	frase interrogativa
	frase negativa
1.1.6	Vocabulário básico
	as cores
	a família e a casa
	os números
1.1.7	Pronomes possessivos adjetivos e substantivos
1.1.8	*Double object*
1.1.9	Genitivo
1.1.10	Preposições
1.1.11	Pronomes demonstrativos adjetivos e substantivos
1.1.12	Quem, como, o que, quando e onde?
1.1.13	*There is/there are*
1.1.14	Os dias da semana e as partes do dia
1.1.15	Os meses e as estações
1.1.16	As horas

Step 2
1.2.1	*Countables and uncountables* 57
1.2.2	*How much/How many* 59
1.2.3	*Much, many, a lot of* 60
1.2.4	*Very and really* 62
1.2.5	*Too much, too many, too* 63
1.2.6	*Question words* 66
1.2.7	*Simple present/Present simple* 67
	frase afirmativa 68

	frase interrogativa 68
	frase negativa 70
	using it! 70
1.2.8	Advérbios de frequência 74
1.2.9	*Present continuous* 77
	frase afirmativa 78
	frase interrogativa 78
	frase negativa 79
	uses 79
1.2.10	*Going to* 95
1.2.11	*Simple future* 96
1.2.12	*Simple past* 104
	frase afirmativa 105
	frase negativa 106
	frase interrogativa 106
	examples 106
1.2.13	*Past continuous* 111
1.2.14	*Prepositions, adjectives and verbs + -ING* 118

Spet 3

1.3.1	*Prepositions* 121
	place 124
	time 125
	motion 129
1.3.2	*IF* 133
1.3.3	*Adjectives* 138
1.3.4	*Comparative* 141
	superioridade 141
	inferioridade 143
	igualdade 143
1.3.5	*Superlative* 147
	absoluto 147
	relativo 147
1.3.6	*The human body and the five senses* 154
	the head 155

the eyes 155
the nose 156
the ears 157
the mouth 157
"the voice" 158
the fifth sense 159

Step 4
1.4.1 Present perfect 163
1.4.2 Present perfect continuous 165
1.4.3 Past perfect 168
1.4.4 Verbos modais 170
  Can/Could/Be able to 170
  Could/Could have 175
  Would/Would have 178
  Should/Should have 179
  Might/Might have 181
  Must and have to 183

Step 5
1.5.1 Anglo Saxon family 187
  To get 187
  To set 192
  To let 192
  To keep 193
1.5.2 *Phrasal verbs* 194
1.5.3 *Passive form* 207

English in Use
At work
2.1.1 *Receiving someone* 211
2.1.2 *Small talk* 212
  Ice breakers 212
  How to say goodbye 213
2.1.3 *Communicate at office* 215
2.1.4 *E-mail* 216

	O "sanduíche" (início positivo-má notícia-conclusão forte) 217
	Signing off 219
	Examples 220
2.1.5	*On the telephone* 225
	A message on an answering machine 226
	The game rules 228
2.1.6	*Conference calls* 229
	Introduction 230
	How it is done 230
2.1.7	*Presentations* 232
	A funny start 233

Going abroad
2.2.1	*Bookings* 235
	Flights 235
	Trains 237
	Hotels 238
	Restaurants 241
2.2.2	*Places and directions* 243
2.2.3	*Travel* 247
2.2.4	*Eating out* 250

Situations and words

Real life
3.1.1	*Shopping* 257
	Grocery 260
	Clothes 262
3.1.2	*Jobs* 264
3.1.3	*Money* 270
3.1.4	*Weather* 272
3.1.5	*Places* 274

Idioms
American English 277
A 278

B 282
C 286
D 290
F-G 294
H 298
I 301
K-L 304
M 308
N 313
O 316
P 319
Q-R 323
S 326
T 332
U 335
W-Y 336

Final Part

Solutions and translations
  Step 1 340
  Step 2 345
  Step 3 356
  Step 4 361
  Step 5 364
  Going abroad 365
  Real life 366
  Idioms 369

Vocabulary 377

Regular verbs 387

Irregular verbs 394

bloco **de notas**